점선을 따라 잘라서 사용하세요!

14일 완성
학습 계획표

KB043299

- 정해진 일정과 학습 분량에 맞춰 공부해 보세요!
- 교과 학습은 물론 기초학력 진단평가까지 체계적으로 대비할 수 있습니다.
- 오늘 나의 학습은 만족스러웠는지 매일 각각의 표정에 체크해 보세요. ☞ 확인

1일차 | 1 월 28 일
국어 1학기 · 핵심 정리 V
· 확인 문제 V

11일차 | 2 월 12 일
국어 V 수학 V 사회 V
과학 영어
확인

 출발

핵심 정리 + 확인 문제

1일차   월   일
국어 1학기 · 핵심 정리 ☐
· 확인 문제 ☐
확인

2일차   월   일
국어 2학기 · 핵심 정리 ☐
· 확인 문제 ☐
확인

3일차   월   일
수학 1학기 · 핵심 정리 ☐
· 확인 문제 ☐
확인

7일차   월   일
과학 1학기 · 핵심 정리 ☐
· 확인 문제 ☐
확인

6일차   월   일
사회 2학기 · 핵심 정리 ☐
· 확인 문제 ☐
확인

5일차   월   일
사회 1학기 · 핵심 정리 ☐
· 확인 문제 ☐
확인

4일차   월   일
수학 2학기 · 핵심 정리 ☐
· 확인 문제 ☐
확인

8일차   월   일
과학 2학기 · 핵심 정리 ☐
· 확인 문제 ☐
확인

9일차   월   일
영어 1학기 · 핵심 정리 ☐
· 확인 문제 ☐
확인

10일차   월   일
영어 2학기 · 핵심 정리 ☐
· 확인 문제 ☐
확인

모의 평가

11일차   월   일
국어 ☐ 수학 ☐ 사회 ☐
과학 ☐ 영어 ☐
확인

12일차   월   일
국어 ☐ 수학 ☐ 사회 ☐
과학 ☐ 영어 ☐
확인

13일차   월   일
국어 ☐ 수학 ☐ 사회 ☐
과학 ☐ 영어 ☐
확인

실전 문제

14일차   월   일
국어 ☐ 수학 ☐ 사회 ☐
과학 ☐ 영어 ☐
확인

 도착!

기초학력
진단평가
+
3학년 총정리

시험 대비 공부법

1년 동안 배운 교과 내용을 제대로 알고 바르게 이해해야
다음 학년이 되어서도 공부를 잘할 수 있겠죠?
그래서 학년 말에는 총정리 학습이 꼭 필요하답니다.
새 학년이 되면 선생님들께서는 학생들의 학력 수준을 평가하고
그 결과를 반영하여 교과 학습을 지도하게 됩니다.
따라서 학년 말 총정리 학습은 기초학력 진단평가에도
대비할 수 있어 일석이조의 효과가 있습니다.

교과서 핵심 내용을 눈여겨보세요!

지난 1년 동안 배운 교과 내용을 훑어보면서 이미 알고 있는 내용은 다시
한번 확인하고, 잘 모르거나 자신 없는 내용은 완벽하게 이해하고 넘어가
야 합니다.

과목에 맞는 공부 방법을 알아 두세요!

국어와 영어는 교과서 지문을 꼼꼼히 읽는 게 중요합니다. 수학은 무작정
공식을 외우기보다는 연습 문제를 차근차근 풀면서 문제 응용력을 키우는
게 효과적인 공부 방법입니다. 사회, 과학은 도표나 사진 등을 주의 깊게
보고 분석하는 능력을 기르는 게 중요합니다.

실제 시험을 치르듯이 미리 연습해 보세요!

정해진 시간 안에 문제를 다 풀고 컴퓨터용 사인펜으로 OMR 답안지까지
모두 작성해야 합니다. 실제 시험을 치르듯이 미리 연습하지 않으면 시험
시간에 허둥대다가 실수하기 쉽습니다. 따라서 문제 풀이 시간과 OMR 답
안지 작성 방법을 미리미리 알아 두어야 합니다.

차례

핵심 정리 + 확인 문제

과목마다 1학기, 2학기로 나누어서
핵심 정리와 확인 문제를 수록하였습니다.
핵심 정리로 개념을 이해하고, 확인 문제로 실력을 점검하세요.

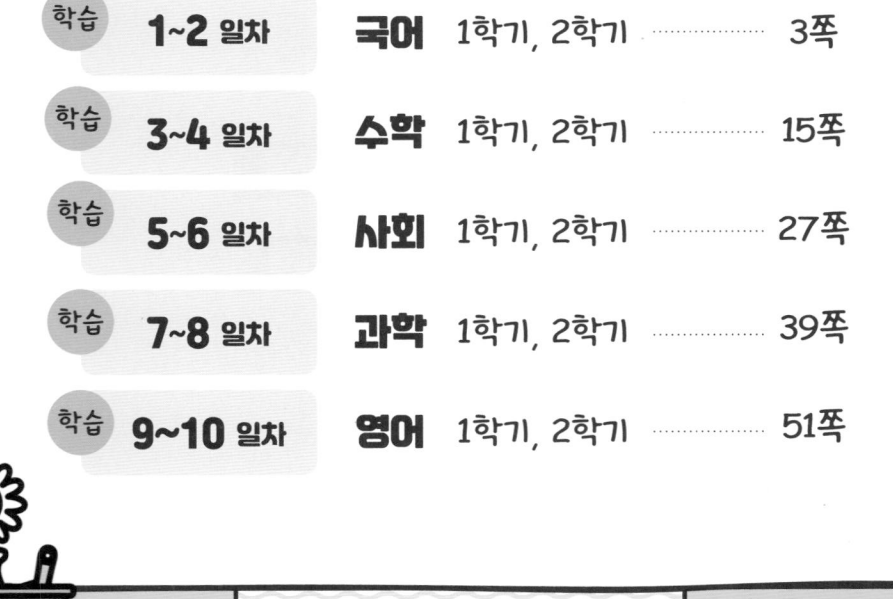

1 재미가 톡톡톡

(1) 감각적 표현

① 우리는 눈으로 보고, 귀로 듣고, 입으로 맛보고, 코로 냄새 맡고, 손으로 만지며 사물을 느낄 수 있습니다.

② 사물의 느낌을 생생하게 표현한 것을 감각적 표현이라고 합니다.
┗ 대상을 직접 보거나 듣는 것처럼 생생하게 느껴지도록 함.

(2) 시에 나타난 감각적 표현 알기

① 장면을 떠올리며 시를 읽고, 시에서 느껴지는 감각을 찾아 봅니다.

② 시에 나타난 재미있고 실감 나는 표현의 느낌을 살려 읽어 봅니다.

(3) 이야기에 나타난 감각적 표현 알기

① 내용을 파악하며 이야기를 읽습니다.

② 이야기에서 모습이나 소리, 맛, 냄새, 촉감을 표현한 부분을 찾아봅니다.

2 문단의 짜임

(1) 문단 → 문단이 모여서 한 편의 글이 됨.

① 문장이 몇 개 모여 한 가지 생각을 나타내는 것을 문단이라고 합니다.

② 문단은 중심 문장과 뒷받침 문장으로 이루어집니다.

③ 문단을 시작할 때에는 한 칸을 들여 쓰고, 한 문단이 끝나면 줄을 바꿉니다.

(2) 중심 문장과 뒷받침 문장

① 중심 문장은 문단의 내용을 대표하는 문장으로, 문단의 앞이나 뒤에 위치합니다.

② 뒷받침 문장은 중심 문장을 덧붙여 설명하거나 예를 드는 방법으로 도와주는 문장입니다.

3 알맞은 높임 표현
┗ 대상을 높이기 위한 표현

(1) 높임 표현을 사용하는 경우

① 듣는 사람이 말하는 사람보다 웃어른일 때

② 행동하는 사람이 말하는 사람보다 웃어른일 때

③ '누구에게'에 해당하는 사람이 말하는 사람보다 웃어른일 때

(2) 높임을 표현하는 방법

① '-습니다' 또는 '요'를 써서 문장을 끝맺습니다.

② 높임을 나타내는 '-시-'를 넣습니다.

③ 높임의 대상에게 '께서'나 '께'를 사용합니다.

④ 높임의 뜻이 있는 특별한 낱말을 사용합니다.
┗ 분('사람'의 높임 표현), 연세('나이'의 높임 표현), 진지('밥'의 높임 표현) 등

4 내 마음을 편지에 담아

(1) 마음을 나타내는 말

① 상황에 따라 어떤 마음을 전할지 떠올립니다.

② 마음을 전하는 말을 할 때에는 마음을 전하는 말을 하는 까닭이 잘 드러나게 이야기해야 합니다.

고마운 마음	예 책을 빌려줘서 고마워.
미안한 마음	예 내 잘못이야. 미안해.
축하하는 마음	예 할머니, 생신 축하드려요!
위로하는 마음	예 힘내. 다음에는 더 잘할 수 있을 거야.

(2) 마음이 잘 드러나게 편지 쓰는 방법

① 전하고 싶은 마음이 잘 나타나게 씁니다.

② 전하고 싶은 마음을 드러내는 표현을 사용하고, 그때 자신의 생각이나 느낌을 자세히 씁니다.

③ 편지의 형식에 맞게 씁니다.
┗ 받을 사람, 첫인사, 전하고 싶은 말, 끝인사, 쓴 날짜, 쓴 사람

5 중요한 내용을 적어요

(1) 메모

① 다른 사람에게 말을 전하거나 자신이 기억한 것을 잊지 않으려고 짧게 쓴 글을 메모라고 합니다.

② 메모를 해 두면 시간이 많이 흐른 뒤에도 듣고 보고 생각한 것을 다시 떠올리는 데 도움이 됩니다.

(2) 메모하는 방법

① 중요한 내용이 빠지지 않게 씁니다.

② 중요한 낱말을 중심으로 짧게 씁니다.

(3) 글을 간추리는 방법

① 각 문단의 중요한 내용을 찾아 정리합니다.

② 묶을 수 있는 낱말을 이용해서 간단하게 정리합니다.

③ 중요한 내용을 이어서 전체 내용을 하나로 묶습니다.
┗ 문장을 이을 때는 이어 주는 말을 사용함.

[01~03] 다음 시를 읽고 물음에 답하시오.

누가 잘 익은 콩을
저렇게 쏟고 있나

⊙또로록 마당 가득
실로폰 소리 난다

소나기 그치고 나면
하늘빛이 더 맑다

||중요||
01 관련 단원 | 1. 재미가 톡톡톡
이 시에서 소나기 소리를 빗대어 표현한 것을 두 가지 고르시오. (,)

① 노래 소리
② 파도 소리
③ 실로폰 소리
④ 콩 쏟는 소리
⑤ 천둥 번개 소리

02 관련 단원 | 1. 재미가 톡톡톡
이 시의 제목으로 알맞은 것을 쓰시오.

( )

03 관련 단원 | 1. 재미가 톡톡톡
⊙과 같은 표현을 사용한 까닭은 무엇입니까? ( )

① 소나기 냄새가 나는 것처럼 표현하려고
② 글쓴이의 마음을 쉽게 파악하게 하려고
③ 빗소리가 들리듯이 생생하게 표현하려고
④ 비가 그치는 모습을 보이듯이 표현하려고
⑤ 소나기를 만지는 것 같은 느낌을 표현하려고

[04~06] 다음 글을 읽고 물음에 답하시오.

⊙장승은 여러 가지 구실을 했습니다. ⓛ우리 조상은 장승이 나쁜 병이나 기운이 마을로 들어오는 것을 막아 준다고 믿었습니다. ⓒ장승은 나그네에게 길을 알려 주기도 했습니다. ⓔ또 장승은 마을과 마을 사이를 나누는 구실도 했습니다. 장승은 나무나 돌에 사람 얼굴 모습을 조각해 만들었습니다. ⓜ할아버지처럼 친근한 얼굴도 있고, 도깨비처럼 무서운 얼굴도 있습니다. 우스꽝스러운 장난꾸러기 얼굴을 한 장승도 있습니다.

||중요||
04 관련 단원 | 2. 문단의 짜임
⊙~ⓜ 중에서 중심 문장은 어느 것입니까? ( )

① ⊙
② ⓛ
③ ⓒ
④ ⓔ
⑤ ⓜ

05 관련 단원 | 2. 문단의 짜임
장승의 구실로 알맞은 것은 무엇입니까? ( )

① 사나운 동물을 막아 준다.
② 나그네에게 길을 알려 준다.
③ 마을의 농사가 잘되게 한다.
④ 마을과 마을 사이를 이어 준다.
⑤ 마을에서 제사를 지낼 때 사용한다.

06 관련 단원 | 2. 문단의 짜임
이 글에서 잘못된 부분을 알맞게 말한 친구의 이름을 쓰시오.

미현: 문단이 끝났는데 줄을 바꾸지 않았어.
지율: 문단을 시작할 때 한 칸을 들여 쓰지 않았어.
선우: 뒷받침 문장이 중심 문장을 자세히 설명하지 못해.

( )

07 관련 단원 | 3. 알맞은 높임 표현
높임 표현을 사용하는 때는 언제입니까? ( )

① 동생과 놀이할 때
② 친구에게 사과할 때
③ 친구에게 선물을 줄 때
④ 형이나 누나의 생일을 축하할 때
⑤ 우리 반 친구들 앞에서 발표할 때

||중요||
08 관련 단원 | 3. 알맞은 높임 표현
다음 문장에서 높임을 표현한 방법을 모두 고르시오.

(, ,)

할머니께 선물을 드릴게요.

① '요'를 써서 문장을 끝맺었다.
② 문장을 '–습니다'로 끝맺었다.
③ 높임의 대상에게 '–께'를 썼다.
④ 높임을 나타내는 '–시–'를 넣었다.
⑤ 높임을 뜻하는 특별한 낱말을 썼다.

09 관련 단원 | 3. 알맞은 높임 표현
높임을 표현하는 낱말이 잘못 짝 지어진 것의 기호를 쓰시오.

㉮ 밥 – 진지
㉯ 말 – 말씀
㉰ 생일 – 생신
㉱ 나이 – 성함

( )

[10~12] 다음 글을 읽고 물음에 답하시오.

> 나리에게
>
> 나리야, 안녕? 나 민경이야.
>
> 나리야, 어제 네가 내 가방을 들어 주어서 ㉠고마웠어. 내가 팔을 다쳐서 가방을 어떻게 들까 걱정했는데 네가 와서 도와준다고 했을 때 ㉡정말 기뻤어. 그런데 어제는 고맙다는 말을 제대로 하지 못해서 이렇게 편지를 써.
>
> 지난 체육 시간에 너와 달리기 경주를 해서 내가 졌잖아. 달리기만큼은 자신 있었는데 내가 지니까 ㉢많이 속상했어. 그래서 그동안 너한테 말도 제대로 하지 않았어. 그런데 너는 오히려 나를 걱정해 주고 가방도 들어 주어서 ㉣미안했어.
>
> 나리야, 고마워! 너는 운동도 잘하고, 마음도 참 따뜻한 멋진 친구야. 앞으로도 ㉤친하게 지내자. 안녕.
>
> 20○○년 4월 13일
>
> 민경이가

관련 단원 | 4. 내 마음을 편지에 담아

10 이 글의 내용으로 알맞은 것은 무엇입니까? (   )

① 민경이는 나리에게 고마워한다.
② 나리는 민경이에게 미안해한다.
③ 민경이는 나리의 가방을 들어 주었다.
④ 민경이는 나리를 걱정해서 도와주었다.
⑤ 나리는 달리기 경주에서 민경이에게 졌다.

관련 단원 | 4. 내 마음을 편지에 담아

11 ㉠~㉤의 공통점으로 알맞은 것은 무엇입니까? (   )

① 웃어른을 높이는 말이다.
② 마음을 나타내는 말이다.
③ 소리나 모양을 흉내 내는 말이다.
④ 낱말의 뜻을 자세히 설명하는 말이다.
⑤ 사물의 느낌을 생생하게 표현하는 말이다.

||중요||
12 글쓴이의 마음은 어떻게 바뀌었습니까? (   )

	지난 체육 시간		어제
①	고마운 마음	➡	속상한 마음
②	속상한 마음	➡	고마운 마음
③	미안한 마음	➡	위로하는 마음
④	속상한 마음	➡	축하하는 마음
⑤	축하하는 마음	➡	위로하는 마음

[13~14] 다음 글을 읽고 물음에 답하시오.

> **가** 악기는 타악기, 현악기, 관악기로 나눌 수 있어요. 타악기는 두드리거나 때려서 소리를 내는 악기로 타악기에는 장구나 큰북 등이 있으며, 현악기는 줄을 사용하는 악기로 현악기에는 가야금이나 바이올린 등이 있어요. 그리고 관악기는 입으로 불어서 소리를 내는 악기로 관악기에는 단소나 트럼펫 등이 있어요.
>
> **나** 악기는 타악기, 현악기, 관악기로 나눌 수 있다.
>
> **다**
>
>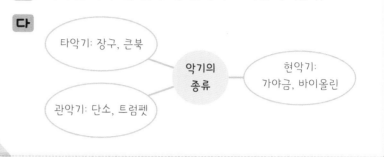

관련 단원 | 5. 중요한 내용을 적어요

13 글 **가**의 내용으로 알맞지 <u>않은</u> 것은 무엇입니까?(   )

① 현악기는 줄을 사용하는 악기이다.
② 단소나 트럼펫은 관악기에 해당한다.
③ 가야금과 바이올린은 현악기에 포함된다.
④ 악기의 종류에는 타악기, 현악기, 관악기가 있다.
⑤ 관악기는 두드리거나 때려서 소리를 내는 악기이다.

||중요||
관련 단원 | 5. 중요한 내용을 적어요

14 글 **가** ~ **다** 중에서 다음 설명에 알맞은 글의 기호를 쓰시오.

(1) | 중요한 내용을 낱말 중심으로 썼다. |

(   )

(2) | 전체 내용을 한 문장으로 짧게 간추렸다. |

(   )

관련 단원 | 5. 중요한 내용을 적어요

15 글을 간추리는 방법으로 알맞지 <u>않은</u> 것은 무엇입니까?
(   )

① 각 문단의 중요한 내용을 찾아 정리한다.
② 글에 있는 모든 내용을 빠짐없이 정리한다.
③ 문장을 이을 때는 이어 주는 말을 사용한다.
④ 중요한 내용을 이어서 전체 내용을 하나로 묶는다.
⑤ 묶을 수 있는 낱말을 이용해서 간단하게 정리한다.

6 일이 일어난 까닭

(1) 원인과 결과

원인	어떤 일이 일어난 까닭.	예 아침에 늦잠을 잤다.
결과	그 때문에 일어난 일.	예 학교에 지각을 했다.

(2) 원인과 결과에 따라 이야기하는 방법
① 그 일이 일어난 까닭과 그 까닭 때문에 생긴 일, 달라진 일을 찾아봅니다. └원인 └결과
② 그 결과 어떤 일이 일어났는지 생각해 봅니다.
③ '그래서', '때문에', '왜냐하면'과 같은 이어 주는 말을 사용합니다.

7 반갑다, 국어사전

(1) 국어사전에서 낱말을 찾는 방법
① 낱말의 첫 번째 글자를 확인하고 첫 자음자, 모음자, 받침의 차례대로 국어사전에서 찾습니다.
② 낱말에 쓰인 나머지 글자도 낱자 차례대로 찾습니다.

(2) 형태가 바뀌는 낱말을 국어사전에서 찾는 방법
① 형태가 바뀌는 낱말에서 형태가 바뀌지 않는 부분을 찾습니다. └'먹다, 달리다'처럼 움직임을 나타내는 낱말과
└'높다, 예쁘다'처럼 성질이나 상태를 나타내는 낱말
② 형태가 바뀌지 않는 부분에 '-다'를 붙여 기본형을 만듭니다.
③ 형태가 바뀌는 낱말의 기본형을 국어사전에서 찾습니다.
예 형태가 바뀌는 낱말의 기본형 만들기

형태가 바뀌지 않는 부분	형태가 바뀌는 부분	기본형
먹	는다, 었다, 으면, 고	먹다
높	은데, 고, 은, 아서	높다

(3) 글을 읽을 때 국어사전을 활용하면 좋은 점
① 국어사전에서 모르는 낱말의 뜻을 찾아 정확한 뜻을 알 수 있습니다.
② 글의 내용을 더 잘 이해할 수 있습니다.

8 의견이 있어요

(1) 의견
① 글쓴이나 인물이 어떤 대상에게 지니는 생각을 의견이라고 합니다.
② 의견에는 알맞은 까닭이 필요합니다.
③ 어떤 대상에게 사람들이 지니는 의견은 같을 수도 있고 다를 수도 있습니다.

(2) 글을 읽고 인물의 의견과 그 까닭 알기
① 인물의 말과 행동을 주의 깊게 살펴보고 인물의 의견을 파악합니다.
② 누가 무슨 까닭으로 그런 의견을 냈는지를 알면 그 의견의 내용을 더 잘 알 수 있습니다.

(3) 글쓴이의 의견을 파악하는 방법
① 글의 제목을 주의 깊게 살펴봅니다.
② 문단의 중심 문장을 간추려 봅니다.
③ 글쓴이가 그 글을 쓴 목적이 무엇인지 짐작해 봅니다.

9 어떤 내용일까

(1) 글을 읽을 때 낱말의 뜻을 짐작하는 방법
① 앞뒤의 문장이나 낱말을 살펴봅니다.
② 짐작한 뜻과 뜻이 비슷한 낱말을 넣어 봅니다.
③ 낱말이 사용된 예를 떠올려 봅니다.
예 낱말의 뜻 짐작하기

> 다람쥐는 계속 자라는 이빨을 닳게 하려고 쉬지 않고 나무를 쏠거나 딱딱한 열매를 갉아 먹는다.

➡ **'닳게'와 뜻이 비슷한 낱말** 예 짧게, 줄게, 없어지게

(2) 생략된 내용을 짐작하는 방법
① 글에서 찾을 수 있는 단서를 확인합니다. └어떤 일이나 사건이 일어난 까닭을
② 자신의 경험을 떠올립니다. └풀어 나갈 수 있는 실마리

(3) 안내문 읽기
① 뜻을 모르는 낱말의 뜻을 짐작해 보고, 그 뜻을 국어사전에서 찾아봅니다.
② 생략된 내용을 짐작하며 안내문을 읽어 봅니다.

10 문학의 향기

(1) 시에서 감동을 느낀 부분을 찾는 방법
① 시를 읽고 어떤 장면이 떠오르는지 생각해 봅니다.
② 시에 나오는 인물이 한 경험과 비슷한 자신의 경험을 떠올려 봅니다.
③ 시에 나오는 인물의 마음이 어떠한지 생각해 봅니다.
④ 어떤 부분이 기억에 오래 남는지 떠올려 봅니다. └재미있는 표현, 특별히 기억에 남는 부분

(2) 이야기에서 재미나 감동을 느낀 부분을 찾는 방법
① 주인공의 특이한 행동을 살펴봅니다.
② 자신의 경험과 비슷한 부분을 찾습니다.
③ 가슴이 뭉클해지는 부분에서 찾습니다.

[01~03] 다음 글을 읽고 물음에 답하시오.

승호는 아기 참새를 쥔 두 손을 높이 들고 깡충 뛰며 놓아 주었습니다. 그러나 아기 참새는 길에서 깡충깡충 뛰어다니기만 했습니다. 승호는 파닥거리는 아기 참새를 두 손으로 감싸 쥐었습니다.

㉠"참새를 어떻게 하지?" / 승호가 걱정스럽게 물었습니다.

"선생님께 가져다드리자." / "그래, 그게 좋겠다."

승호는 참새를 안고 교실로 갔습니다.

"선생님, 참새 잡았어요."

승호를 뒤따라온 아이들이 승호보다 먼저 소란스럽게 말했습니다.

"참새를 어떻게 잡았니?" / "잘 날지 못하는 아기 참새예요."

선생님께서는 승호가 내미는 참새를 받아 손바닥에 올려놓으셨습니다.

01 관련 단원 | 6. 일이 일어난 까닭

㉠에 나타난 승호의 마음은 어떠합니까? ( )

① 고맙다. ② 기쁘다. ③ 무섭다.

④ 미안하다. ⑤ 걱정스럽다.

02 관련 단원 | 6. 일이 일어난 까닭

승호는 왜 참새를 안고 교실로 갔습니까? ( )

① 아기 참새가 추워 보여서

② 아기 참새에게 먹이를 주려고

③ 아기 참새가 지쳐 보였기 때문에

④ 아기 참새의 엄마를 찾아 주려고

⑤ 아기 참새가 잘 날지 못했기 때문에

03 중요 관련 단원 | 6. 일이 일어난 까닭

빈칸에 들어갈 알맞은 이어 주는 말을 쓰시오.

승호는 선생님께 아기 참새가 잘 날지 못한다고 말씀드렸다. [ ] 선생님께서 아기 참새를 손바닥 위에 놓고 자세히 살펴보셨다.

( )

04 관련 단원 | 7. 반갑다, 국어사전

다음 낱말을 국어사전에 싣는 차례대로 기호를 쓰시오.

| ㉮ 바다 | ㉯ 발자국 | ㉰ 발등 |

( ) → ( ) → ( )

05 중요 관련 단원 | 7. 반갑다, 국어사전

낱말의 기본형이 알맞지 <u>않은</u> 것은 무엇입니까? ( )

	낱말		기본형
①	넓은, 넓고, 넓어서	➡	넓다
②	높은, 높고, 높아서	➡	높다
③	맑은, 맑고, 맑아서	➡	맑다
④	먹은, 먹고, 먹어서	➡	먹다
⑤	앉은, 앉고, 앉아서	➡	앉았다

[06~07] 다음 글을 읽고 물음에 답하시오.

자 부인이 큰 키를 뽐내며 말했습니다.

자 부인: 아씨가 바느질을 잘 해내는 것은 다 내 덕이라고. 옷감의 넓고 좁음, 길고 짧음은 내가 아니면 알 수 없어. 그러니까 우리 중에서 가장 중요한 것은 바로 나라고!

그 말을 듣고 가위 색시가 입을 삐쭉이며 따지듯이 말했습니다.

가위 색시: 아니, 내 덕은 몰라라 하고 형님 자랑만 하는군요. 옷감을 잘 재어 본들 자르지 않으면 무슨 소용이 있나요? 내가 나서서 옷감을 잘라야 일이 된다고요.

그러자 앉아서 듣고만 있던 새침데기 바늘 각시가 따끔하게 쏘듯 한마디 합니다.

바늘 각시: 구슬이 서 말이라도 꿰어야 보배이지요. 내가 이 솔기 저 솔기 꿰매고 나서야 입을 옷이 되지 않나요? 내가 없으면 옷을 만드는 바느질은 절대로 할 수 없어요.

06 관련 단원 | 8. 의견이 있어요

세 인물의 공통된 의견은 무엇입니까? ( )

① 내가 가장 크다. ② 내가 가장 비싸다.

③ 내가 가장 착하다. ④ 내가 가장 중요하다.

⑤ 내가 가장 힘이 세다.

07 중요 관련 단원 | 8. 의견이 있어요

다음은 어떤 인물의 의견에 대한 생각을 말한 것인지 쓰시오.

길고 큰 천만으로는 옷이 되지 않는다. 옷을 만들 때는 천을 잘라서 조각을 내는 일이 꼭 필요하다.

( )

[08~11] 다음 글을 읽고 물음에 답하시오.

다람쥐처럼 쥐 무리에 속하는 동물들은 이빨이 계속해서 자란다고 해요. 그렇기 때문에 이빨을 ㉠닳게 하려고 쉬지 않고 나무를 쏠거나 딱딱한 열매를 갉아 먹는 것이죠.

그래서 다람쥐가 좋아하는 먹이는 도토리, 밤, 땅콩, 호두, 잣과 같이 대부분 껍질이 딱딱한 열매예요. 하지만 가끔은 채소의 싹을 잘라먹기도 하고 곤충을 잡아먹기도 한대요.

가을이 되면 다람쥐는 겨울잠을 자려고 먹이를 많이 먹어 두어요. 남은 먹이는 땅속에 먹이 창고를 만들어 ㉡감춰 두지요. 그리고 배고플 때마다 겨울잠에서 깨어나 먹이를 먹으며 겨울을 나지요.

관련 단원 | 9. 어떤 내용일까
08 다람쥐가 가을에 먹이를 많이 먹어 두는 까닭은 무엇입니까?
( )

① 이빨이 자라는 것을 막으려고
② 좋아하는 먹잇감들이 늘어나서
③ 겨울잠을 자기 위해 준비하려고
④ 자신을 공격하려는 적들이 많아서
⑤ 다른 다람쥐들에게 빼앗기지 않으려고

║중요║
관련 단원 | 9. 어떤 내용일까
09 ㉠의 뜻을 짐작할 때, 빈칸에 들어갈 말로 알맞지 <u>않은</u> 것은 무엇입니까? ( )

어떤 물건의 길이, 두께, 크기 등이 [   ].

① 길어지게
② 없어지게
③ 작아지게
④ 줄어들게
⑤ 짧아지게

관련 단원 | 9. 어떤 내용일까
10 국어사전에서 ㉠의 뜻을 찾으려면 어떤 낱말을 찾아야 하는지 쓰시오.

( )

관련 단원 | 9. 어떤 내용일까
11 ㉡과 바꾸어 쓸 수 있는 낱말은 어느 것입니까? ( )

① 밝혀
② 숨겨
③ 심어
④ 열려
⑤ 잡혀

[12~14] 다음 시를 읽고 물음에 답하시오.

친구의 우산을 함께 쓰고 왔다.

미안해서
내가 비를 더 맞으려고
어깨를 우산 밖으로 내놓으면
친구가 우산을 내 쪽으로
더 기울여 주었다.

빗속을
우리는 나란히 걸었다.

좁은 길에선 일부러
내가 빗물 고인 자리를 디뎠다.
그걸 알았는지 친구는 나를
제 쪽으로 가만히 당겨 주는 것이었다.

관련 단원 | 10. 문학의 향기
12 이 시의 분위기는 어떠합니까? ( )

① 슬프다.
② 지루하다.
③ 따뜻하다.
④ 쓸쓸하다.
⑤ 시끌벅적하다.

관련 단원 | 10. 문학의 향기
13 말하는 이가 어깨를 우산 밖으로 내놓은 까닭은 무엇입니까? ( )

① 원래 비 맞는 것을 좋아해서
② 우산이 좁아서 비를 맞고 가려고
③ 친구에게 미안함을 느끼게 하려고
④ 친구 쪽으로 우산이 기울어져 있어서
⑤ 친구에게 미안해서 자신이 비를 더 맞으려고

║중요║
관련 단원 | 10. 문학의 향기
14 이 시를 읽고 떠오르는 장면은 무엇입니까? ( )

① 비 오는 날 두 친구가 축구하는 장면
② 두 친구가 함께 우산을 쓰고 가는 장면
③ 두 친구가 비가 그치기를 기다리는 장면
④ 비 오는 날 우산 없이 비를 맞고 가는 장면
⑤ 싸움을 한 두 친구가 만나 서먹서먹한 장면

1 작품을 보고 느낌을 나누어요

(1) 표정, 몸짓, 말투에 주의하며 말하면 좋은 점
① 듣는 사람에게 자신의 마음을 더 잘 전할 수 있습니다.
② 알맞은 표정, 몸짓, 말투로 말하면 듣는 사람에게 내 생각을 생생하게 전달할 수 있습니다. → 같은 말을 해도 표정, 몸짓, 말투에 따라 뜻이 다르게 전달될 수 있음.

(2) 인물의 말과 행동을 살피며 만화 영화 감상하기
① 인물의 표정, 몸짓, 말투에 주의하며 만화 영화를 봅니다.
② 만화 영화에서 재미있거나 감동받은 부분을 찾아봅니다.
③ 인물의 말과 행동을 보고 자신이라면 어떻게 했을지 이야기해 봅니다.
예 인물의 말과 행동을 살피며 「미미 언니 자두」 감상하기

장면	
학교 친구와 선생님이 언니 자두에게만 관심을 기울이자 화가 난 미미가 "언니랑 같이 다니고 싶지 않아!"라고 말하는 장면	

표정	얼굴을 찡그리고 입을 크게 벌리며
몸짓	양팔을 아래위로 흔들며
말투	높고 큰 목소리로

(3) 인물의 표정, 몸짓, 말투에 주의하며 만화 영화를 보면 좋은 점
① 만화 영화의 줄거리를 이해하는 데 도움이 됩니다.
② 인물의 표정, 몸짓, 말투에서 재미를 느낄 수 있습니다.
③ 만화 영화를 더 재미있게 볼 수 있습니다.

(4) 인물의 표정, 몸짓, 말투를 생각하며 작품을 읽고 대화 나누기
① 인물의 표정, 몸짓, 말투를 상상하며 이야기를 읽습니다.
② 이야기 속 장면을 골라 알맞은 표정, 몸짓, 말투로 표현해 봅니다.
③ 표현한 장면에 대해 친구들과 이야기를 나누어 봅니다.

2 중심 생각을 찾아요

(1) 아는 내용이나 겪은 일과 관련지어 글을 읽으면 좋은 점
① 글이 쉽게 이해됩니다.
② 내용을 기억하기 쉽습니다.
③ 글 내용에 더 흥미를 느끼게 됩니다.
④ 글을 읽으면서 그 모습을 잘 상상할 수 있습니다.

(2) 아는 내용이나 겪은 일과 관련지어 글 읽기
① 아는 내용이나 겪은 일과 관련지어 글을 읽습니다.
② 글을 읽고 나서 새롭게 안 내용이나 더 알고 싶은 내용을 정리해 봅니다.

(3) 글을 읽고 중심 생각을 찾는 방법
① 문단의 중심 문장을 찾아보고 중심 생각을 간추립니다. → 한 문단의 전체 내용을 대표하는 문장
② 글의 제목을 보고 무엇에 대해 쓴 글인지 생각합니다.
③ 글에 있는 사진이나 그림을 보고 글쓴이의 중심 생각을 찾습니다. → 글쓴이가 글 전체에서 말하고 싶은 생각

3 자신의 경험을 글로 써요

(1) 기억에 남는 일을 정리하면 좋은 점
① 기억에 남는 일을 자세히 떠올릴 수 있습니다.
② 기억에 남는 일을 글로 쓸 수 있습니다.
③ 자신이 한 일을 되돌아볼 수 있습니다.
④ 어떤 내용을 말하거나 쓸지 점검할 수 있습니다.

(2) 자신의 경험에서 인상 깊은 일을 글로 쓰는 방법

겪은 일 가운데에서 어떤 일을 글로 쓸지 정함. ➡ 쓸 내용을 정리함. ➡ 글을 씀. ➡ 고쳐쓰기를 함.
→ 언제, 어디에서, 누구와 있었던 일인지, 무슨 일이 있었는지, 어떤 마음이 들었는지 정리함.

(3) 띄어쓰기 하는 방법
① 낱말과 낱말 사이는 띄어 쓰되, '이/가, 을/를, 은/는, 의'와 같은 말은 앞말에 붙여 씁니다.
② 마침표(.)나 쉼표(,) 뒤에 오는 말은 띄어 씁니다.
③ 수를 나타내는 말과 단위를 나타내는 말 사이는 띄어 씁니다. → 띄어쓰기를 바르게 하면 전하고자 하는 뜻을 정확히 전할 수 있고 글을 읽는 사람을 편하게 읽을 수 있음

(4) 글을 쓴 뒤에 고쳐쓰기 하면 좋은 점
① 자신이 전하고자 한 내용을 효과적으로 표현했는지 확인할 수 있습니다.
② 잘못된 띄어쓰기나 표현을 고칠 수 있습니다.

4 감동을 나타내요

(1) 감각적 표현 → 눈, 귀, 피부 따위로 전해지는 느낌

감각적 표현	어떤 대상을 눈으로 보고, 귀로 듣고, 입으로 맛보고, 코로 냄새 맡고, 손으로 만지면서 알게 된 느낌을 생생하게 표현한 것임.

(2) 대상을 감각적 표현으로 나타내면 좋은 점
① 대상의 느낌을 생생하게 표현할 수 있습니다.
② 대상의 느낌을 재미있게 나타낼 수 있습니다.
③ 감각적 표현을 말하려고 대상을 더 자세히 관찰할 수 있습니다. → 소리나 모양을 흉내 내거나 다른 대상에 빗대어 표현하면 더 재미있고 실감 나게 표현할 수 있음.

(3) 시를 읽고 여러 가지 감각적 표현 말하기
① 장면을 떠올리며 시를 읽습니다.
② 시에 나타난 감각적 표현을 찾아봅니다.
③ 감각적 표현에 주의하며 시에 대한 생각이나 느낌을 친구들과 이야기해 봅니다.

(4) 이야기를 읽고 생각이나 느낌 표현하기
① 인물의 마음을 생각하며 이야기를 읽습니다.
② 이야기에서 사건이 어떻게 연결되었는지 정리해 봅니다.
③ 이야기에 나타난 감각적 표현을 찾아보고, 이야기에 대한 생각이나 느낌을 친구들과 이야기해 봅니다.

중요

01 관련 단원 | 1. 작품을 보고 느낌을 나누어요

다음 상황에서 윤아의 표정, 몸짓, 말투로 알맞은 것은 무엇입니까? ( )

> 윤아는 실수로 민서의 책상에 우유를 엎질렀다. 윤아는 민서에게 "미안해."라고 말했다.

① 밝게 웃는 표정
② 빈정거리는 표정
③ 놀리는 듯한 말투
④ 고개를 쳐든 몸짓
⑤ 진지하게 사과하는 말투

[02~03] 다음은 만화 영화 「장금이의 꿈」의 한 장면입니다. 물음에 답하시오.

> 시험을 볼 수 있다는 소식을 듣고 뒷산에 홀로 올라가는 장면
>
> (엄마, 궁에 갈 수 있게 됐어요.)
>
> 마음 궁으로 가게 된 것이 무척 기쁨.
> 표정 ㉠눈물을 글썽이며
> 몸짓 두 손에 힘을 꼭 주며
> 말투 ㉡

02 관련 단원 | 1. 작품을 보고 느낌을 나누어요

장금이가 ㉠과 같은 표정을 지은 까닭으로 알맞은 것은 무엇입니까? ( )

① 궁녀가 되기 싫어서
② 엄마한테 꾸중을 들어서
③ 뒷산에 올라가느라 힘들어서
④ 시험을 볼 수 있다는 사실이 기뻐서
⑤ 궁녀를 뽑는 시험에서 떨어질까 봐 걱정되어서

03 관련 단원 | 1. 작품을 보고 느낌을 나누어요

㉡에 들어갈 장금이의 말투로 가장 잘 어울리는 것은 무엇입니까? ( )

① 화난 목소리로
② 힘없는 목소리로
③ 비웃는 목소리로
④ 높고 빠른 목소리로
⑤ 가늘고 떨리는 목소리로

04 관련 단원 | 1. 작품을 보고 느낌을 나누어요

인물의 표정, 몸짓, 말투를 살피며 만화 영화를 보면 좋은 점으로 알맞지 않은 것을 두 가지 고르시오. (,)

① 자신이 한 일을 되돌아볼 수 있다.
② 줄거리를 이해하는 데 도움이 된다.
③ 만화 영화를 더 재미있게 볼 수 있다.
④ 인물이 한 일을 똑같이 흉내 낼 수 있다.
⑤ 인물의 표정, 몸짓, 말투에서 재미를 느낄 수 있다.

중요

05 관련 단원 | 2. 중심 생각을 찾아요

아는 내용이나 겪은 일과 관련지어 글을 읽을 때 생각해 보아야 할 내용을 보기 에서 모두 찾아 기호를 쓰시오.

> **보기**
> ㉮ 꾸며 쓸 내용
> ㉯ 알고 있는 내용
> ㉰ 더 알고 싶은 내용
> ㉱ 상상하고 싶은 내용
> ㉲ 새롭게 알게 된 내용

( )

[06~08] 다음 글을 읽고 물음에 답하시오.

> ㉠겨울 날씨를 나타내는 토박이말에는 '가랑눈', '진눈깨비', '함박눈', '도둑눈' 같은 말이 있다. ㉡겨울에는 눈이 와야 겨울답다고 한다. 같은 눈이라도 눈의 생김새나 크기에 따라 그 이름이 다르다. '가랑눈'은 조금씩 잘게 부서져서 내리는 눈을 말한다. 가늘게 가루처럼 내리는 비를 '가랑비'라고 하는 것과 같다. 비가 섞여 내리는 눈은 '진눈깨비', 굵고 탐스럽게 내리는 눈은 '함박눈', 밤에 사람들이 모르게 내린 눈은 '도둑눈'이라고 한다. ㉢도둑눈은 사람들 몰래 왔다는 뜻을 담은 말이다.

06 관련 단원 | 2. 중심 생각을 찾아요

다음과 같이 눈의 이름이 다른 것은 무엇과 관련 있는지 두 가지 고르시오. (,)

> 가랑눈, 진눈깨비, 함박눈

① 계절
② 색깔
③ 지역
④ 크기
⑤ 생김새

07 관련 단원 | 2. 중심 생각을 찾아요

이 글의 제목은 「날씨를 나타내는 토박이말」입니다. 제목을 보고 알 수 있는 글쓴이의 생각으로 알맞은 것에 ○표 하시오.

(1) 날씨 표현을 정확하게 하자. ( )
(2) 우리나라는 사계절이 뚜렷하다. ( )
(3) 우리말에는 날씨를 나타내는 토박이말이 많다. ( )

중요

08 관련 단원 | 2. 중심 생각을 찾아요

㉠~㉢에서 이 문단의 중심 문장을 찾아 기호를 쓰시오.

( )

09 자신이 겪은 일 가운데에서 기억에 남는 일을 정리할 때 생각할 점과 거리가 <u>먼</u> 것은 무엇입니까? (　　)

관련 단원 | 3. 자신의 경험을 글로 써요

① 언제 있었던 일인가?
② 누구와 있었던 일인가?
③ 어디에서 있었던 일인가?
④ 그때에 어떤 마음이 들었는가?
⑤ 친구들의 생각이나 느낌은 어떠한가?

[10~11] 다음 글을 읽고 물음에 답하시오.

> ㉠"아이고, 배야."
> 동생 ㉡주혁이가끙끙앓는소리에 잠에서 깼다.
> "열이 39도가 넘잖아! 배도 많이 아파하고, 큰일이네."
> 걱정스럽게 말씀하시는 아빠의 목소리도 들렸다. 나는 눈을 비비고 자리에서 일어났다.
> ㉢"아빠,무슨일이에요?"
> 나는 주혁이 머리맡에 앉아 계신 아빠 옆으로 다가갔다.
> "㉣주혁이가열이많이나는구나. 아무래도 장염에 걸린 것 같다. ㉤이번가을에만두번째네."

10 '나'가 잠에서 깬 까닭은 무엇입니까? (　　)

관련 단원 | 3. 자신의 경험을 글로 써요

① 장염에 걸려서
② 열이 많이 나서
③ 무서운 꿈을 꾸어서
④ 동생이 끙끙 앓는 소리가 들려서
⑤ 아버지께서 말씀하시는 소리가 들려서

중요
11 ㉠~㉤을 바르게 띄어 쓰지 <u>못한</u> 것은 무엇입니까? (　　)

관련 단원 | 3. 자신의 경험을 글로 써요

① ㉠: "아이고,∨배야."
② ㉡: 주혁이가∨끙끙∨앓는∨소리에
③ ㉢: "아빠,∨무슨∨일이에요?"
④ ㉣: 주혁이가∨열이∨많이∨나는구나.
⑤ ㉤: 이번∨가을에만∨두번째네.

12 자신의 경험에서 인상 깊은 일을 글로 쓰는 순서대로 기호를 늘어놓으시오.

관련 단원 | 3. 자신의 경험을 글로 써요

> ㉮ 글을 쓴다.
> ㉯ 고쳐쓰기를 한다.
> ㉰ 쓸 내용을 정리한다.
> ㉱ 겪은 일 가운데에서 어떤 일을 글로 쓸지 정한다.

(　　) → (　　) → (　　) → (　　)

13 빈칸에 들어갈 말을 두 글자로 쓰시오.

관련 단원 | 4. 감동을 나타내요

> 우리는 눈으로 보고, 귀로 듣고, 입으로 맛보고, 코로 냄새 맡고, 손으로 만지면서 대상의 느낌을 알 수 있다. 이렇게 알게 된 느낌을 생생하게 표현한 것을 □□ 적 표현이라고 한다.

(　　)

[14~15] 다음 시를 읽고 물음에 답하시오.

> 내 몸에
> 불덩이가 들어왔다.
> ─뜨끈뜨끈.
> 불덩이를 따라
> 몹시 추운 사람도 들어왔다.
> ─오들오들.
>
> 약을 먹고 나니
> ㉠느릿느릿,
> 거북이도 들어오고
> ㉡까무룩,
> 잠꾸러기도 들어왔다.
>
> 내 몸에
> 너무 많은 것들이 들어왔다.
> 그래서
> 내 몸이 아주 무거워졌다.

중요
14 ㉠과 ㉡은 각각 어떤 상태를 감각적으로 표현한 것인지 찾아 선으로 이으시오.

관련 단원 | 4. 감동을 나타내요

(1) ㉠ •

(2) ㉡ •

• ㉮ 감기약을 먹고 몹시 졸린 상태

• ㉯ 감기약을 먹고 몸이 무거운 상태

중요
15 이 시와 같이, 대상을 감각적 표현으로 나타내면 좋은 점으로 알맞지 <u>않은</u> 것은 무엇입니까? (　　)

관련 단원 | 4. 감동을 나타내요

① 대상의 느낌을 생생하게 표현할 수 있다.
② 대상의 느낌을 재미있게 나타낼 수 있다.
③ 대상의 느낌을 실감 나게 표현할 수 있다.
④ 대상의 느낌을 여러 번 반복하여 표현할 수 있다.
⑤ 감각적 표현으로 나타내려고 대상을 더 자세히 관찰할 수 있다.

5 바르게 대화해요

(1) 다른 사람과 대화할 때 고려해야 할 점
① 대화 상대가 누구인지 생각합니다.
② 대화하는 목적이 무엇인지 생각합니다.
③ 어떤 대화 상황인지 생각합니다.

(2) 대상에 따라 알맞은 높임 표현을 사용해 말하기
① 상황에 어울리는 말을 해야 합니다.
② 대상에 따라 알맞은 높임 표현을 사용해야 합니다.
③ 상대를 바라보고 상대가 하는 말을 존중해야 합니다.
  └ 사물에는 높임 표현을 사용할 수 없음.

(3) 전화할 때의 바른 대화 예절
① 자신이 누구인지 밝히고 상대가 누구인지 확인합니다.
② 상대의 상황을 헤아려 봅니다. → 내용을 정확하고 구체적으로 표현해야 함.
③ 상대의 얼굴을 보지 않고 이야기하므로 더 공손하게 말합니다.
④ 공공장소에서는 작은 목소리로 말합니다.

6 마음을 담아 글을 써요

(1) 이야기를 듣고 인물의 마음이 어떻게 변했는지 정리하기
① 인물의 마음 변화를 생각하며 이야기를 듣습니다.
② 인물이 한 일이나 겪은 일을 차례대로 말해 봅니다.
③ 인물이 한 일이나 겪은 일과 그때의 마음을 생각해 봅니다.
④ 시간 흐름에 따라 변하는 인물의 마음을 정리해 봅니다.

(2) 다른 사람에게 마음을 전하는 글 쓰기
① 있었던 일과 그때 자신의 감정을 솔직하게 씁니다.
② 상대에게 하고 싶은 말을 진심을 담아 부드럽게 씁니다.
③ 앞으로 바라는 점이나 자신의 다짐을 씁니다.

7 글을 읽고 소개해요

(1) 여러 가지 방법으로 책 소개하기

책 보여 주며 말하기	책 표지를 보여 주며 제목을 말하고 앞뒤 표지에 있는 글과 그림을 소개함. 책 내용 가운데에서 소개하고 싶은 부분, 가장 인상 깊은 부분과 그 까닭을 말함.
노랫말을 바꾸어 소개하기	노랫말을 책을 소개하는 내용으로 바꾸어 부름.
새롭게 안 내용을 그림으로 보여 주며 소개하기	책을 읽고 새롭게 안 내용을 정리해 그림으로 보여 주며 책을 소개함.
책갈피를 만들어 소개하기	책을 읽고 기억에 남는 문장을 책갈피 앞쪽에 쓰고 책갈피 뒤쪽에 그 까닭을 써서 책을 소개함.
책 보물 상자를 만들어 소개하기	책 내용과 관련된 물건을 책 보물 상자에 넣고 하나씩 꺼내며 소개함.

(2) 독서 감상문에 대해 알기

독서 감상문	책을 읽은 뒤에 책을 읽게 된 까닭, 책 내용, 인상 깊은 부분, 책을 읽은 뒤에 든 생각이나 느낌 따위를 쓴 글 └ 책에서 가장 기억에 남는 부분

➡ 독서 감상문을 쓸 때에는 책에서 모든 내용이나 사건을 다 쓰지 않고 중요한 내용이나 사건을 중심으로 씁니다.

8 글의 흐름을 생각해요

(1) 글의 흐름에 따라 내용을 간추리는 방법

시간 흐름에 따라 쓴 글	• 시간 차례대로 간추림. • 시간을 나타내는 말을 넣어 중요한 내용을 간추림. 예 다음 날 밤, 이야기 할아버지 방으로 동네 아이들이 모여들었다.
일 차례를 설명한 글	• 일 차례가 잘 드러나게 간추림. • 차례를 나타내는 말과 그 차례와 관련되는 중요한 내용을 간추림. 예 첫 번째, 서로 다른 색깔 실 세 가닥을 함께 잡고 매듭을 짓는다.
장소가 바뀌면서 사건이 변하는 글	이동한 장소와 각 장소에서 한 일을 중심으로 간추림. 예 학교에서 모두 함께 출발해 직업 체험관에 도착했다.

(2) 글의 흐름에 따라 내용을 간추릴 때 주의할 점
① 시간 표현을 사용합니다.
② 차례를 나타내는 말을 사용합니다.
③ 이어 주는 말을 사용합니다.
④ 중요한 부분을 메모합니다.

9 작품 속 인물이 되어

(1) 인물의 성격을 생각하며 극본 읽기 → 연극이나 영화를 만들기 위해 쓴 글
① 인물의 말과 행동을 보고 인물의 성격을 짐작해 봅니다.
② 인물의 성격과 상황에 알맞은 말투를 상상해 봅니다.
③ 인물에게 어울리는 표정, 몸짓, 말투로 극본을 소리 내어 읽습니다.
예 인물의 성격을 생각하며 「토끼의 재판」 읽기

상황	• 호랑이가 자신을 구해 준 나그네를 잡아먹으려고 하는 상황 • 호랑이는 약속을 지키지 않고도 당당함.
극본에서 찾은 부분	호랑이: 하하, 궤짝 속에서 한 약속을 궤짝 밖에 나와서도 지키라는 법이 어디 있어?
성격	고마움을 모르는 뻔뻔한 성격
말투	뻔뻔한 말투와 크고 당당한 목소리

(2) 극본을 실감 나게 읽는 방법
① 인물의 성격과 상황에 어울리게 읽습니다.
② 극본에서 인물의 표정, 몸짓, 말투를 직접 알려 주는 부분을 살펴보고 실감 나게 읽습니다. → 지문: ( ) 안의 내용

01 관련 단원 | 5. 바르게 대화해요
다음 대화에서 대상에 알맞은 표현을 찾아 ○표 하시오.

할아버지 지금 뭐 하시니?

할아버지께서 사과주스를 (먹고 있어요 / 드시고 계세요).

02 ‖중요‖ 관련 단원 | 5. 바르게 대화해요
전화로 대화할 때의 예절로 바르지 <u>못한</u> 것은 무엇입니까? (   )

① 상대가 누구인지 확인한다.
② 상대의 상황을 헤아려 본다.
③ 자신이 누구인지 밝히지 않는다.
④ 공공장소에서는 작은 목소리로 말한다.
⑤ 내용을 정확하고 구체적으로 표현한다.

03 관련 단원 | 5. 바르게 대화해요
다음 상황에서 강이에게 어울리는 표정이나 몸짓, 말투로 알맞은 것을 모두 고르시오. (,   ,   )

> 비 오는 날, 강이는 친구 훈이가 차가 오는지 살피지 않고 횡단보도로 뛰어가다가 교통사고가 날 뻔한 상황을 보았다.

① 반갑고 기쁜 표정
② 차분하고 느긋한 말투
③ 놀라면서 당황한 표정
④ "안 돼!"라고 외치며 다급한 말투
⑤ 뛰어가는 친구를 손으로 붙잡으려는 몸짓

[04~05] 다음 글을 읽고 물음에 답하시오.

> 수업이 모두 끝났다. 집으로 가는 길에 놀이터를 지나게 되었다.
> "멍멍!"
> 어디선가 강아지 소리가 들려왔다.
> 자세히 보니 옆집 수호네 엄마께서 강아지를 데리고 산책을 나오셨다. 너무너무 반가웠다. 수호네 강아지는 털이 하얗고 조그만 강아지여서 내가 아주 귀여워한다. 나는 ㉠수호 엄마께 반갑게 인사한 뒤에 수호네 강아지의 하얀 털을 조심조심 쓰다듬어 주었다. 구름을 만지는 기분이 이런 기분일까?
> 수호네 강아지 덕분에 오늘 하루가 행복하게 마무리되었다.

04 관련 단원 | 6. 마음을 담아 글을 써요
글쓴이가 ㉠의 행동을 한 때는 언제입니까? (   )

① 등굣길   ② 저녁때   ③ 방과 후
④ 점심시간   ⑤ 수업 시간

05 ‖중요‖ 관련 단원 | 6. 마음을 담아 글을 써요
이 글에 나타난 글쓴이의 마음으로 알맞은 것은 무엇입니까? (   )

① 속상한 마음   ② 행복한 마음
③ 불안한 마음   ④ 자랑스러운 마음
⑤ 걱정스러운 마음

06 관련 단원 | 6. 마음을 담아 글을 써요
다른 사람에게 마음을 전하는 글을 쓰는 방법으로 알맞지 <u>않은</u> 것은 무엇입니까? (   )

① 자신의 다짐을 씁니다.
② 앞으로 바라는 점을 씁니다.
③ 하고 싶은 말에 진심을 담아 씁니다.
④ 상대하게 하고 싶은 말을 거침없이 씁니다.
⑤ 있었던 일과 그때 자신의 감정을 솔직하게 씁니다.

07 관련 단원 | 7. 글을 읽고 소개해요
글을 읽고 친구에게 소개하면 좋은 점으로 알맞지 <u>않은</u> 것에 ×표 하시오.
(1) 읽은 글의 내용을 잘 정리할 수 있다. (   )
(2) 먼 곳에 있는 친구에게 자신의 안부를 전할 수 있다. (   )
(3) 자신이 관심 있는 분야를 더 다양하게 생각할 수 있다. (   )

08 관련 단원 | 7. 글을 읽고 소개해요
다음과 같이 책을 소개하는 방법은 무엇입니까? (   )

> • 책 표지를 보여 주며 제목을 말하고 책 앞표지나 뒤표지에 있는 글과 그림을 소개한다.
> • 책 내용 가운데에서 친구들에게 소개하고 싶은 부분을 말한다.
> • 가장 인상 깊은 부분과 그 까닭을 말한다.

① 책 보여 주며 말하기
② 책갈피를 만들어 소개하기
③ 노랫말을 바꾸어 소개하기
④ 책 보물 상자를 만들어 소개하기
⑤ 새롭게 안 내용을 그림으로 보여 주며 소개하기

중요
09 관련 단원 | 7. 글을 읽고 소개해요
독서 감상문을 쓰는 방법으로 알맞은 것을 모두 고르시오.
(　, 　, 　)

① 책 제목을 쓴다.
② 책을 읽게 된 까닭을 쓴다.
③ 책 전체 내용을 빠짐없이 쓴다.
④ 책을 쓴 사람을 반드시 소개한다.
⑤ 책을 읽은 뒤에 든 생각이나 느낌을 쓴다.

[10~11] 다음 글을 읽고 물음에 답하시오.

> 실 팔찌 만들기의 준비물은 매우 간단합니다. 서로 다른 색깔 털실 세 줄, 셀로판테이프만 있으면 됩니다. 실은 굵을수록 엮기 쉬우므로 굵은 실을 준비하고 길이는 손목 둘레의 서너 배 정도로 자릅니다.
> ㉠첫 번째, 서로 다른 색깔 실 세 가닥을 함께 잡고 매듭을 짓습니다. 실의 3~4센티미터를 남겨 두고 실 세 가닥을 한꺼번에 잡아 작은 원을 만듭니다. 그 뒤 짧은 쪽 실 세 가닥을 아까 만든 원 쪽으로 집어넣고 당기면 쉽게 매듭을 지을 수 있습니다.
> ㉡두 번째, 셀로판테이프로 매듭 위쪽을 책상에 붙입니다. 셀로판테이프는 실 팔찌를 만드는 동안 실이 움직이거나 꼬이지 않게 고정하는 역할을 합니다.

10 관련 단원 | 8. 글의 흐름을 생각해요
이 글은 무엇을 생각하며 중요한 내용을 간추려야 합니까?
(　)

① 일 차례　　　② 장소 변화
③ 시간 흐름　　④ 원인과 결과
⑤ 인물의 마음

11 관련 단원 | 8. 글의 흐름을 생각해요
㉠과 ㉡에서 차례를 나타내는 말을 각각 찾아 쓰시오.

(1) ㉠: (　　　　　　　　)
(2) ㉡: (　　　　　　　　)

중요
12 관련 단원 | 8. 글의 흐름을 생각해요
글의 흐름에 따라 내용을 간추릴 때 주의할 점으로 알맞지 않은 것은 무엇입니까? (　)

① 시간 표현을 사용한다.
② 인물의 성격을 파악한다.
③ 중요한 부분을 메모한다.
④ 이어 주는 말을 사용한다.
⑤ 차례를 나타내는 말을 사용한다.

[13~14] 다음 글을 읽고 물음에 답하시오.

> "안녕, 투루."
> 투루는 질겅질겅 풀을 씹기만 할 뿐 아무 말도 하지 않았어요.
> "안녕이라고 말했잖아. 투루!"
> 투루는 꼬리를 한 번 실룩 움직일 뿐 여전히 아무 말도 하지 않았어요.
> "안녕이라고 말했잖아. 투루!"
> 무툴라는 이번에는 아주 크게 소리쳤어요.
> "그래서 어쩌라고? 이 꼬맹이야! ㉠감히 아침 식사 하는 나를 귀찮게 해?"
> "투루, 그렇게 거만하게 굴 것까진 없잖아! 너는 몸집이 가장 크다고 네가 가장 힘이 센 줄 알지? 난 줄다리기를 하면 널 언제든 이길 수 있어!"

13 관련 단원 | 9. 작품 속 인물이 되어
투루의 성격으로 알맞은 것은 무엇입니까? (　)

① 다정하다.　　　② 상냥하다.
③ 거만하다.　　　④ 용기가 있다.
⑤ 남의 말을 잘 듣는다.

14 관련 단원 | 9. 작품 속 인물이 되어
㉠을 읽을 때의 표정, 몸짓, 말투를 알맞게 말한 친구는 누구인지 쓰시오.

> 민용: 웃음이 나오려는 것을 억지로 참으면서 읽는 게 좋겠어.
> 현주: 고개를 뒤로 젖히고 큰 목소리로 거들먹거리며 읽는 게 좋겠어.

(　　　　　　　　)

중요
15 관련 단원 | 9. 작품 속 인물이 되어
극본을 실감 나게 읽는 방법으로 알맞지 않은 것은 무엇입니까? (　)

① 자신이 맡은 역할의 인물에 대해 생각한다.
② 인물의 말과 행동을 보고 성격이나 마음을 짐작한다.
③ 극본에서 표정, 몸짓, 말투를 알려 주는 부분을 찾는다.
④ 인물에게 알맞은 표정, 몸짓, 말투로 소리 내어 읽는다.
⑤ 자신에게 가장 잘 어울리는 표정, 몸짓, 말투로 소리 내어 읽는다.

수학 1학기
1. 덧셈과 뺄셈 ~ 3. 나눗셈

1 덧셈과 뺄셈

(1) 받아올림이 없는 세 자리 수의 덧셈

$$
\begin{array}{r} 2\,5\,6 \\ +\,1\,3\,3 \\ \hline 9 \end{array}
\Rightarrow
\begin{array}{r} 2\,5\,6 \\ +\,1\,3\,3 \\ \hline 8\,9 \end{array}
\Rightarrow
\begin{array}{r} 2\,5\,6 \\ +\,1\,3\,3 \\ \hline 3\,8\,9 \end{array}
$$

각 자리의 수를 맞추어 쓰고 일의 자리부터 더한 값을 차례대로 적어 줍니다.

(2) 받아올림이 있는 세 자리 수의 덧셈

$$
\begin{array}{r} {}^{1}\\ 5\,6\,8 \\ +\,2\,7\,5 \\ \hline 3 \end{array}
\Rightarrow
\begin{array}{r} {}^{1\,1}\\ 5\,6\,8 \\ +\,2\,7\,5 \\ \hline 4\,3 \end{array}
\Rightarrow
\begin{array}{r} {}^{1\,1}\\ 5\,6\,8 \\ +\,2\,7\,5 \\ \hline 8\,4\,3 \end{array}
$$

↳8+5=13 ↳1+6+7=14 ↳1+5+2=8

일의 자리에서 받아올림이 있으면 십의 자리에 받아올려 계산하고, 십의 자리에서 받아올림이 있으면 백의 자리에 받아올려 계산합니다.

(3) 받아내림이 없는 세 자리 수의 뺄셈

$$
\begin{array}{r} 7\,8\,7 \\ -\,4\,4\,1 \\ \hline 6 \end{array}
\Rightarrow
\begin{array}{r} 7\,8\,7 \\ -\,4\,4\,1 \\ \hline 4\,6 \end{array}
\Rightarrow
\begin{array}{r} 7\,8\,7 \\ -\,4\,4\,1 \\ \hline 3\,4\,6 \end{array}
$$

각 자리의 수를 맞추어 쓰고 일의 자리부터 뺀 값을 차례대로 적어 줍니다.

(4) 받아내림이 있는 세 자리 수의 뺄셈

$$
\begin{array}{r} {}^{1\,10}\\ 8\,2\,3 \\ -\,3\,7\,4 \\ \hline 9 \end{array}
\Rightarrow
\begin{array}{r} {}^{7\,11\,10}\\ 8\,2\,3 \\ -\,3\,7\,4 \\ \hline 4\,9 \end{array}
\Rightarrow
\begin{array}{r} {}^{7\,11\,10}\\ 8\,2\,3 \\ -\,3\,7\,4 \\ \hline 4\,4\,9 \end{array}
$$

↳13-4=9 ↳11-7=4 ↳7-3=4

십의 자리에서 받아내림이 있으면 일의 자리에서 받아내려 계산하고, 백의 자리에서 받아내림이 있으면 십의 자리에 받아내려 계산합니다.

2 평면도형

(1) 선분, 반직선, 직선
① 선분: 두 점을 곧게 이은 선

선분 ㄱㄴ 또는 선분 ㄴㄱ

② 반직선: 한 점에서 시작하여 한쪽으로 끝없이 늘인 곧은 선

반직선 ㄱㄴ

③ 직선: 선분을 양쪽으로 끝없이 늘인 곧은 선

직선 ㄱㄴ 또는 직선 ㄴㄱ

(2) 각, 직각
① 각: 한 점에서 그은 두 반직선으로 이루어진 도형

변 / 꼭짓점 / 변

각 ㄱㄴㄷ 또는 각 ㄷㄴㄱ

② 직각: 종이를 반듯하게 2번 접었을 때 생기는 각

직각 ㄱㄴㄷ 또는 직각 ㄷㄴㄱ

(3) 삼각형과 사각형
① 직각삼각형: 한 각이 직각인 삼각형
② 직사각형: 네 각이 모두 직각인 사각형
③ 정사각형: 네 각이 모두 직각이고 네 변의 길이가 모두 같은 사각형

직각삼각형　　직사각형　　정사각형

3 나눗셈

(1) 똑같이 나누기
과자 8개를 2명이 똑같이 나누면 한 명이 4개씩 먹게 됩니다.

나눗셈식 8÷2=4

읽기 8 나누기 2는 4와 같습니다.

4는 8을 2로 나눈 몫, 8은 나누어지는 수, 2는 나누는 수라고 합니다.

(2) 곱셈과 나눗셈의 관계
• 곱셈식을 2개의 나눗셈식으로 바꾸기

$$8\times2=16 \begin{cases} 16\div8=2 \\ 16\div2=8 \end{cases}$$

• 나눗셈식을 2개의 곱셈식으로 바꾸기

$$8\div2=4 \begin{cases} 2\times4=8 \\ 4\times2=8 \end{cases}$$

(3) 나눗셈의 몫을 곱셈식에서 구하기
곱셈식에서 곱하는 수와 곱해지는 수를 찾아 나눗셈의 몫을 구할 수 있습니다.

$$15\div5=\boxed{3} \Rightarrow 5\times\boxed{3}=15$$

몫: 3

$$18\div3=\boxed{6} \Rightarrow \boxed{6}\times3=18$$

몫: 6

(4) 나눗셈의 몫을 곱셈구구로 구하기

×	1	2	3	4	5	6	7	8	9
1	1	2	3	4	5	6	7	8	9
2	2	4	6	8	10	12	14	16	18
3	3	6	9	12	15	18	21	24	27

6÷2의 몫을 구할 때 나누는 수가 2이므로 2의 단 곱셈구구에서 곱이 나누어지는 수인 6이 되는 곱셈식을 찾아보면 2×3=6입니다.
⇨ 6÷2=3

3일차

수학 1학기
1. 덧셈과 뺄셈 ~ 3. 나눗셈

확인문제

01 관련 단원 | 1. 덧셈과 뺄셈
빈칸에 알맞은 수를 써넣으시오.

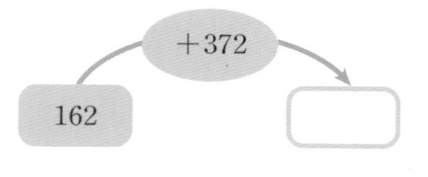

02 관련 단원 | 1. 덧셈과 뺄셈
삼각형 안에 있는 수의 합을 구해 보시오.

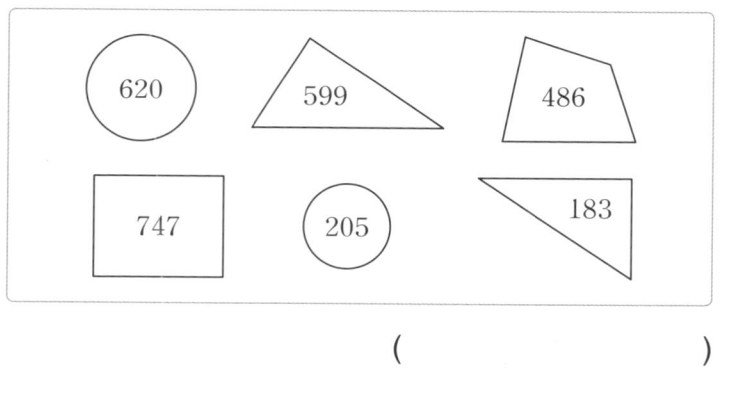

( )

03 관련 단원 | 1. 덧셈과 뺄셈
빈칸에 두 수의 차를 써넣으시오.

917	201

04 관련 단원 | 1. 덧셈과 뺄셈
□ 안에 알맞은 수를 써넣으시오.

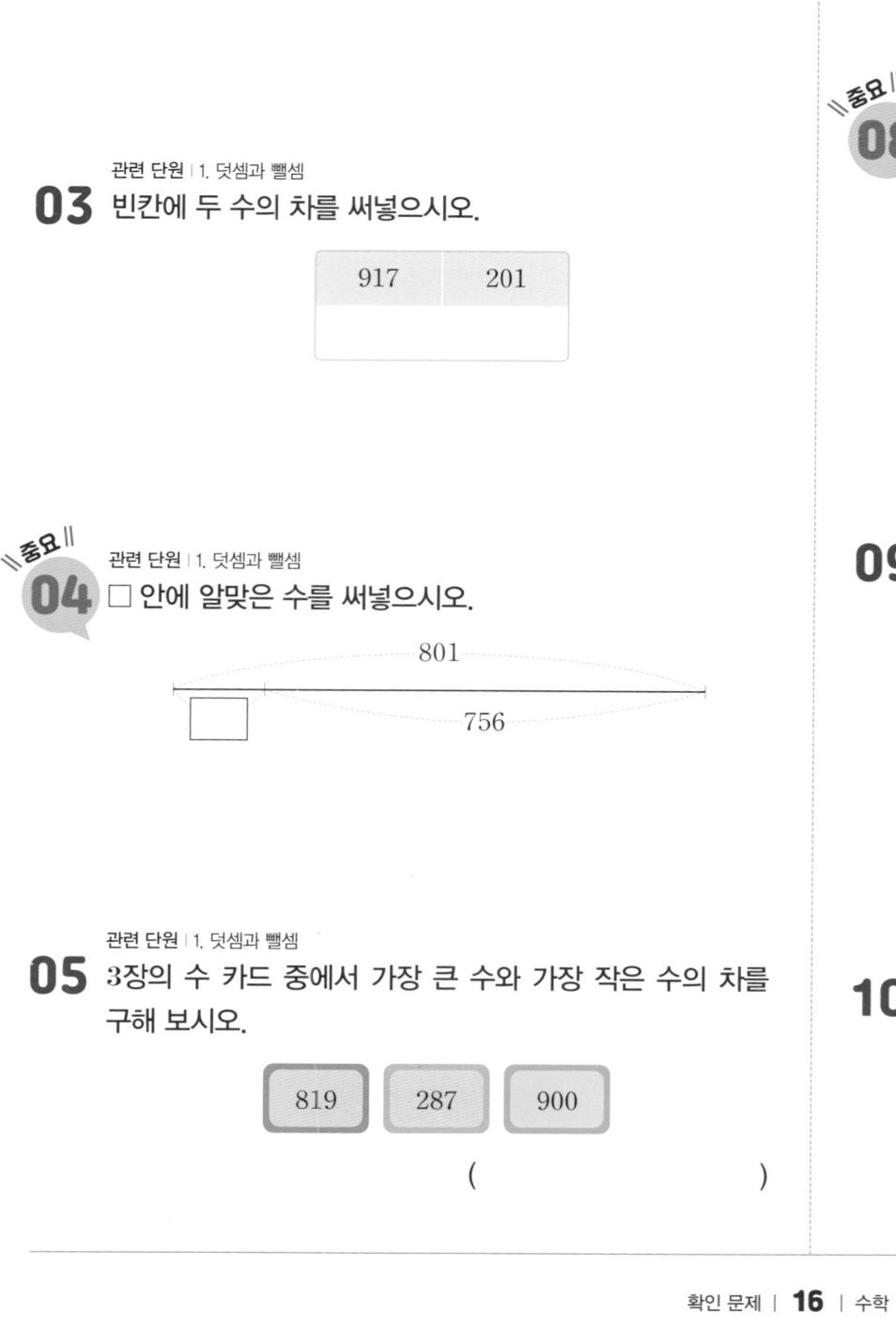

05 관련 단원 | 1. 덧셈과 뺄셈
3장의 수 카드 중에서 가장 큰 수와 가장 작은 수의 차를 구해 보시오.

819 287 900

( )

06 관련 단원 | 1. 덧셈과 뺄셈
계산 결과가 가장 작은 것을 찾아 기호를 쓰시오.

| ㉠ 621＋182 | ㉡ 820－216 |
| ㉢ 311＋427 | ㉣ 902－178 |

( )

07 관련 단원 | 1. 덧셈과 뺄셈
□ 안에 알맞은 수를 써넣으시오.

```
    □ 2 8
  + 5 □ □
    8 7 7
```

08 관련 단원 | 1. 덧셈과 뺄셈
현수네 모둠은 줄넘기를 520회 했고 정훈이네 모둠은 현수네 모둠보다 119회 더 적게 했습니다. 정훈이네 모둠은 줄넘기를 몇 회 했는지 구해 보시오.

( )

09 관련 단원 | 2. 평면도형
선분을 찾아 ○표 하시오.

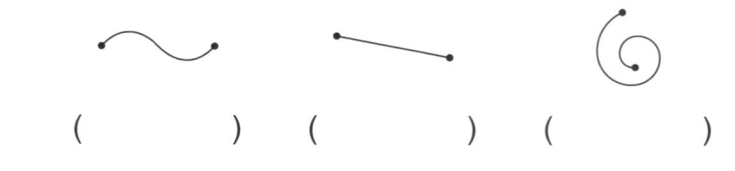

( ) ( ) ( )

10 관련 단원 | 2. 평면도형
도형의 이름을 쓰시오.

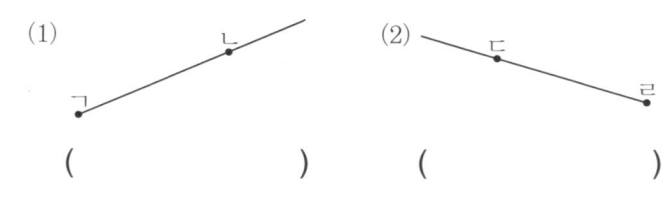

( ) ( )

11 다음 도형에서 직각이 가장 많은 도형을 찾아 ○표 하시오.

관련 단원 | 2. 평면도형

12 모눈종이에 주어진 선분을 한 변으로 하는 직각삼각형을 그려 보시오.

관련 단원 | 2. 평면도형

||중요||
13 직사각형을 모두 찾아 기호를 쓰시오.

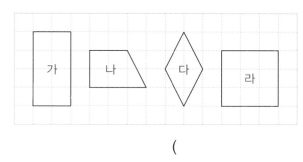

(　　　　　)

관련 단원 | 2. 평면도형

14 다음은 정사각형입니다. □ 안에 알맞은 수를 써넣으시오.

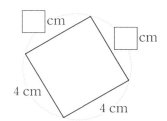

관련 단원 | 2. 평면도형

15 오른쪽 정사각형을 점선을 따라 자르면 정사각형은 모두 몇 개가 생기는지 구해 보시오.

(　　　　　)

관련 단원 | 3. 나눗셈

16 그림을 보고 □ 안에 알맞은 수를 써넣으시오.

$$30 \div 5 = \boxed{}$$

관련 단원 | 3. 나눗셈

17 뺄셈식 $21-7-7-7=0$을 나눗셈식으로 바르게 나타낸 것에 ○표 하시오.

| $21 \div 3 = 7$ | $21 \div 7 = 3$ |

관련 단원 | 3. 나눗셈

||중요||
18 빵 32개를 8명에게 똑같이 나누어 주려고 합니다. 한 명에게 줄 수 있는 빵은 몇 개인지 구해 보시오.

[식] _____

[답] _____

관련 단원 | 3. 나눗셈

19 나눗셈의 몫을 구하고, 나눗셈식을 곱셈식으로 나타내려고 합니다. □ 안에 알맞은 수를 써넣으시오.

$$56 \div 7 = \boxed{} \Rightarrow \boxed{} \times 7 = 56$$

관련 단원 | 3. 나눗셈

20 어떤 수를 9로 나누면 8과 같습니다. 어떤 수를 구해 보시오.

(　　　　　)

4 곱셈

(1) (몇십)×(몇)

$$3×3=9$$
$$30×3=90$$

(몇)×(몇)을 계산한 값에 0을 1개 붙입니다.

(2) 올림이 1번 있는 (몇십몇)×(몇)

$$\begin{array}{r} 5\ 1 \\ ×\quad 6 \\ \hline 3\ 0\ 6 \end{array}$$

① 일의 자리 수 1과 6을 곱한 6을 일의 자리에 씁니다.
② 십의 자리 수 5와 6을 곱하여 0을 십의 자리에 쓰고 3을 백의 자리에 씁니다.

(3) 올림이 2번 있는 (몇십몇)×(몇)

$$\begin{array}{r} 1\quad \\ 4\ 5 \\ ×\quad 3 \\ \hline 1\ 3\ 5 \end{array}$$

① 일의 자리를 계산한 값 15에서 5를 일의 자리에 쓰고 올림한 수 1을 십의 자리 위에 작게 씁니다.
② 십의 자리를 계산한 12와 일의 자리에서 올림한 1을 더하여 십의 자리에 3을 쓰고 백의 자리에 1을 씁니다.

5 길이와 시간

(1) 1 cm보다 작은 단위

• 1 mm: 1 cm를 10칸으로 똑같이 나누었을 때 작은 눈금 한 칸의 길이

쓰기 1 mm   읽기 1 밀리미터

1 mm

| 1 cm=10 mm |

• 2 cm 7 mm: 2 cm보다 7 mm 더 긴 길이
↳2 cm 7 mm=27 mm

쓰기 2 cm 7 mm   읽기 2 센티미터 7 밀리미터

(2) 1 m보다 큰 단위

• 1 km: 1000 m

쓰기 1 km   읽기 1 킬로미터

1 km

| 1000 m=1 km |

• 4 km 300 m: 4 km보다 300 m 더 긴 길이
↳4 km 300 m=4300 m

쓰기 4 km 300 m   읽기 4 킬로미터 300 미터

(3) 1분보다 작은 단위

• 1초: 초바늘이 작은 눈금 한 칸을 가는 동안 걸리는 시간

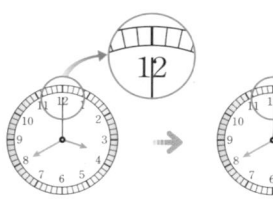

| 작은 눈금 한 칸=1초 |

• 60초: 초바늘이 시계를 한 바퀴 도는 데 걸리는 시간

| 60초=1분 |

(4) 시간의 덧셈과 뺄셈

시는 시끼리, 분은 분끼리, 초는 초끼리 계산합니다.

	4 시	25 분	35 초
+	2 시간	45 분	40 초
	6 시	70 분	75 초
		+1분 ← −60초	
	+1시간 ← −60분		
	7 시	11 분	15 초

	8	60	60
	9 시	29 30 분	30 초
−	3 시	35 분	40 초
	5 시간	54 분	50 초

6 분수와 소수

(1) 분수 알아보기

전체를 똑같이 3으로 나눈 것 중의 2를 $\frac{2}{3}$ ⟵분자 ⟵분모 라 쓰고 3분의 2라고 읽습니다.

쓰기 $\frac{2}{3}$ 읽기 3분의 2

(2) 분모가 같은 분수의 크기 비교

| 분모가 같은 분수는 분자가 클수록 큰 수입니다. |
| ▲ > ★ ⇨ $\frac{▲}{■}$ > $\frac{★}{■}$ |

(3) 단위분수의 크기 비교

• 단위분수: 분수 중에서 $\frac{1}{2}$, $\frac{1}{3}$, $\frac{1}{4}$, ...과 같이 분자가 1인 분수

| 단위분수는 분모가 작을수록 큰 수입니다. |
| ■ < ▲ ⇨ $\frac{1}{■}$ > $\frac{1}{▲}$ |

(4) 소수 알아보기

• $\frac{1}{10}$, $\frac{2}{10}$, $\frac{3}{10}$, ...을 0.1, 0.2, 0.3, ...이라 쓰고 영 점 일, 영 점 이, 영 점 삼, ...이라고 읽습니다.

• 0.1, 0.2, 0.3과 같은 수를 소수라 하고, '.'을 소수점이라고 합니다.

• 3과 0.4만큼을 3.4라 쓰고 삼 점 사라고 읽습니다.

(5) 소수의 크기 비교

1보다 작은 소수는 0.1의 개수가 많을수록 큰 수이고, 자연수와 소수로 이루어진 소수는 자연수가 클수록 큰 수입니다.

예 0.5>0.2, 2.8<4.1

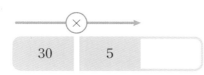

수학 1학기
4. 곱셈 ~ 6. 분수와 소수

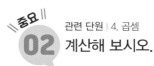
확인문제

01 관련 단원 | 4. 곱셈
빈칸에 알맞은 수를 써넣으시오.

$$\xrightarrow{\times}$$

| 30 | 5 | |

‖중요‖
02 관련 단원 | 4. 곱셈
계산해 보시오.

(1) 24×2　　　　　　(2) 63×3

03 관련 단원 | 4. 곱셈
계산이 잘못된 것은 어느 것입니까?　　(　　　)

① $51 \times 4 = 204$　　　② $36 \times 2 = 62$
③ $61 \times 3 = 183$　　　④ $82 \times 5 = 410$
⑤ $72 \times 3 = 216$

04 관련 단원 | 4. 곱셈
방울토마토가 한 상자에 41개씩 6상자 있습니다. 방울토마토는 모두 몇 개인지 구해 보시오.

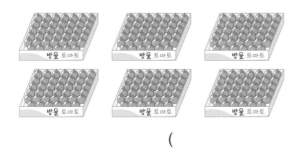

(　　　　　　)

05 관련 단원 | 4. 곱셈
계산에서 잘못된 부분을 찾아 바르게 고쳐 보시오.

$$\begin{array}{r} 3\ 9 \\ \times\quad 2 \\ \hline 6\ 8 \end{array} \Rightarrow$$

06 관련 단원 | 4. 곱셈
1부터 9까지의 수 중에서 □ 안에 들어갈 수 있는 수를 모두 구해 보시오.

$$27 \times 5 > 30 \times \boxed{}$$

(　　　　　　)

07 관련 단원 | 4. 곱셈
강당에 학생들이 한 모둠에 16명씩 6모둠으로 모였습니다. 강당에 모인 학생은 모두 몇 명인지 구해 보시오.

(　　　　　　)

08 관련 단원 | 5. 길이와 시간
주어진 길이를 쓰고 읽어 보시오.

| 2 cm 9 mm |

쓰기 _____

읽기 _____

‖중요‖
09 관련 단원 | 5. 길이와 시간
도서관에서 학교까지의 거리는 몇 m인지 구해 보시오.

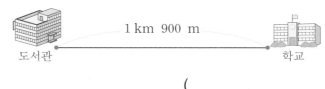

도서관 —— 1 km 900 m —— 학교

(　　　　　　)

10 관련 단원 | 5. 길이와 시간
길이가 83 mm인 색 테이프가 있습니다. 이 색 테이프보다 2 cm 8 mm 더 짧은 색 테이프의 길이는 몇 cm 몇 mm인지 구해 보시오.

(　　　　　　)

11 관련 단원 | 5. 길이와 시간

주민이네 집에서 학교를 지나 도서관까지 가는 길은 몇 km 몇 m인지 구해 보시오.

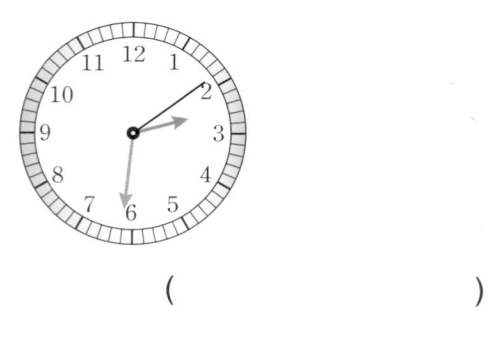

2 km 800 m 학교 3 km 600 m

주민이네 집 도서관

(   )

12 관련 단원 | 5. 길이와 시간

□ 안에 알맞은 수를 써넣으시오.

(1) 1분 30초 = □ 초

(2) 145초 = □ 분 □ 초

13 관련 단원 | 5. 길이와 시간

시계가 나타내는 시각에서 1시간 50분 7초 후의 시각은 몇 시 몇 분 몇 초인지 구해 보시오.

(   )

14 ‖중요‖ 관련 단원 | 5. 길이와 시간

어느 날 해가 뜬 시각은 5시 49분 10초였고 해가 진 시각은 19시 30분 8초였습니다. 이날 낮의 길이는 몇 시간 몇 분 몇 초인지 구해 보시오.

(   )

15 관련 단원 | 6. 분수와 소수

도형을 똑같이 둘로 나누어 보시오.

16 ‖중요‖ 관련 단원 | 6. 분수와 소수

두 분수의 크기를 비교하여 ○ 안에 >, =, <를 알맞게 써넣으시오.

(1) $\frac{2}{5}$ ○ $\frac{4}{5}$ (2) $\frac{1}{9}$ ○ $\frac{1}{3}$

17 관련 단원 | 6. 분수와 소수

분모가 세 자리 수인 단위분수 중에서 가장 큰 수와 가장 작은 수를 각각 쓰시오.

가장 큰 수 (   )

가장 작은 수 (   )

18 관련 단원 | 6. 분수와 소수

나현이가 그은 선분의 길이는 9 cm보다 6 mm 더 깁니다. 나현이가 그은 선분의 길이는 몇 cm인지 소수로 나타내어 보시오.

(   )

19 관련 단원 | 6. 분수와 소수

0부터 9까지의 수 중에서 □ 안에 들어갈 수 있는 수는 모두 몇 개인지 구해 보시오.

9.4 < 9.□

(   )

20 관련 단원 | 6. 분수와 소수

3장의 수 카드 중에서 2장을 뽑아 한 번씩만 사용하여 ■.▲ 형태의 소수를 만들려고 합니다. 만들 수 있는 소수 중에서 가장 큰 수를 구해 보시오.

3   6   8

(   )

1 곱셈

(1) (세 자리 수)×(한 자리 수)

$$
\begin{array}{r}
1\;4\;3 \\
\times\quad\ \ 5 \\
\hline
1\;5 \quad \cdots 3\times5 \\
2\;0\;0 \quad \cdots 40\times5 \\
5\;0\;0 \quad \cdots 100\times5 \\
\hline
7\;1\;5
\end{array}
$$

각 자리를 계산한 값을 모두 쓴 후 더합니다.

(2) (몇십)×(몇십), (몇십몇)×(몇십)

$$
\begin{array}{r}
3\;0 \\
\times\;2\;0 \\
\hline
6\;0\;0
\end{array}
\qquad
\begin{array}{r}
1\;3 \\
\times\;2\;0 \\
\hline
2\;6\;0
\end{array}
$$

(몇십)×(몇십)은 (몇)×(몇)을 계산한 값에 0을 2개 붙이고, (몇십몇)×(몇십)은 (몇십몇)×(몇)을 계산한 값에 0을 1개 붙입니다.

(3) (몇)×(몇십몇)

$$
\begin{array}{r}
{}^{3}\;\ 8 \\
\times\;3\;4 \\
\hline
2\;7\;2
\end{array}
$$

곱하는 수를 일의 자리와 십의 자리로 나눈 후 곱해지는 수와 각각 곱하여 더합니다.

(4) (몇십몇)×(몇십몇)

$$
\begin{array}{r}
4\;7 \\
\times\;2\;9 \\
\hline
4\;2\;3 \quad \cdots 47\times9 \\
9\;4\;0 \quad \cdots 47\times20 \\
\hline
1\;3\;6\;3
\end{array}
$$

곱하는 수를 일의 자리와 십의 자리로 나눈 후 곱해지는 수와 각각 곱하여 더합니다.

2 나눗셈

(1) (몇십)÷(몇)

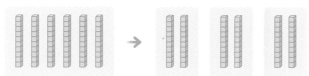

$$6\div3=2 \Rightarrow 60\div3=20$$

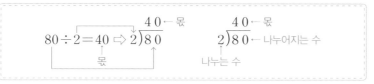

(2) 나눗셈의 나머지와 몫

51을 5로 나누면 몫은 10이고 1이 남습니다. 이때 1을 51÷5의 나머지라고 합니다.

나머지가 없으면 나머지가 0이라고 말할 수 있습니다. 나머지가 0일 때, 나누어떨어진다고 합니다.

(3) (몇십몇)÷(몇)

십의 자리부터 차례대로 계산합니다. 세로로 계산할 때에는 십의 자리의 몫을 구한 후 내림이 있는지 반드시 확인합니다.

(4) (세 자리 수)÷(한 자리 수)

$$
\begin{array}{r}
1\;0\;2 \\
3\,\overline{)3\;0\;8} \\
3 \\
\hline
8 \\
6 \\
\hline
2
\end{array}
$$

백의 자리부터 차례대로 계산합니다. 세로로 계산할 때에는 몫을 구한 후 내림이 있는지 반드시 확인합니다.

(5) 계산이 맞는지 확인하기

$$15\div4=3\cdots3$$
$$4\times3=12,\ 12+3=15$$

나누는 수와 몫의 곱에 나머지를 더하면 나누어지는 수가 되어야 합니다.

3 원

(1) 원의 중심, 원의 반지름

- 원의 중심: 누름 못과 띠 종이를 이용하여 원을 그릴 때 누름 못이 꽂혔던 점 ㅇ
- 원의 반지름: 원의 중심 ㅇ과 원 위의 한 점을 이은 선분
- 원의 지름: 원 위의 두 점을 이은 선분이 원의 중심을 지날 때의 선분

(2) 원의 지름의 성질

- 원의 지름은 원을 똑같이 둘로 나눕니다.
- 원의 지름은 원 안에 그을 수 있는 가장 긴 선분입니다.

(3) 원의 지름과 반지름의 관계

- (원의 지름)=(원의 반지름)×2
- (원의 반지름)=(원의 지름)÷2

(4) 규칙을 찾아 원 그리기

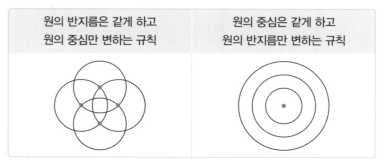

원의 반지름은 같게 하고 원의 중심만 변하는 규칙	원의 중심은 같게 하고 원의 반지름만 변하는 규칙

수학 2학기
1. 곱셈 ~ 3. 원

확인 문제

01 관련 단원 | 1. 곱셈
오른쪽 삼각형은 세 변의 길이가 모두 같습니다. 삼각형의 세 변의 길이의 합은 몇 cm인지 구해 보시오.

( )

123 cm

02 관련 단원 | 1. 곱셈
다음 중에서 가장 큰 수와 가장 작은 수의 곱을 구해 보시오.

| 478 | 8 | 4 |

( )

03 중요 관련 단원 | 1. 곱셈
빈칸에 알맞은 수를 써넣으시오.

70 → ×80 → ☐

04 관련 단원 | 1. 곱셈
초콜릿이 한 상자에 24개씩 30상자 있습니다. 초콜릿은 모두 몇 개인지 구해 보시오.

( )

05 관련 단원 | 1. 곱셈
색칠한 전체 모눈의 수를 곱셈식으로 나타내고 계산해 보시오.

10 × 20   4 × 20

10 × 5   4 × 5

$25 \times \boxed{} = \boxed{}$

06 관련 단원 | 1. 곱셈
계산 결과가 <u>다른</u> 하나를 찾아 기호를 쓰시오.

| ㉠ 12×64 | ㉡ 32×24 | ㉢ 16×42 |

( )

07 관련 단원 | 1. 곱셈
윤호가 50원자리 동전을 70개 모았습니다. 윤호가 모은 돈은 얼마인지 구해 보시오.

( )

08 관련 단원 | 1. 곱셈
주영이가 동화책을 하루에 25쪽씩 읽으려고 합니다. 31일 동안 읽을 수 있는 동화책은 모두 몇 쪽인지 구해 보시오.

( )

09 중요 관련 단원 | 2. 나눗셈
계산해 보시오.

(1) 90÷3   (2) 75÷5

10 관련 단원 | 2. 나눗셈
나머지가 5가 될 수 <u>없는</u> 나눗셈식을 모두 찾아 기호를 쓰시오.

| ㉠ ☐÷6 | ㉡ ☐÷9 |
| ㉢ ☐÷5 | ㉣ ☐÷4 |

( )

11 나눗셈식을 보고 맞게 계산했는지 확인하려고 합니다. □ 안에 알맞은 수를 써넣으시오.

관련 단원 | 2. 나눗셈

$67 \div 9 = 7 \cdots 4$

확인: $9 \times 7 = 63$, $63 + \square = \square$

12 나눗셈을 하여 빈칸에 몫을, ◯ 안에 나머지를 써넣으시오.

관련 단원 | 2. 나눗셈

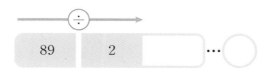

13 큰 수를 작은 수로 나누었을 때 몫이 더 큰 것의 기호를 쓰시오.

관련 단원 | 2. 나눗셈

　㉠ 91, 7　　　㉡ 3, 51

(　　　　　　　)

14 팔찌 한 개를 만드는 데 구슬이 7개 필요합니다. 구슬 190개로는 팔찌를 몇 개까지 만들 수 있고, 몇 개가 남는지 구해 보시오.

관련 단원 | 2. 나눗셈

(　　　　, 　　　　)

15 어떤 수를 7로 나누었더니 몫이 6, 나머지가 5가 되었습니다. 어떤 수를 구해 보시오.

《중요》
관련 단원 | 2. 나눗셈

(　　　　　　　)

16 선분 ㄱㄴ이 원의 중심 ㅇ을 지납니다. 선분 ㄱㄴ을 무엇이라고 하는지 쓰시오.

관련 단원 | 3. 원

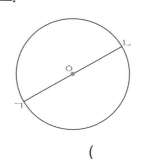

(　　　　　　　)

17 □ 안에 알맞은 수를 써넣으시오.

《중요》
관련 단원 | 3. 원

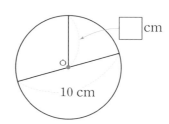

18 크기가 가장 작은 원은 어느 것입니까?　(　　　)

관련 단원 | 3. 원

① 지름이 8 cm인 원
② 지름이 12 cm인 원
③ 반지름이 8 cm인 원
④ 반지름이 5 cm인 원
⑤ 반지름이 7 cm인 원

19 점 ㄱ, 점 ㄴ, 점 ㄷ은 각각 원의 중심입니다. 큰 원의 지름이 48 cm라면 작은 원의 반지름은 몇 cm인지 구해 보시오.

관련 단원 | 3. 원

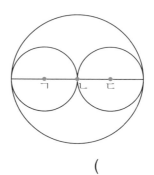

(　　　　　　　)

20 규칙에 따라 원을 1개 더 그려 보시오.

관련 단원 | 3. 원

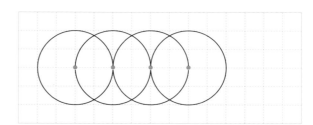

4 분수

(1) 부분은 전체의 얼마인지 분수로 나타내기

'전체'는 분모에, '부분'은 분자에 써서 $\dfrac{(부분\ 묶음\ 수)}{(전체\ 묶음\ 수)}$와 같이 나타냅니다.

(2) 분수만큼은 얼마인지 알아보기

8을 똑같이 2묶음으로 나눈 것 중의 1묶음은 4입니다.

⇨ 8의 $\dfrac{1}{2}$은 4입니다.

(3) 진분수, 가분수, 자연수

• 진분수: 분자가 분모보다 작은 분수
• 가분수: 분자가 분모와 같거나 분모보다 큰 분수
• 자연수: 1, 2, 3과 같은 수

$$\underbrace{\frac{1}{4}\quad \frac{2}{4}\quad \frac{3}{4}}_{진분수}\quad \underbrace{\frac{4}{4}\quad \frac{5}{4}\quad \frac{6}{4}\quad \frac{7}{4}\quad \frac{8}{4}}_{가분수}$$

(4) 대분수를 가분수로, 가분수를 대분수로 나타내기

• 대분수: 자연수와 진분수로 이루어진 분수

1과 $\dfrac{1}{4}$은 $1\dfrac{1}{4}$이라 쓰고, 1과 4분의 1이라고 읽습니다.

• 대분수를 가분수로 나타내기

① 자연수를 가분수로 나타내기

$$1\frac{1}{4} \Rightarrow \frac{4}{4}와\ \frac{1}{4} \Rightarrow \frac{5}{4}$$

② 분모는 그대로 두고 $\frac{1}{4}$이 몇 개인지 세어서 분자에 쓰기

• 가분수를 대분수로 나타내기

① 가분수를 자연수로 표현되는 부분과 진분수로 나누기

$$\frac{7}{4} \Rightarrow \frac{4}{4}와\ \frac{3}{4} \Rightarrow 1\frac{3}{4}$$

② 가분수를 자연수로 나타내기

(5) 분모가 같은 분수의 크기 비교

• 분모가 같은 가분수는 분자가 큰 가분수가 더 큽니다.
• 분모가 같은 대분수는 자연수가 큰 대분수가 더 크고, 자연수가 같으면 분자가 큰 대분수가 더 큽니다.
• 분모가 같은 가분수와 대분수의 크기는 가분수를 대분수로 바꾸거나 대분수를 가분수로 바꾸어 비교합니다.

5 들이와 무게

(1) 들이의 단위 L, mL

쓰기	1 L	1 mL
읽기	1 리터	1 밀리리터

1 L=1000 mL

(2) 들이의 덧셈과 뺄셈

$$\begin{array}{r} 2\ \text{L}\ \ 200\ \text{mL} \\ +\ 1\ \text{L}\ \ 600\ \text{mL} \\ \hline 3\ \text{L}\ \ 800\ \text{mL} \end{array} \qquad \begin{array}{r} 2\ \text{L}\ \ 900\ \text{mL} \\ -\ 1\ \text{L}\ \ 500\ \text{mL} \\ \hline 1\ \text{L}\ \ 400\ \text{mL} \end{array}$$

L는 L끼리, mL는 mL끼리 단위를 맞추어 계산합니다.

(3) 무게의 단위 kg, g, t

쓰기	1 kg	1 g	1 t
읽기	1 킬로그램	1 그램	1 톤

1 kg=1000 g	1 t=1000 kg

(4) 무게의 덧셈과 뺄셈

$$\begin{array}{r} 2\ \text{kg}\ \ 500\ \text{g} \\ +\ 1\ \text{kg}\ \ 200\ \text{g} \\ \hline 3\ \text{kg}\ \ 700\ \text{g} \end{array} \qquad \begin{array}{r} 3\ \text{kg}\ \ 800\ \text{g} \\ -\ 1\ \text{kg}\ \ 300\ \text{g} \\ \hline 2\ \text{kg}\ \ 500\ \text{g} \end{array}$$

kg은 kg끼리, g은 g끼리 단위를 맞추어 계산합니다.

6 자료의 정리

(1) 표 알아보기

좋아하는 색깔별 학생 수

색깔	검은색	노란색	빨간색	초록색	합계
학생 수(명)	6	3	5	2	16

노란색을 좋아하는 학생은 3명이고, 가장 많은 학생이 좋아하는 색깔은 검은색입니다.

⇨ 표는 각 항목별 조사한 수와 조사한 수의 합계를 알기 쉽습니다.

(2) 자료를 조사하여 표로 나타내기

① 조사할 내용 정하기
② 자료 수집 방법을 정하고 자료 수집하기
③ 수집한 자료를 정리하여 표로 나타내기

(3) 그림그래프 알아보기

그림그래프: 알고자 하는 수(조사한 수)를 그림으로 나타낸 그래프

존경하는 위인별 학생 수

위인	학생 수
세종 대왕	☺
신사임당	☺☺☺☺☺☺
유관순	☺☺☺☺☺☺☺
이순신	☺☺☺☺☺☺☺☺☺

☺ 10명
☺ 1명

위 그래프에서 ☺은 10명, ☺은 1명을 나타냅니다.

신사임당을 존경하는 학생은 6명입니다.

가장 많은 학생들이 존경하는 위인은 세종 대왕입니다.

이순신을 존경하는 학생은 유관순을 존경하는 학생보다 2명 더 많습니다.

01 색칠한 부분을 분수로 나타내어 보시오.

(   )

∥중요∥
02 그림을 보고 □ 안에 알맞은 수를 써넣으시오.

☆☆☆☆☆☆☆☆
☆☆☆☆☆☆☆☆
☆☆☆☆☆☆☆☆

(1) 24의 $\frac{3}{8}$은 □ 입니다.

(2) 24의 $\frac{5}{6}$는 □ 입니다.

관련 단원 | 4. 분수
03 진분수에 ○표, 가분수에 △표 하시오.

$$\frac{2}{4} \qquad \frac{5}{5} \qquad \frac{3}{6} \qquad \frac{7}{3}$$

관련 단원 | 4. 분수
04 자연수 1을 분모가 12인 분수로 나타내어 보시오.

(   )

관련 단원 | 4. 분수
05 현수는 우유를 매일 $\frac{1}{3}$컵씩 마십니다. 현수가 2주일 동안 마신 우유는 모두 몇 컵인지 대분수로 나타내어 보시오.

(   )

∥중요∥
06 두 분수의 크기를 비교하여 더 큰 분수를 빈칸에 써넣으시오.

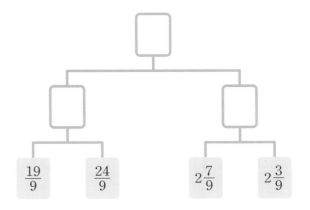

관련 단원 | 4. 분수
07 사과 32개를 지훈이와 세훈이가 똑같이 나누어 가졌습니다. 세훈이가 가진 사과의 $\frac{1}{4}$을 동생에게 주었다면 세훈이가 동생에게 준 사과는 몇 개인지 구해 보시오.

(   )

관련 단원 | 5. 들이와 무게
08 □ 안에 알맞은 수를 써넣으시오.

(1) 8 L = □ mL

(2) 1215 mL = □ L □ mL

관련 단원 | 5. 들이와 무게
09 보기 에서 물건을 선택하여 문장을 완성해 보시오.

보기
주사기   목욕통   물병

(1) □ 의 들이는 약 4 mL입니다.

(2) □ 의 들이는 약 1 L 500 mL입니다.

∥중요∥
관련 단원 | 5. 들이와 무게
10 들이가 적은 것부터 차례대로 기호를 쓰시오.

㉠ 7 L 30 mL   ㉡ 6900 mL   ㉢ 7003 mL

(   )

11 관련 단원 | 5. 들이와 무게

흰색 페인트 2 L와 초록색 페인트 6 L를 섞어서 연두색 페인트를 만들었습니다. 그중에서 3 L 360 mL를 사용했다면 남은 연두색 페인트는 몇 L 몇 mL인지 구해 보시오.

(　　　　　　　)

12 관련 단원 | 5. 들이와 무게

딸기와 배 중에서 어느 것이 바둑돌 몇 개만큼 더 무거운지 구해 보시오.

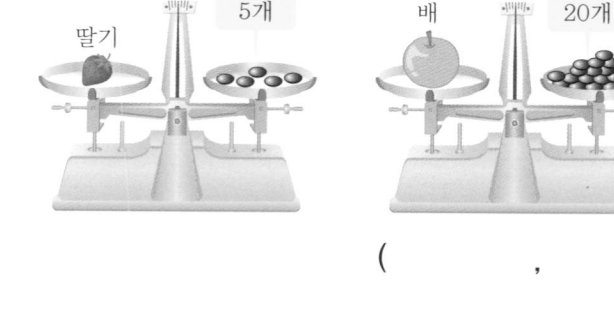

(　　 , 　　)

13 관련 단원 | 5. 들이와 무게 ∥중요∥

무게를 비교하여 ○ 안에 >, =, <를 알맞게 써넣으시오.

8 kg 20 g ○ 8200 g

14 관련 단원 | 5. 들이와 무게

무게가 1 t보다 무거운 것은 어느 것입니까? (　　)

① 책상 1개　　② 수학책 1권　　③ 냉장고 1대
④ 텔레비전 1대　　⑤ 버스 1대

15 관련 단원 | 5. 들이와 무게 ∥중요∥

무게가 똑같은 사과 6개를 넣은 바구니의 무게는 2 kg 500 g입니다. 바구니만의 무게가 400 g이라면 사과 6개의 무게는 몇 kg 몇 g인지 구해 보시오.

(　　　　　　)

[16~17] 준수네 학교 학생들이 좋아하는 계절을 조사하여 나타낸 표입니다. 물음에 답하시오.

좋아하는 계절별 학생 수

색깔	봄	여름	가을	겨울	합계
학생 수(명)	31	19		4	120

16 관련 단원 | 6. 자료의 정리

가을을 좋아하는 학생은 몇 명인지 구해 보시오.

(　　　　　　)

17 관련 단원 | 6. 자료의 정리

표를 보고 알 수 있는 내용을 2가지 쓰시오.

_____

_____

18 관련 단원 | 6. 자료의 정리

조사한 자료를 보고 표로 나타내어 보시오.

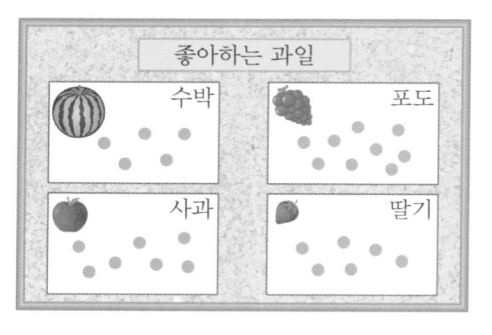

좋아하는 과일별 학생 수

과일	수박	포도	사과	딸기	합계
학생 수(명)					

19 관련 단원 | 6. 자료의 정리 ∥중요∥

다음은 진호네 학교 학생들이 좋아하는 과목을 조사하여 나타낸 그림그래프입니다. 과학을 좋아하는 학생은 수학을 좋아하는 학생보다 몇 명 더 많은지 구해 보시오.

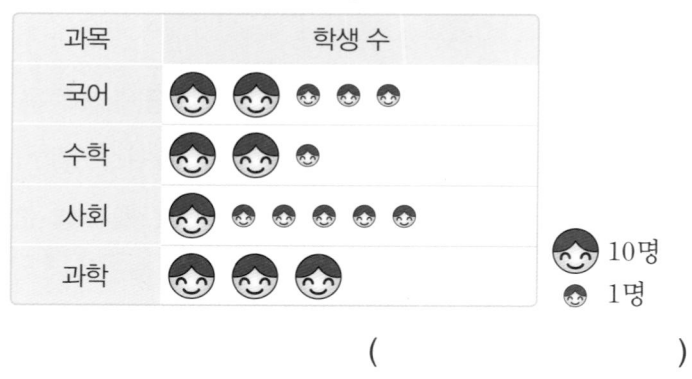

좋아하는 과목별 학생 수

(　　　　　　)

20 관련 단원 | 6. 자료의 정리

재호네 반에서 모은 헌 종이의 무게를 조사하여 나타낸 그림그래프입니다. 재호네 반에서 모은 헌 종이의 무게가 모두 50 kg일 때 헌 종이를 가장 적게 모은 모둠을 구해 보시오.

모둠별 모은 헌 종이의 무게

(　　　　　　)

1 우리 고장의 모습

(1) 우리가 생각하는 고장의 모습

① 고장의 여러 장소
- 고장: 사람들이 모여 사는 곳을 말합니다.
- 고장에는 집, 학교, 놀이터, 시장, 강, 산, 공원 등 여러 장소가 있습니다.

② 고장의 여러 장소에서의 경험 ┌→ 고장의 장소에 대한 경험이나 느낌은 사람마다 다름.
- 학교: 친구들과 공부도 하고 즐겁게 놉니다.
- 시장: 가족과 함께 장을 보러 갑니다.
- 산: 주말마다 가족과 함께 등산을 합니다.

③ 고장의 모습 그려 보기
- 고장의 여러 장소 중 그리고 싶은 장소를 정합니다.
- 장소들을 어떻게 그릴지 생각해 보고, 내가 정한 방법으로 그립니다. ┌→ 정해진 방법이 있는 것은 아니기 때문에 자신의 머릿속에 떠오르는 장소를 자유롭게 그리면 됨.
- 색을 칠하거나 장소의 이름을 씁니다.

④ 고장의 그림 비교해 보기

▲ 지수가 그린 고장의 모습 　　▲ 상우가 그린 고장의 모습

비슷한 점	• 둘 다 자신의 집을 그렸음. ┌→ 비슷한 점을 찾을 때에는 그림에서 같은 건물이 있는지, 그림에 있는 자연의 모습이 비슷한지 살펴보아야 함. • 둘 다 학교와 빵 가게를 그렸음. • 둘 다 자연(하천과 산)을 그렸음.
다른 점	• 지수는 하천을 중심으로 고장의 모습을 그렸지만, 상우는 상우의 집을 중심으로 고장의 모습을 그렸음. • 지수는 길을 그리지 않았지만, 상우는 길을 자세하게 그렸음. • 지수는 도서관, 김밥 가게, 어린이집, 고분 등을 그렸지만, 상우는 지수가 그리지 않은 병원, 아파트, 꽃 가게, 아이스크림 가게 등을 그렸음.

⑤ 고장에 대한 생각과 느낌
- 머릿속에 떠올린 고장의 모습은 사람마다 서로 비슷하기도 하고 다르기도 합니다.
- 고장에 대한 생각과 느낌은 저마다 경험에 따라 다양할 수 있습니다. → 고장에 대한 서로 다른 생각과 느낌을 이해하고 존중해야 함.

(2) 하늘에서 내려다본 고장의 모습

① 고장의 주요 장소
- 주요 장소: 눈에 잘 띄거나 사람들이 자주 찾는 곳입니다.
- 고장의 주요 장소: 시장, 기차역, 시외버스 터미널, 시청 등이 있습니다.

② 고장의 주요 장소 디지털 영상 지도로 살펴보기
- 디지털 영상 지도: 인공위성이나 비행기에서 찍은 사진이나 영상으로 만든 지도입니다. ┌→ 디지털 영상 지도를 이용하면 하늘에서 내려다본 것처럼 고장을 살펴볼 수 있음. 컴퓨터, 스마트폰, 태블릿 피시 등의 도구를 사용함.

┌→ + 단추를 누르면 좁은 범위를 자세하게 볼 수 있고, − 단추를 누르면 넓은 범위를 간략하게 볼 수 있음.
- 디지털 영상 지도 사용 방법: 지도 서비스 누리집에 들어가기 → 디지털 영상 지도 열기 → 찾고 싶은 곳 검색하기 → 여러 기능을 이용하여 고장 살펴보기
- 디지털 영상 지도로 고장의 주요 장소 찾아보는 과정: 주제 선택하기 → 디지털 영상 지도로 주제에 맞는 주요 장소 찾기 → 주요 장소 정리하기 → 다른 주제의 주요 장소 찾기
- 디지털 영상 지도를 이용하면 좋은 점: 고장의 전체적인 모습과 자세한 모습을 생생하게 볼 수 있고, 장소의 위치를 정확하게 알 수 있습니다.

③ 고장의 주요 장소 백지도에 나타내기
- 백지도: 산, 강, 큰길 등의 밑그림만 그려져 있는 지도를 말합니다. ┌→ 작은 건물들은 생략하고 중요한 곳들을 강조해 그릴 수 있음.
- 고장의 주요 장소를 백지도에 나타내는 과정: 백지도에 나타내고 싶은 주요 장소 정하기 → 디지털 영상 지도에서 주요 장소의 위치 찾기 → 백지도에 고장의 주요 장소 위치 표시하기 → 백지도를 꾸며 완성하기

④ 자랑할 만한 고장의 주요 장소
- 자랑할 만한 주요 장소의 특징: 경치가 아름다운 곳, 많은 사람이 찾는 곳, 역사적으로 중요한 곳, 가치 있는 문화유산이 있는 곳 등
- 고장의 자랑할 만한 주요 장소 소개하는 방법: 안내도 만들기, 소책자 만들기, 신문 광고 만들기 등

2 우리가 알아보는 고장 이야기

(1) 우리 고장의 옛이야기

① 고장에 전해 내려오는 옛이야기
- 옛이야기: 옛날부터 전해 내려오는 이야기를 말합니다.
- 옛이야기를 찾을 수 있는 방법: 고장, 산이나 하천, 도로, 학교 이름 등에 쓰이는 지명과 전해 내려오는 노래나 속담에서 찾을 수 있습니다. ┌→ 땅의 이름을 말함. 땅의 생김새나 옛날에 있었던 일과 관련이 있음.
- 고장의 특징이나 유래를 알 수 있는 옛이야기

구룡산	아홉 마리 용이 하늘로 올라갔다 하여 붙여짐.
빙고리	마을에 얼음 저장 창고가 있었음.
안암	편안하게 쉴 수 있는 바위가 있었음.

② 옛이야기를 통해 알 수 있는 것
- 고장의 자연환경 특징을 알 수 있습니다.
- 고장 사람들의 생활 모습을 알 수 있습니다.
- 고장의 지명이 생긴 까닭을 알 수 있습니다.

③ 고장의 옛이야기 조사 방법: 시·군·구청 누리집 방문하기, 옛이야기가 실려 있는 책 찾아보기, 옛이야기와 관련된 장소 찾아가기, 어른께 여쭈어보기 등

④ 고장의 옛이야기 소개하는 방법: 역할극 만들기, 그림 동화 만들기, 안내 책자 만들기, 노래 바꾸어 부르기 등

‖중요‖
관련 단원 | 1-(1) 우리가 생각하는 고장의 모습
01 빈칸에 공통으로 들어갈 알맞은 말을 쓰시오.

> _____은/는 사람들이 모여 사는 곳을 말한다. 집, 학교, 놀이터, 시장, 강, 산 공원 등 _____에는 여러 장소가 있다.

(   )

관련 단원 | 1-(1) 우리가 생각하는 고장의 모습
02 다음과 관련된 고장의 장소는 어디입니까? (   )

> 사람들이 모여 물건을 사고판다.

① 산   ② 공원
③ 병원   ④ 시장
⑤ 학교

관련 단원 | 1-(1) 우리가 생각하는 고장의 모습
03 다음 중 산에서 한 경험으로 알맞은 것은 무엇입니까?
(   )

① 아픈 곳을 치료받았다.
② 친구와 함께 책을 읽었다.
③ 등산을 하고 맑은 공기를 마셨다.
④ 맛있는 음식도 먹고 이것저것 물건도 많이 샀다.
⑤ 교실에서 공부하고 운동장에서 재미있게 놀았다.

[04~05] 다음 고장의 모습을 그린 그림을 보고 물음에 답하시오.

관련 단원 | 1-(1) 우리가 생각하는 고장의 모습
04 ㉮와 ㉯의 그림에서 공통으로 찾을 수 있는 자연의 모습을 두 가지 고르시오. (,   )

① 산   ② 섬
③ 하천   ④ 빵 가게
⑤ 우리 학교

관련 단원 | 1-(1) 우리가 생각하는 고장의 모습
05 ㉮와 ㉯의 그림에 공통점이 있는 까닭은 무엇입니까?
(   )

① 그림의 크기가 같기 때문에
② 그림 그리기 도구가 같기 때문에
③ 모든 고장의 모습은 비슷하기 때문에
④ 그림을 그린 두 친구가 같은 반이기 때문에
⑤ 그림을 그린 두 친구가 같은 고장에서 살고 있기 때문에

관련 단원 | 1-(1) 우리가 생각하는 고장의 모습
06 나와 친구가 그린 고장의 모습을 비교할 때 살펴볼 내용으로 알맞지 않은 것은 무엇입니까? (   )

① 비슷한 위치에 그린 장소
② 나와 친구가 모두 그린 장소
③ 서로 다른 위치에 그린 장소
④ 나만 그리거나 친구만 그린 장소
⑤ 그릴 때 사용한 그리기 도구의 판매 장소

관련 단원 | 1-(2) 하늘에서 내려다본 고장의 모습
07 다음에서 설명하는 것은 무엇인지 쓰시오.

> 인공위성이나 비행기에서 찍은 사진이나 영상으로 만든 지도이다.

(   )

‖중요‖
관련 단원 | 1-(2) 하늘에서 내려다본 고장의 모습
08 디지털 영상 지도를 사용했을 때의 좋은 점이 <u>아닌</u> 것은 무엇입니까? (   )

① 우리 고장의 위치를 쉽게 알 수 있다.
② 스마트폰으로도 쉽게 찾아볼 수 있다.
③ 내가 상상한 고장의 모습을 알 수 있다.
④ 우리 고장의 모습을 생생하게 볼 수 있다.
⑤ 우리 고장의 전체적인 모습과 자세한 모습을 비교해 볼 수 있다.

중요

09 관련 단원 | 1-⑵ 하늘에서 내려다본 고장의 모습
디지털 영상 지도를 통해 알 수 있는 것을 두 가지 고르시오.
　　　　　　　　　　　　　　　　（　　，　　）

① 고장의 날씨
② 고장의 역사
③ 고장의 위치
④ 하늘에서 내려다본 고장의 땅 모양
⑤ 고장에서 사람들이 가장 좋아하는 곳

10 관련 단원 | 1-⑵ 하늘에서 내려다본 고장의 모습
디지털 영상 지도를 활용하기 위해 사용하는 도구로 알맞은 것은 무엇입니까? 　　　　　　（　　　）

① 신문　　　　　　　② 라디오
③ 사진기　　　　　　④ 현미경
⑤ 스마트폰

11 관련 단원 | 1-⑵ 하늘에서 내려다본 고장의 모습
다음 디지털 영상 지도에서 '➖ 단추'를 눌렀을 때 나타나는 변화는 무엇입니까? 　　　　　　（　　　）

① 지도 화면이 사라진다.
② 지도의 종류가 바뀐다.
③ 원하는 길까지 찾아가는 길을 알려 준다.
④ 더 좁은 범위를 자세하게 살펴볼 수 있다.
⑤ 더 넓은 범위를 간략하게 살펴볼 수 있다.

중요

12 관련 단원 | 2-⑴ 우리 고장의 옛이야기
빈칸에 공통으로 들어갈 알맞은 말을 쓰시오.

　　　　　　은/는 옛날부터 전해 내려오는 이야기를 말한다. 　　　　　을/를 통해 고장 사람들의 생활 모습이나 고장의 자연환경의 특징을 알 수 있다.

　　　　　　　　　　　　　　　（　　　　　）

13 관련 단원 | 2-⑴ 우리 고장의 옛이야기
다음에서 설명하는 것은 무엇입니까? 　　（　　　）

• 땅의 이름으로 땅의 생김새나 옛날에 있었던 일과 관련이 있다.
• 고장, 산이나 하천, 도로, 학교 이름 등에 쓰인다.

① 민요　　　　　　　② 속담
③ 지명　　　　　　　④ 고사성어
⑤ 전래 동화

14 관련 단원 | 2-⑴ 우리 고장의 옛이야기
다음은 어느 고장에 전해 내려오는 옛이야기입니다. 빈칸에 들어갈 알맞은 지명은 무엇입니까? 　　（　　　）

　　아주 먼 옛날, 산에 살던 열 마리 용 형제는 다음 날 새벽에 하늘로 올라가기로 했습니다. 다음 날 새벽, 아홉 마리 용은 하늘로 올라갔지만 늦잠을 잔 막내 용은 올라가지 못했습니다. 아홉 형들은 막내를 안타까워하며 사람에게 꼭 필요한 물이 되라고 말했습니다. 그렇게 막내는 '양재천'이 되었고, 용 형제가 살던 산은 아홉 마리 용이 하늘로 올라갔다고 해서 　　　　(이)라고 불리게 되었습니다.

① 안암　　　　　　　② 구룡산
③ 미원면　　　　　　④ 빙고리
⑤ 피맛골

15 관련 단원 | 2-⑴ 우리 고장의 옛이야기
다음 사진은 강원특별자치도 영월군 한반도면의 모습입니다. 마을 이름이 생긴 까닭은 무엇입니까? 　　（　　　）

▲ 강원특별자치도 영월군 한반도면

① 고장에 바위가 많아서
② 고장에 오래된 탑이 있어서
③ 두 물줄기가 만나는 곳이어서
④ 옛날에 선비들이 많이 살던 곳이어서
⑤ 땅 모양이 한반도를 닮은 곳이 있어서

16 관련 단원 | 2-⑴ 우리 고장의 옛이야기
고장에 전해 내려오는 옛이야기를 조사하는 방법으로 알맞지 **않은** 것은 무엇입니까? 　　（　　　）

① 어른께 여쭈어보기
② 기상청에 전화해 보기
③ 시·군·구청 누리집 방문하기
④ 옛이야기와 관련된 장소 찾아가기
⑤ 옛이야기가 실려 있는 책 찾아보기

(2) 우리 고장의 문화유산

① 문화유산

의미	옛사람들의 문화 중에서 후손들에게 물려줄 만한 가치가 있는 것을 말함.
종류	• 책, 도자기, 건축물 등과 같이 형태가 있는 문화유산 • 전통 음악, 기술, 놀이 등과 같이 형태가 없는 문화유산

② 고장의 문화유산 조사 계획

• 고장의 문화유산 조사할 내용 정하기: 고장의 문화유산을 조사하기 전에 조사하고 싶은 내용을 정합니다.
• 고장의 문화유산 조사 방법 정하기: 다양한 조사 방법 중 어떤 방법으로 문화유산을 조사할 것인지 정합니다.

인터넷으로 찾아보기	시·구·군청이나 문화재청 누리집 등을 이용하여 문화유산에 관한 많은 자료를 쉽게 얻을 수 있음.
문화유산 안내도 살펴보기	우리 고장의 다양한 문화유산이 어디에 있는지 한 눈에 살펴볼 수 있음.
문화유산 소개 책자 찾아보기	문화유산에 대한 설명을 자세히 볼 수 있음.
문화유산 답사하기	문화유산을 직접 보고 조사할 수 있음.

③ 현장 답사를 통해 문화유산 조사하기 → 조사할 대상이 있는 현장에 직접 가서 조사하는 조사 방법

답사 계획하기	답사 목적, 답사 장소, 답사 날짜, 조사 내용, 역할, 준비물 등을 정함. → 답사를 계획할 때에는 가장 먼저 답사 목적을 정해야 함.
답사하기	답사 장소의 관람 규칙 지키기, 설명을 들을 때는 귀 기울여 듣기, 문화유산 소중히 다루기, 보호자와 함께 이동하기
답사 보고서 작성하기	답사 목적, 답사 장소, 답사 날짜, 답사한 사람, 답사로 알게 된 점, 느낀 점 등을 씀.

④ 고장의 문화유산을 조사하여 알 수 있는 점

• 문화유산에 담긴 고장 사람들의 생활 모습을 알 수 있습니다.
• 문화유산의 특징과 가치, 조상들의 지혜 등을 알 수 있습니다.

⑤ 고장의 문화유산 소개하는 방법: 문화유산 안내도 만들기, 문화유산 전시회 만들기, 문화유산 안내 책자 만들기, 문화유산 관광 해설사가 되어 소개해 보기 등

3 교통과 통신수단의 변화

(1) 교통수단의 발달과 생활 모습의 변화

① 교통수단: 사람이 이동하거나 물건을 옮기는 데 사용하는 방법이나 도구를 말합니다.
② 옛날 사람들의 교통수단 → 한 사람이 가마 안에 타고, 다른 사람들이 가마를 들어 이동함.

종류	가마, 말, 당나귀, 소달구지, 뗏목, 돛단배, 나룻배, 도보 등
특징	• 자연에서 쉽게 얻을 수 있는 재료로 만들어짐. • 사람이나 동물, 자연의 힘을 이용하였음. • 땅 위나 물에서 이용하였음.

③ 교통수단의 발달 모습: 과학 기술이 발달하면서 비행기, 전기의 힘으로 움직이는 전차, 증기 기관을 이용해 움직이는 증기선 등이 생겨나고 먼 곳을 쉽게 이동할 수 있게 되었습니다.

④ 오늘날 사람들의 교통수단

종류	자전거, 버스, 승용차, 트럭, 고속 열차, 화물선, 오토바이, 여객선, 비행기 등
특징	• 종류가 다양해지고, 이동 목적에 따라 여러 가지 교통수단을 이용함. • 주로 기계의 힘으로 움직임. • 땅 위, 땅속, 물, 하늘에서 이용함. • 한 번에 많은 사람과 물건을 실어 나를 수 있음.

⑤ 교통수단의 발달로 달라진 생활 모습

• 사람들이 먼 곳까지 빠르게 이동할 수 있게 되었습니다.
• 예전에는 가기 어려웠던 곳을 편리하게 갈 수 있게 되었습니다.
• 많은 양의 물건을 먼 곳까지 옮길 수 있게 되었습니다.
• 터미널, 공항 등 새로운 시설과 조종사나 승무원 등 새로운 직업이 생겨났습니다.

⑥ 고장의 환경에 따른 교통수단

• 사륜구동 택시: 울릉도는 겨울에 눈이 많이 오고 가파른 길이 많아서 사륜구동 택시를 이용합니다.
• 갯배: 강원특별자치도 속초에서 바다를 사이에 두고 떨어진 두 마을을 오갈 때 갯배를 이용합니다.
• 모노레일: 경사가 심한 곳에서 사람이나 물건을 실어 나를 때 모노레일을 이용합니다.

(2) 통신수단의 발달과 생활 모습의 변화

① 통신수단: 사람들이 서로 소식이나 정보를 주고받을 때 이용하는 방법이나 도구를 말합니다.
② 옛날 사람들의 통신수단 → 전쟁 상황과 같은 위급한 상황에서 이용함. 이중 봉수는 연기나 횃불을 피워 소식을 알렸음.

종류	봉수, 신호 연, 새, 북, 서찰, 파발(보발, 기발), 방 등
특징	• 소식을 전하는 데 시간이 오래 걸렸음. • 많은 양의 정보를 전달하기 어려웠음.

③ 오늘날 사람들의 통신수단 → 지도를 보이거나 지름길을 찾아 주어 자동차 운전을 도와주는 장치를 말함.

종류	컴퓨터, 휴대 전화, 태블릿 피시, 텔레비전, 길도우미 등
특징	• 여러 사람과 동시에 연락을 하고 실시간 정보를 주고받을 수 있게 됨. • 많은 양의 정보를 한꺼번에 주고받을 수 있게 됨. • 하나의 통신수단으로 다양한 통신 방법을 이용할 수 있음.

④ 통신수단의 발달로 달라진 생활 모습

• 오늘날 사람들은 집, 직장, 학교 등에서 다양한 통신수단을 사용하고 있습니다.
• 통신수단을 이용해 언제 어디서나 다양한 정보를 빠르고 편리하게 주고받을 수 있습니다.
• 새로운 통신수단을 이용하기 위해 새로운 시설과 직업이 생겨났습니다.

⑤ 장소나 하는 일에 따라 달라지는 통신수단

• 농촌의 주택에서는 마을 방송을 통해 소식을 전하고, 도시의 아파트에서는 인터폰을 이용하여 연락을 합니다.
• 바다에서 고기잡이를 하는 어부는 무전기를 사용합니다.

정답과 해설 8쪽

사회 1학기

2. 우리가 알아보는 고장 이야기
(2) 우리 고장의 문화유산 ~
3. 교통과 통신수단의 변화

확 인 문 제

중요
01 관련 단원 | 2-(2) 우리 고장의 문화유산
다음에서 설명하는 것은 무엇인지 쓰시오.

> 옛사람들의 문화 중에서 후손들에게 물려줄 만한 가치가 있는 것을 말한다.

(   )

02 관련 단원 | 2-(2) 우리 고장의 문화유산
다음 중 나머지 넷과 종류가 <u>다른</u> 문화유산은 무엇입니까?
(   )

① ▲ 김장

② ▲ 다보탑

③ ▲ 창덕궁

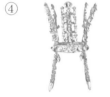
④ ▲ 천마총 금관

⑤ ▲ 연꽃무늬 수막새

03 관련 단원 | 2-(2) 우리 고장의 문화유산
다음 중 고장의 문화유산 조사 방법으로 알맞지 <u>않은</u> 것은 무엇입니까? (   )

① 문화유산 답사하기
② 문화유산 안내도 살펴보기
③ 문화유산 소개 책자 찾아보기
④ 국토 지리 정보원 누리집을 이용하여 조사하기
⑤ 시·구·군청이나 문화재청 누리집을 이용하여 조사하기

04 관련 단원 | 2-(2) 우리 고장의 문화유산
다음과 같이 문화유산의 위치를 살펴볼 수 있는 지도를 무엇이라고 합니까? (   )

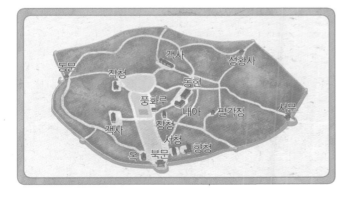

① 교통도
② 노선도
③ 백지도
④ 안내도
⑤ 인구분포도

05 관련 단원 | 2-(2) 우리 고장의 문화유산
다음 그림은 문화유산을 조사하는 방법 중 어떤 방법입니까? (   )

① 문화유산 답사하기
② 백과사전 찾아보기
③ 관광 안내도 살펴보기
④ 문화재청 누리집 방문하기
⑤ 문화 관광 해설사와 면담하기

중요
06 관련 단원 | 2-(2) 우리 고장의 문화유산
우리 고장의 문화유산을 살펴보고 알 수 있는 것이 <u>아닌</u> 것은 무엇입니까? (   )

① 고장의 기후
② 조상들의 지혜
③ 문화유산의 가치
④ 문화유산에 담긴 멋
⑤ 조상들의 생활 모습

07 관련 단원 | 2-(2) 우리 고장의 문화유산
다음 자료를 보고 알 수 있는 점으로 알맞지 <u>않은</u> 것은 무엇입니까? (   )

① 고창 읍성을 조사했다.
② 고창 읍성의 가치를 알 수 있다.
③ 고창 읍성의 모습을 알 수 있다.
④ 고창 읍성을 만든 까닭을 알 수 있다.
⑤ 당시 사람들의 실제 모습을 알 수 있다.

중요
08 관련 단원 | 3-(1) 교통수단의 발달과 생활 모습의 변화
다음에서 설명하는 것은 무엇인지 쓰시오.

> 사람이 이동하거나 물건을 옮기는 데 사용하는 방법이나 도구를 말한다.

(   )

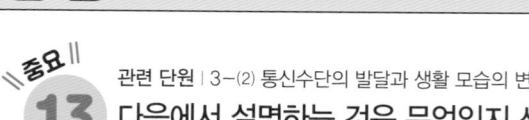
관련 단원 | 3-(1) 교통수단의 발달과 생활 모습의 변화

09 옛날의 교통수단이 주로 어떤 힘을 이용했는지 설명한 내용으로 알맞은 것은 무엇입니까?　　　　(　　　)

① 말은 바람의 힘으로 움직였다.
② 가마는 사람의 힘으로 움직였다.
③ 당나귀는 사람의 힘으로 움직였다.
④ 돛단배는 동물의 힘으로 움직였다.
⑤ 소달구지는 물의 힘으로 움직였다.

관련 단원 | 3-(1) 교통수단의 발달과 생활 모습의 변화

10 다음 사진과 같이 수증기를 이용하여 먼 나라로 갈 수 있는 교통수단은 무엇입니까?　　　　(　　　)

① 가마　　　　　　② 뗏목
③ 전차　　　　　　④ 돛단배
⑤ 증기선

관련 단원 | 3-(1) 교통수단의 발달과 생활 모습의 변화

11 다음 중 오늘날에 주로 이용하는 교통수단이 <u>아닌</u> 것은 무엇입니까?　　　　(　　　)

① 가마　　　　　　② 비행기
③ 여객선　　　　　④ 화물선
⑤ 오토바이

관련 단원 | 3-(1) 교통수단의 발달과 생활 모습의 변화

**12** 오늘날 교통수단에 대한 설명으로 알맞지 <u>않은</u> 것은 무엇입니까?　　　　(　　　)

① 종류가 다양하다.
② 먼 곳까지 갈 수 있다.
③ 주로 기계의 힘으로 움직인다.
④ 많은 사람과 물건을 실어 나를 수 있다.
⑤ 주로 자연에서 쉽게 구할 수 있는 재료로 만들어진다.

관련 단원 | 3-(2) 통신수단의 발달과 생활 모습의 변화

**13** 다음에서 설명하는 것은 무엇인지 쓰시오.

> 사람들이 서로 소식이나 정보를 주고받을 때 이용하는 방법이나 도구를 말한다.

(　　　　　　　)

관련 단원 | 3-(2) 통신수단의 발달과 생활 모습의 변화

14 다음에서 설명하는 통신수단으로 알맞은 것은 무엇입니까?　　　　(　　　)

> 적이 쳐들어오거나 위급한 상황이 발생했을 때 연기나 햇불을 피워서 소식을 알렸던 옛날의 통신수단이다.

① 북　　　　　　　② 새
③ 봉수　　　　　　④ 파발
⑤ 신호 연

관련 단원 | 3-(2) 통신수단의 발달과 생활 모습의 변화

15 오늘날 사람들이 많이 이용하는 통신수단의 특징으로 알맞지 <u>않은</u> 것은 무엇입니까?　　　　(　　　)

① 정보를 빠르게 전달할 수 있다.
② 여러 사람과 동시에 연락할 수 있다.
③ 한 번에 많은 양의 정보를 주고받을 수 있다.
④ 과학 기술의 발달로 통신수단의 종류가 다양해지고 있다.
⑤ 하나의 통신 기계로는 한 가지 통신 방법만 이용할 수 있다.

관련 단원 | 3-(2) 통신수단의 발달과 생활 모습의 변화

16 다음 그림에 나타난 통신수단은 무엇입니까?　　(　　　)

① 무전기　　　　　② 인터폰
③ 스마트폰　　　　④ 마을 방송
⑤ 무선 마이크

1 환경에 따라 다른 삶의 모습

(1) 우리 고장의 환경과 생활 모습

① 자연환경과 인문환경 → 환경은 우리 주변을 둘러싸고 있는 모든 것을 말함.

자연환경	산, 들, 하천, 바다와 같은 땅의 생김새와 날씨에 영향을 주는 눈, 비, 바람, 기온 등 자연 그대로의 환경을 말함.
인문환경	논과 밭, 과수원, 공원, 다리, 도로, 공장 등과 같이 사람들이 만들어 낸 환경을 말함.

② 땅의 생김새에 따른 고장 사람들의 생활 모습

산	• 산에서 나무를 얻고 약초, 버섯 등을 키움. • 산비탈에 스키장을 만들어 운영함. • 목장에서 소나 양을 기름.
들	• 논을 만들어 벼농사를 지음. • 밭이나 비닐하우스를 만들어 채소나 과일을 재배함. • 도시가 발달한 곳에는 사람들이 회사나 공장에서 일하며 다양한 일을 하는 사람들이 많음.
바다	• 물고기를 잡거나 기름. • 바닷가에 놀러 오는 사람들을 위해 식당이나 숙박 시설을 운영함.

③ 계절에 따른 고장 사람들의 생활 모습

봄	• 꽃구경을 함.	• 논에서 모내기를 함.
여름	• 물놀이를 감.	• 논에서 김매기를 함.
가을	• 단풍놀이를 함.	• 논에서 추수를 함.
겨울	• 썰매나 스키를 타러 감.	• 농기구를 정비함.

④ 고장 사람들의 여가 활동

• 고장 사람들은 고장의 자연환경과 인문환경을 이용해 여가 활동을 합니다.

산	등산을 하거나 스키장이 있는 경우 스키를 타며 여가 활동을 함.
들	• 주말농장 체험하기 등의 여가 활동을 함. • 도시에서는 박물관, 미술관, 영화관 등에서 여가 활동을 하는 사람들도 많음.
바다	갯벌 체험하기, 서핑하기, 바다낚시 하기, 물놀이하기 등의 여가 활동을 함.

(2) 환경에 따른 의식주 생활 모습

① 의식주: 사람들이 살아가는 데 필요한 옷과 음식, 집을 통틀어 말합니다.

의(옷)	피부 보호, 몸의 온도 유지 등을 위해 필요함.
식(음식)	영양분을 얻기 위해 필요함.
주(집)	더위나 추위를 피하고, 휴식을 위해 필요함.

② 계절과 날씨에 따른 고장 사람들의 옷차림

• 계절에 따라 사람들의 옷차림은 다릅니다.

봄·가을	얇은 옷을 입거나 가벼운 외투를 입음.
여름	얇은 옷을 입어 몸을 시원하게 함.
겨울	두꺼운 옷을 입어 몸을 따뜻하게 함.

• 같은 계절이라도 고장마다 날씨가 달라 옷차림이 서로 다릅니다. → 같은 날이지만 고장마다 날씨가 달라 한 곳에서는 반소매 옷을, 다른 한 곳에서는 긴소매 옷을 입기도 함.

③ 환경에 따른 사람들의 식생활

• 고장 사람들은 고장의 환경에 따라 쉽게 얻을 수 있는 음식 재료를 이용하여 음식을 만들어 먹습니다.

보성 꼬막무침	넓은 갯벌에서 꼬막이 많이 남.
영덕 대게찜	영덕군 앞바다에서 대게가 잘 잡힘.
영월 곤드레나물밥	산골짜기에서 곤드레나물이 잘 자람.

④ 환경에 따른 사람들의 주생활

• 고장의 환경에 따라 집을 짓는 재료가 다양하고 집의 모습도 다릅니다.

너와집	옛날에 나무를 쉽게 구할 수 있는 강원특별자치도 산지에서는 나뭇조각을 지붕에 얹어 만든 너와집에서 생활함.
터돋움집	여름철에 비가 많이 와 물에 잠길 위험이 있는 고장에서는 터를 돋우어 집을 지었음.
우데기 두른 집	옛날에 눈이 많이 오는 울릉도에서는 우데기를 둘러 눈이 집 안으로 들이치는 것을 막아 생활함.

2 시대마다 다른 삶의 모습

(1) 옛날과 오늘날의 생활 모습

① 옛날 사람들의 생활 모습 → 자연에서 얻은 돌이나 나무를 이용한 도구를 사용하다 청동과 철로 새로운 도구를 만들어 사용함.

돌을 깨뜨려 만든 도구를 사용한 시대	• 사냥하거나 열매를 따서 먹을거리를 얻음. • 동굴이나 바위 그늘에서 생활함.
돌을 갈아서 만든 도구를 사용한 시대	• 강가나 바닷가에 모여 살기 시작함. • 농사를 짓기 시작함.
청동으로 만든 도구를 사용한 시대	• 청동은 주로 장신구, 제사를 지내는 도구를 만드는 데 사용함. • 생활 도구는 돌과 나무로 만들어 사용함.
철로 만든 도구를 사용한 시대	• 철로 만든 농사 도구를 사용하면서 농업이 발달함. • 전쟁에서 철로 만든 무기를 사용함.

② 도구의 변화로 달라진 사람들의 생활 모습

농사 도구	• 땅을 가는 도구: 돌괭이 → 철로 만든 괭이 → 쟁기 → 트랙터 • 곡식을 수확하는 도구: 반달 돌칼 → 낫 → 탈곡기 → 콤바인 • 편리하게 농사를 지을 수 있게 됨.
음식 만드는 도구	• 음식을 요리할 때 쓰는 도구: 토기 → 시루 → 가마솥 → 전기밥솥 • 음식을 갈 때 쓰는 도구: 갈판과 갈돌 → 맷돌 → 믹서 • 빠르고 편리하게 음식을 만들 수 있게 됨.
옷 만드는 도구	• 실이나 옷감을 만드는 도구: 가락바퀴 → 베틀 → 방직기 • 옷감을 꿰매는 도구: 뼈바늘 → 쇠 바늘 → 재봉틀 • 쉽고 빠르게 옷을 만들 수 있게 됨.

③ 사람들이 사는 집의 모습 변화 → 땅을 파고 기둥을 세워 풀과 짚을 덮어 만듦.

• 동굴이나 바위 그늘 → 움집 → 귀틀집 → 초가집, 기와집 → 주택, 아파트 → 나무, 흙 등 자연에서 얻은 재료를 사용함.

• 사람들이 사는 집의 모습은 관리가 쉽고 튼튼한 형태로 변화했습니다.

사회 2학기
1. 환경에 따라 다른 삶의 모습 ~
2. 시대마다 다른 삶의 모습
   (1) 옛날과 오늘날의 생활 모습

확인문제

관련 단원 | 1-(1) 우리 고장의 환경과 생활 모습

01 다음에서 설명하는 것은 무엇인지 쓰시오.

> 우리 주변을 둘러싸고 있는 모든 것을 말한다.

( )

중요
관련 단원 | 1-(1) 우리 고장의 환경과 생활 모습

02 다음 중 인문환경은 무엇입니까? ( )

① ▲ 강
② ▲ 눈
③ ▲ 산
④ ▲ 도로
⑤ ▲ 바다

관련 단원 | 1-(1) 우리 고장의 환경과 생활 모습

03 고장 사람들이 자연환경을 이용하는 모습이 잘못 연결된 것은 무엇입니까? ( )

① 산: 목장을 만든다.
② 산: 스키장을 만든다.
③ 들: 등산로를 만든다.
④ 바다: 양식장을 만든다.
⑤ 바다: 바닷가에 놀러 오는 사람들을 위한 숙박 시설을 만든다.

관련 단원 | 1-(1) 우리 고장의 환경과 생활 모습

04 들이 펼쳐진 고장 사람들의 생활 모습으로 알맞지 않은 것은 무엇입니까? ( )

① 벼농사를 짓는다.
② 스키장을 운영한다.
③ 밭에서 과일을 재배한다.
④ 비닐하우스에서 채소를 재배한다.
⑤ 도시에 있는 회사나 공장에서 일한다.

관련 단원 | 1-(1) 우리 고장의 환경과 생활 모습

05 다음 일기 예보가 나타내는 계절에 사람들의 생활 모습은 무엇입니까? ( )

> "한낮에는 30℃를 넘는 무더위가 이어지다가 주말에 비가 내리겠습니다."

① 해수욕장을 운영한다.
② 단풍놀이를 하러 간다.
③ 모를 논에 옮겨 심는다.
④ 잘 익은 벼를 수확한다.
⑤ 추운 날씨를 이용해 명태를 말린다.

관련 단원 | 1-(1) 우리 고장의 환경과 생활 모습

06 바다가 있는 고장 사람들이 주로 즐기는 여가 활동으로 알맞은 것을 두 가지 고르시오. (,)

① 스키 타기
② 갯벌 체험하기
③ 바다낚시 하기
④ 영화 관람하기
⑤ 주말농장 체험하기

중요
관련 단원 | 1-(2) 환경에 따른 의식주 생활 모습

07 다음에서 나타내는 것을 통틀어 무엇이라고 하는지 쓰시오.

> • 피부 보호, 몸의 온도 유지 등을 위해 필요하다.
> • 영양분을 얻기 위해 필요하다.
> • 더위나 추위를 피하고, 휴식을 위해 필요하다.

( )

관련 단원 | 1-(2) 환경에 따른 의식주 생활 모습

08 다음 중 고장 사람들의 옷차림에 영향을 주는 자연환경은 무엇입니까? ( )

① 날씨
② 직업
③ 집 모양
④ 고장 사람들의 수
⑤ 고장에 놓인 도로

09 관련 단원 | 1-(2) 환경에 따른 의식주 생활 모습

다음과 같은 자연환경 때문에 제주도 서귀포시에 발달한 음식으로 알맞은 것은 무엇입니까? (　　　)

제주도는 바다로 둘러싸인 섬 지역이다.

① 감자전　　　　　　② 도토리묵
③ 전복 구이　　　　　④ 호두과자
⑤ 곤드레나물밥

10 관련 단원 | 1-(2) 환경에 따른 의식주 생활 모습

고장마다 집의 모습이 다양하게 나타나는 까닭을 두 가지 고르시오. (　　,　　)

① 고장마다 날씨가 다르기 때문에
② 고장마다 거주하는 사람의 수가 다르기 때문에
③ 고장마다 주로 쓰는 교통수단이 다르기 때문에
④ 고장마다 주로 쓰는 통신수단이 다르기 때문에
⑤ 고장마다 쉽게 얻을 수 있는 재료가 다르기 때문에

11 관련 단원 | 1-(2) 환경에 따른 의식주 생활 모습

바람이 많이 부는 고장에서 나타나는 주생활 모습으로 알맞은 것은 무엇입니까? (　　　)

① 물 위에 집을 짓는다.
② 통나무로 집을 짓는다.
③ 집 주위에 우데기를 두른다.
④ 집을 주변보다 높게 해 짓는다.
⑤ 지붕이 날아가지 않게 끈으로 묶어 고정한다.

12 《중요》 관련 단원 | 2-(1) 옛날과 오늘날의 생활 모습

다음은 옛날 사람들이 도구를 사용하는 모습입니다. 빈칸에 들어갈 알맞은 말을 쓰시오.

옛날 사람들은 [　　　　]에서 얻은 돌이나 나무를 생활 도구로 사용했다.

(　　　　　)

13 관련 단원 | 2-(1) 옛날과 오늘날의 생활 모습

다음은 도구의 발달을 나타낸 것입니다. 도구의 쓰임새로 알맞은 것은 무엇입니까? (　　　)

돌괭이 → 철로 만든 괭이 → 쟁기 → 트랙터

① 땅을 가는 도구
② 옷을 만드는 도구
③ 음식을 만드는 도구
④ 곡식을 수확하는 도구
⑤ 곡식을 보관하는 데 쓰는 도구

14 관련 단원 | 2-(1) 옛날과 오늘날의 생활 모습

다음 그림은 옛날 사람들이 맷돌을 쓰는 모습입니다. 오늘날 쓰임이 같은 생활 도구는 무엇입니까? (　　　)

① 믹서
② 다리미
③ 재봉틀
④ 전기밥솥
⑤ 전자레인지

15 관련 단원 | 2-(1) 옛날과 오늘날의 생활 모습

다음과 같은 도구의 발달로 달라진 사람들의 생활 모습은 무엇입니까? (　　　)

가락바퀴 → 베틀 → 방직기

① 물고기를 쉽게 잡을 수 있게 되었다.
② 옷을 쉽고 빠르게 만들 수 있게 되었다.
③ 자동차가 더 빠르게 달릴 수 있게 되었다.
④ 음식을 다양하게 만들어 먹을 수 있게 되었다.
⑤ 사람이 이동하는 데 시간을 절약할 수 있게 되었다.

16 관련 단원 | 2-(1) 옛날과 오늘날의 생활 모습

빈칸에 들어갈 알맞은 말을 두 가지 고르시오. (　　,　　)

옛날 사람들은 주로 [　　　　]에서 살다가 시간이 흐른 뒤 먹을거리가 풍부한 강가나 해안가에 움집을 짓고 모여 살기 시작했다.

① 동굴　　　　　　② 기와집
③ 초가집　　　　　④ 아파트
⑤ 바위 그늘

(2) 옛날과 오늘날의 세시 풍속

① 세시 풍속: 명절에 입는 옷, 하는 놀이, 하는 일, 먹는 음식처럼 해마다 일정한 날이나 계절에 되풀이하여 행해 온 우리 고유의 생활 모습을 말합니다.

② 옛날의 세시 풍속

└→ 정월 대보름날 이른 아침에 한 해의 건강을 비는 뜻에서 먹는 호두, 땅콩 등의 딱딱한 열매

설날	차례 지내기, 세배 드리기, 윷놀이나 널뛰기 즐기기 등
정월 대보름	오곡밥과 나물 먹기, 부럼 깨물기, 쥐불놀이하기 등
한식	찬 음식 먹기, 불 사용하지 않기, 성묘하기 등
단오	부채 주고받기, 창포물에 머리 감기, 그네뛰기와 씨름 즐기기, 수리취떡 먹기 등
추석	햇곡식과 햇과일로 차례 지내기, 송편과 토란국 먹기, 줄다리기와 강강술래 즐기기 등
동지	팥죽 먹기 등

③ 오늘날까지 이어져 내려오는 세시 풍속

- 설날에 어른께 세배를 드리고 떡국을 먹습니다.
- 삼복에 삼계탕을 먹습니다.
- 추석에 차례를 지내고 송편과 햇과일을 먹습니다.

④ 옛날과 오늘날의 세시 풍속의 공통점과 차이점

구분	옛날	오늘날
공통점	가족의 건강과 복을 바라는 마음으로 세시 풍속을 즐김.	
차이점	└→ 우리 조상이 주로 농사를 짓고 살았기 때문임. • 농사와 관련된 세시 풍속이 많았음. • 일정한 날이나 계절에 알맞은 음식을 먹고 놀이를 즐겼음.	• 농사와 관련된 세시 풍속이 많이 사라짐. • 주로 설날, 추석 등 큰 명절과 관련된 세시 풍속만 이어져 내려오고 있음. • 일정한 날이나 계절과 관계없이 음식을 먹고 놀이를 즐김.

3 가족의 모습과 역할 변화

(1) 가족의 구성과 역할 변화

① 옛날과 오늘날의 결혼식 모습

구분	옛날	오늘날
장소	신부의 집	결혼식장
입은 옷	혼례복	턱시도(신랑), 웨딩드레스(신부)
주고 받는 것	나무 기러기	결혼반지
폐백	신랑의 집에서 신랑의 부모님께 폐백을 드렸음.	결혼식장의 폐백실에서 신랑과 신부의 부모님께 폐백을 드림.
변하지 않은 것	• 두 사람이 부부가 되는 것을 알리는 점 • 사람들이 신랑과 신부를 축하해 주는 마음	

② 옛날과 오늘날의 가족 형태 └→ 가족 구성의 범위에 따라 확대 가족과 핵가족으로 구분함.

옛날	• 결혼한 부부와 그 부모가 함께 사는 확대 가족이 많았음. • 옛날에는 주로 농사를 지어서 일할 사람이 많이 필요해 결혼한 자녀가 부모와 같이 사는 경우가 많았음.
오늘날	• 부부 혹은 부부와 결혼하지 않은 자녀로 이루어진 핵가족이 많음. • 오늘날에는 개인의 독립된 생활을 중요하게 생각하고, 교육과 취업을 위해 다른 지역으로 이사하는 경우가 늘면서 핵가족이 많아짐.

③ 옛날과 오늘날 가족 구성원의 역할

옛날	• 가족 구성원의 역할이 구분되어 있었음. • 남자는 주로 바깥일을 하고, 여자는 주로 집안일을 했음. • 가족의 중요한 일은 집안에서 나이가 많은 남자 어른의 결정에 따랐음.
오늘날	• 성별이나 나이에 따른 역할 구분이 많이 사라졌음. • 여자도 바깥에서 일하고, 남자도 집안일과 육아를 맡아서 함. • 가족의 중요한 일은 모든 구성원이 함께 의견을 나누고 결정함.

④ 오늘날 가족 구성원의 역할이 변화하게 된 까닭

- 남녀 모두 교육받을 기회가 많아졌기 때문입니다.
- 여성의 사회 활동이 활발해졌기 때문입니다.
- 남녀노소가 평등하고, 개인의 의견을 존중하는 사회 분위기가 만들어졌기 때문입니다.

⑤ 가족 구성원의 바람직한 역할

- 가족 모두가 서로 존중하고 배려하는 마음을 가집니다.
- 가족끼리 대화를 나누면서 서로의 생각을 이해합니다.
- 가족 구성원으로서 자신의 역할을 알고 실천합니다.

(2) 다양한 가족이 살아가는 모습

① 다양한 가족 형태 └→ 우리 사회에는 다양한 형태의 가족들이 살고 있으며, 특정한 형태의 가족만이 좋거나 바람직한 것은 아님.

- 부부와 자녀로 구성된 가족
- 부모 중 한 명이 자녀를 키우는 가족
- 할아버지나 할머니가 손주를 키우는 가족
- 자녀를 입양한 가족
- 부모님 중 한 분이 외국인인 가족
- 원래 한 가족은 아니었지만, 두 가족이 새롭게 한 가족이 된 가족
- 다른 곳에서 일하거나 더 나은 교육을 받기 위해 가족들이 함께 살지 않고 따로 생활하는 가족

② 다양한 가족의 생활 모습을 대하는 올바른 태도

- 우리 가족과 같거나 비슷한 형태의 가족도 있고, 다른 형태의 가족도 있다는 것을 이해합니다.
- 가족마다 살아가는 모습이 다르기 때문에 서로 다름을 인정합니다.
- 다양한 가족이 살아가는 모습을 서로 존중합니다.

사회

2학기

2. 시대마다 다른 삶의 모습
(2) 옛날과 오늘날의 세시 풍속 ~
3. 가족의 모습과 역할 변화

확인 문제

중요
01 관련 단원 | 2-(2) 옛날과 오늘날의 세시 풍속

다음에서 설명하는 것은 무엇인지 쓰시오.

> 명절에 입는 옷, 하는 놀이, 하는 일, 먹는 음식처럼 해마다 일정한 날이나 계절에 되풀이하여 행해 온 우리 고유의 생활 모습을 말한다.

(   )

02 관련 단원 | 2-(2) 옛날과 오늘날의 세시 풍속

다음 그림은 설날 아침의 모습입니다. 무엇을 하는 모습입니까?
(   )

새해 복 많이 받으세요.

① 성묘하기
② 떡국 먹기
③ 세배 드리기
④ 부럼 깨물기
⑤ 차례 지내기

03 관련 단원 | 2-(2) 옛날과 오늘날의 세시 풍속

다음 세시 풍속과 관련된 명절이나 시기는 무엇입니까?
(   )

> • 풍년을 바라며 오곡밥과 나물을 먹었다.
> • 부럼을 깨물었다.

① 단오
② 설날
③ 추석
④ 한식
⑤ 정월 대보름

04 관련 단원 | 2-(2) 옛날과 오늘날의 세시 풍속

추석의 세시 풍속이 <u>아닌</u> 것을 두 가지 고르시오.
(,   )

① 팥죽을 먹는다.
② 강강술래를 즐긴다.
③ 송편과 토란국을 먹는다.
④ 창포물에 머리를 감는다.
⑤ 햇곡식과 햇과일로 차례를 지낸다.

05 관련 단원 | 2-(2) 옛날과 오늘날의 세시 풍속

오늘날까지 이어져 내려오는 세시 풍속을 두 가지 고르시오.
(,   )

① 설날에 어른께 세배를 드린다.
② 단오에 창포물에 머리를 감는다.
③ 추석에 가족들과 송편을 먹는다.
④ 한식에는 불을 사용하지 않는다.
⑤ 삼월 삼짓날에 화전을 만들어 먹는다.

중요
06 관련 단원 | 2-(2) 옛날과 오늘날의 세시 풍속

옛날과 오늘날의 세시 풍속에 대한 설명으로 알맞은 것은 무엇입니까?
(   )

① 옛날에는 농사와 관련된 세시 풍속이 없었다.
② 옛날에는 설날과 추석의 세시 풍속만 행해졌다.
③ 오늘날에는 농사와 관련된 세시 풍속만 남아 있다.
④ 오늘날에는 옛날의 세시 풍속이 그대로 전해 내려오고 있다.
⑤ 옛날이나 오늘날이나 가족의 건강과 복을 바라는 마음으로 세시 풍속을 즐긴다.

07 관련 단원 | 3-(1) 가족의 구성과 역할 변화

다음 그림은 무엇을 하는 모습인지 쓰시오.

▲ 옛날의 모습   ▲ 오늘날의 모습

(   )

08 관련 단원 | 3-(1) 가족의 구성과 역할 변화

옛날에 결혼식을 마친 신랑과 신부가 신랑의 집으로 가 신랑의 집안 어른들께 첫인사를 올리는 것을 무엇이라고 합니까?
(   )

① 약혼
② 주례
③ 폐백
④ 신혼여행
⑤ 결혼 선서

중요
09 관련 단원 | 3-(1) 가족의 구성과 역할 변화
옛날과 오늘날의 결혼식에서 변하지 않은 모습으로 알맞지 <u>않은</u> 것은 무엇입니까? 　　　(　　)

① 신부의 집에서 결혼식을 올린다.
② 신랑과 신부가 부부가 된다는 약속이다.
③ 부부가 되어 새로운 가정을 이루는 중요한 의식이다.
④ 신랑과 신부가 부부가 된 것을 많은 사람에게 알리는 의식이다.
⑤ 가족과 친척들이 모여 신랑과 신부의 행복한 미래를 축복해 준다.

10 관련 단원 | 3-(1) 가족의 구성과 역할 변화
옛날 가족 구성원의 역할로 알맞은 것은 무엇입니까? 　　　(　　)

① 여자아이만 글공부를 하였다.
② 집안일은 주로 여자가 하였다.
③ 남녀가 평등한 교육을 받았다.
④ 남자아이는 어머니를 도와 집안일을 하였다.
⑤ 할머니는 손녀에게 글공부를 가르쳐 주었다.

11 관련 단원 | 3-(1) 가족의 구성과 역할 변화
핵가족에 대한 설명으로 바른 것은 무엇입니까? (　　)

① 옛날에 주로 볼 수 있었던 가족 형태이다.
② 오늘날에는 거의 볼 수 없는 가족 형태이다.
③ 결혼한 부부와 그 부모가 함께 사는 가족이다.
④ 부부 혹은 부부와 결혼하지 않은 자녀로 이루어진 가족이다.
⑤ 가족이 모여 함께 일하는 것을 중요하게 생각해 나타나는 가족 형태이다.

12 관련 단원 | 3-(1) 가족의 구성과 역할 변화
가족 구성원 간의 갈등을 해결하기 위해 필요한 태도로 알맞지 <u>않은</u> 것은 무엇입니까? 　　　(　　)

① 대화　　　　　② 배려
③ 사랑　　　　　④ 이해
⑤ 무관심

13 관련 단원 | 3-(1) 가족의 구성과 역할 변화
빈칸에 들어갈 알맞은 말은 무엇입니까? 　(　　)

> 가족의 일을 결정할 때는 ＿＿＿＿＿＿＿＿＿

① 반상회를 통해 결정한다.
② 가족끼리 의논하여 함께 결정한다.
③ 무조건 남자 어른의 의견에 따른다.
④ 무조건 여자 어른의 의견에 따른다.
⑤ 집안에서 가장 나이 많은 어른이 결정한다.

14 관련 단원 | 3-(2) 다양한 가족이 살아가는 모습
다음은 입양으로 새로운 가족이 생긴 가족의 모습을 나타낸 사진입니다. 사진 제목으로 알맞은 것은 무엇입니까? 　　　(　　)

① 동생아, 반가워!
② 우리는 세쌍둥이
③ 할머니는 내 엄마
④ 아빠하고 나하고
⑤ 파란 눈의 우리 아빠

15 관련 단원 | 3-(2) 다양한 가족이 살아가는 모습
다양한 가족의 생활 모습에 대한 설명으로 바르지 <u>않은</u> 것은 무엇입니까? 　　　(　　)

① 모든 가족의 형태는 같다.
② 가족마다 살아가는 모습이 다르다.
③ 다양한 가족이 살아가는 모습을 존중해야 한다.
④ 우리 가족과 같거나 비슷한 형태의 가족도 있고, 다른 가족도 있다.
⑤ 가족의 형태는 다양하며, 특정한 형태의 가족만이 좋거나 바람직한 것은 아니다.

중요
16 관련 단원 | 3-(2) 다양한 가족이 살아가는 모습
빈칸에 들어갈 알맞은 말을 쓰시오.

> 우리 사회에는 다양한 형태의 가족이 있음을 알고, 모든 가족을 이해하고 ☐☐☐☐☐ 하는 태도를 지녀야 한다.

(　　)

1 과학자는 어떻게 탐구할까요?

관찰	눈, 코, 입, 귀, 피부의 다섯 가지 감각을 이용해 탐구하고자 하는 대상의 특징을 자세히 살펴보는 것
측정	탐구하고자 하는 대상의 길이, 무게, 시간, 온도 등을 재는 것
예상	앞으로 일어날 수 있는 일을 생각하는 것
분류	탐구 대상을 공통점과 차이점을 바탕으로 무리 짓는 것
추리	관찰 결과, 과거 경험, 이미 알고 있는 것 등을 바탕으로 하여 무슨 일이 일어났는지 생각하는 것
의사소통	자신이 탐구한 내용에 대해 다른 사람과 생각이나 정보를 주고 받는 것

2 물질의 성질

(1) 물체와 물질
① 물체: 모양이 있고 공간을 차지하고 있는 것입니다. 예 책상, 풍선, 자전거 등
② 물질: 물체를 만드는 재료입니다. 예 금속, 플라스틱 등
  └→ 고무, 밀가루, 유리, 종이, 섬유, 가죽 등도 있음.

(2) 여러 가지 물질의 성질

물질	물질의 성질
금속	다른 물질보다 단단하며 광택이 있음.
플라스틱 → 물에 뜸.	금속보다 가볍고, 다양한 모양과 색깔의 물체를 쉽게 만들 수 있음. └→ 단단한 정도: 금속>플라스틱>나무>고무
나무	금속보다 가벼우며, 고유한 향과 무늬가 있음.
고무 → 물에 가라앉음.	쉽게 구부러지고, 잡아당기면 늘어났다가 놓으면 다시 돌아옴. └→ 잘 미끄러지지 않음.

(3) 물질의 성질이 우리 생활에 어떻게 이용되는지 알아보기
① 책상을 이루는 각 부분을 그 물질로 만들면 좋은 점
  └→ 물질마다 다른 성질이 있어 물체의 기능에 알맞은 물질을 만들면 사용하기에 더 좋음.

상판	나무로 만들어 가벼우면서도 단단함.
몸체	금속으로 만들어 잘 부러지지 않고 튼튼함.
받침	플라스틱으로 만들어 바닥이 긁히는 것을 줄여 줌.

(4) 종류가 같은 물체를 서로 다른 물질로 만드는 까닭
① 여러 가지 컵을 이루고 있는 물질과 각 컵의 좋은 점

컵의 종류	물질	좋은 점
금속 컵	금속	잘 깨지지 않고 튼튼함.
플라스틱 컵	플라스틱	가볍고 단단하며, 모양과 색깔이 다양함.
유리컵	유리	투명하여 무엇이 들어 있는지 쉽게 알 수 있음.
도자기 컵	흙	음식을 오랫동안 따뜻하게 보관할 수 있음.
종이컵	종이	싸고 가벼워 손쉽게 사용할 수 있음.

② 같은 종류의 물체를 서로 다른 물질로 만드는 까닭: 물질의 성질에 따라 물체의 기능이 다르고, 서로 다른 좋은 점이 있기 때문입니다.
  └→ 물, 붕사, 폴리비닐 알코올을 섞어 탱탱볼을 만들면 탱탱볼은 물, 붕사, 폴리비닐 알코올과 성질이 다름.

(5) 서로 다른 물질을 섞었을 때의 변화: 서로 다른 물질을 섞으면 섞기 전에 각 물질이 가지고 있던 색깔, 손으로 만졌을 때의 느낌 등의 성질이 변하기도 합니다.

3 동물의 한살이
→ 동물이 태어나서 성장하여 자손을 남기는 과정

(1) 동물의 암수에 따른 생김새와 역할
① 암수가 쉽게 구별되는 동물과 쉽게 구별되지 않는 동물

암수가 쉽게 구별되는 동물	암수가 쉽게 구별되지 않는 동물
사자, 원앙, 사슴, 꿩 등	붕어, 무당벌레, 돼지, 참새 등

② 알이나 새끼를 돌보는 과정에서 암수의 역할
  • 암수가 함께 알이나 새끼를 돌보기도 하고(제비, 꾀꼬리 등), 암컷이 혼자서 알이나 새끼를 돌봅니다(곰, 소 등).
  • 수컷이 혼자서 알이나 새끼를 돌보기도 하고(가시고기, 물자라 등), 알을 낳은 뒤 돌보지 않기도 합니다(거북, 노린재 등).

(2) 배추흰나비알과 애벌레의 특징

구분	알	애벌레
생김새	연한 노란색이며, 길쭉한 옥수수 모양임.	초록색이며 털이 나 있고, 긴 원통 모양임.
움직임	움직이지 않음.	자유롭게 기어서 움직임.
크기 변화	1 mm 정도로 작으며 자라지 않음.	허물을 4번 벗으며 점점 자람.

(3) 배추흰나비 번데기와 어른벌레의 특징

구분	번데기	어른벌레
생김새	• 여러 개의 마디가 있음. • 가운데가 볼록하며 양쪽 끝은 뾰족함. • 주변의 색깔과 비슷해서 눈에 잘 띄지 않음.	• 몸은 머리, 가슴, 배 세 부분으로 되어 있음. • 가슴에는 날개 두 쌍과 다리 세 쌍이 있음.
움직임	움직이지 않음.	날개를 움직여 날아다님.
크기 변화	자라지 않음.	자라지 않음.

(4) 여러 가지 곤충의 한살이

완전 탈바꿈	• 곤충의 한살이에서 번데기 단계를 거치는 것 • 알 → 애벌레 → 번데기 → 어른벌레 예 나비, 벌, 파리, 풍뎅이, 나방, 개미, 무당벌레 등
불완전 탈바꿈	• 곤충의 한살이에서 번데기 단계를 거치지 않는 것 • 알 → 애벌레 → 어른벌레 예 사마귀, 메뚜기, 방아깨비, 노린재 등

(5) 알을 낳는 동물의 한살이
→ 동물에 따라 알을 낳는 장소, 알의 크기, 알의 수, 알의 모양이 다름.
① 닭의 한살이: 알 → 병아리 → 큰 병아리 → 다 자란 닭
② 알에서 깨어난 새끼는 다 자라면 그중 암컷이 알을 낳을 수 있습니다.

(6) 새끼를 낳는 동물의 한살이
→ 동물마다 임신 기간과 한 번에 낳는 새끼의 수, 새끼가 자라는 기간이 다름.
① 개의 한살이: 갓 태어난 강아지 → 큰 강아지 → 다 자란 개
② 새끼는 어미와 모습이 비슷하고 어미젖을 먹고 자라다가 점차 다른 먹이를 먹습니다.
③ 다 자란 동물은 암수가 짝짓기를 하여 암컷이 새끼를 낳습니다.

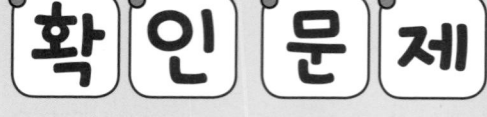

과학 1학기

1. 과학자는 어떻게 탐구할까요? ~ 3. 동물의 한살이

관련 단원 | 1. 과학자는 어떻게 탐구할까요?

01 앞으로 일어날 수 있는 일을 과학적으로 예상하는 방법으로 옳은 것은 무엇입니까? ( )

① 오랫동안 생각한다.

② 탐구 보고서를 작성한다.

③ 관찰을 하지 않고 생각한다.

④ 자신이 이미 경험하여 알게 된 것은 무시한다.

⑤ 관찰하거나 이미 경험하여 알고 있는 것에서 규칙을 찾는다.

관련 단원 | 1. 과학자는 어떻게 탐구할까요?

02 의사소통할 때 자신의 생각을 더 정확하게 전달하기 위해 사용하는 것이 <u>아닌</u> 것은 무엇입니까? ( )

① 표   ② 몸짓   ③ 그림

④ 친구의 생각   ⑤ 정확한 용어

관련 단원 | 2. 물질의 성질

03 우리 주변에 있는 물체를 만든 재료에 대한 설명으로 옳은 것은 무엇입니까? ( )

① 책은 금속으로 만들어졌다.

② 바늘은 금속으로 만들어졌다.

③ 어항은 헝겊으로 만들어졌다.

④ 야구 방망이는 고무로 만들어졌다.

⑤ 장난감 블록은 유리로 만들어졌다.

중요

관련 단원 | 2. 물질의 성질

04 금속 막대, 나무 막대, 플라스틱 막대, 고무 막대를 서로 긁어 보았을 때에 대한 설명으로 옳은 것을 다음 보기 에서 골라 기호를 쓰시오.

보기

㉠ 나무 막대로 금속 막대를 긁으면 금속 막대가 잘 긁힌다.

㉡ 고무 막대로 플라스틱 막대를 긁으면 플라스틱 막대가 잘 긁힌다.

㉢ 금속 막대로 나머지 세 막대를 긁으면 세 막대가 모두 잘 긁힌다.

㉣ 금속, 나무, 플라스틱, 고무 중에서 고무가 가장 단단한 물질임을 알 수 있다.

( )

관련 단원 | 2. 물질의 성질

05 여러 가지 물질의 성질에 대한 설명으로 옳지 <u>않은</u> 것은 무엇입니까? ( )

① 금속은 광택이 있다.

② 고무는 쉽게 구부러진다.

③ 유리는 부딪치면 쉽게 깨진다.

④ 섬유는 손으로 만지면 부드럽다.

⑤ 종이는 잘 찢어지지 않고 질기다.

중요

관련 단원 | 2. 물질의 성질

06 다음 책상의 각 부분에 사용된 물질에 대한 설명으로 옳지 <u>않은</u> 것은 무엇입니까? ( )

상판

몸체

받침

① 몸체는 금속으로 되어 있다.

② 몸체는 잘 부러지지 않고 튼튼하다.

③ 받침은 바닥이 긁히는 것을 줄여 준다.

④ 상판은 나무로 만들어 가벼우면서도 단단하다.

⑤ 받침은 충격을 잘 흡수할 수 있도록 고무로 되어 있다.

관련 단원 | 2. 물질의 성질

07 가볍고 단단하며, 모양과 색깔이 다양한 컵은 어떤 물질로 만들었을 때의 특징입니까? ( )

① 흙   ② 종이   ③ 유리

④ 금속   ⑤ 플라스틱

관련 단원 | 2. 물질의 성질

08 여러 가지 장갑과 장갑의 좋은 점을 선으로 연결하시오.

(1)

▲ 비닐장갑

• ㉠ 질기고 부드러우며 따뜻하다.

(2)

▲ 가죽 장갑

• ㉡ 질기고 미끄러지지 않으며, 물이 들어오지 않는다.

(3)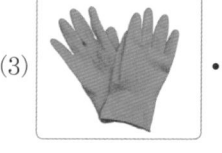

▲ 고무장갑

• ㉢ 투명하고 얇다.

09 관련 단원 | 2. 물질의 성질

물, 붕사, 폴리비닐 알코올을 섞어서 만든 탱탱볼에 대한 설명으로 옳지 않은 것은 무엇입니까? （　　　）

① 광택이 있다.
② 알갱이가 투명하다.
③ 고무 같은 느낌이 든다.
④ 섞기 전의 물질과 성질이 같다.
⑤ 바닥에 떨어뜨리면 잘 튀어 오른다.

10 관련 단원 | 3. 동물의 한살이

다음은 사자와 원앙의 암수 모습을 나타낸 것입니다. 각각 암컷과 수컷으로 구분하여 기호를 쓰시오.

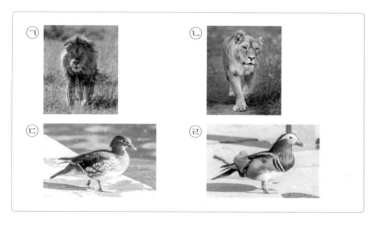

(1) 암컷: （　　　，　　　）
(2) 수컷: （　　　，　　　）

11 관련 단원 | 3. 동물의 한살이

배추흰나비를 기르고 관찰하는 방법으로 옳지 않은 것은 무엇입니까? （　　　）

① 사진을 찍어 관찰한다.
② 동영상을 찍어 관찰한다.
③ 맨눈이나 돋보기로 관찰한다.
④ 손으로 직접 만져보면서 관찰한다.
⑤ 교실에 사육 상자를 만들어 배추흰나비 애벌레를 키운다.

12 관련 단원 | 3. 동물의 한살이

배추흰나비 애벌레에 대한 설명으로 옳지 않은 것은 무엇입니까? （　　　）

① 긴 원통 모양이다.
② 몸 주변에 털이 나 있다.
③ 가슴에는 가슴발이 네 쌍이 있다.
④ 몸은 여러 개의 마디로 되어 있다.
⑤ 몸은 머리, 가슴, 배 세 부분으로 구분된다.

13 관련 단원 | 3. 동물의 한살이

배추흰나비 어른벌레의 생김새에 대한 설명으로 옳은 것은 무엇입니까? （　　　）

① 날개가 한 쌍 있다.
② 배에 다리가 세 쌍 있다.
③ 몸은 머리, 가슴, 배로 구분된다.
④ 짧고 뾰족한 모양의 입이 한 개 있다.
⑤ 머리에는 더듬이 두 쌍과 눈이 한 쌍 있다.

14 중요　관련 단원 | 3. 동물의 한살이

완전 탈바꿈을 하는 곤충의 한살이로 옳은 것은 무엇입니까? （　　　）

① 알 → 어른벌레
② 알 → 애벌레 → 어른벌레
③ 알 → 번데기 → 어른벌레
④ 알 → 애벌레 → 번데기 → 어른벌레
⑤ 알 → 번데기 → 애벌레 → 어른벌레

15 관련 단원 | 3. 동물의 한살이

닭의 알과 병아리에 대한 설명으로 옳지 않은 것을 두 가지 고르시오. （　　　，　　　）

① 병아리는 몸이 솜털로 덮여 있다.
② 병아리는 이마와 턱에 볏이 있다.
③ 알은 한쪽 끝이 뾰족한 모양이다.
④ 알을 깨면 노른자와 흰자가 나온다.
⑤ 병아리는 다리가 두 개 있고, 날개가 없다.

16 중요　관련 단원 | 3. 동물의 한살이

햄스터의 한살이와 개의 한살이의 공통점으로 옳은 것은 무엇입니까? （　　　）

① 몸이 깃털로 덮여 있다.
② 새끼가 자라는 기간이 같다.
③ 새끼를 낳아 젖을 먹여 기른다.
④ 한 번에 낳는 새끼의 수가 같다.
⑤ 갓 태어난 새끼는 일어설 수 있다.

4 자석의 이용

(1) 자석에 붙는 물체의 성질

① 자석에 붙는 물체와 자석에 붙지 않는 물체

자석에 붙는 물체	자석에 붙지 않는 물체
옷핀, 종이찍개 침, 가위, 클립, 나사, 못핀 등	칫솔, 동전, 연필, 열쇠, 단추, 비커, 책, 거울 등

② 자석에 붙는 물체의 성질: 철로 되어 있습니다.

(2) 자석의 극

→ 막대자석을 클립이 든 종이 상자에 넣었다가 들어 올리면 양쪽 끝부분에 클립이 많이 붙음.

자석의 극	자석에서 철로 된 물체가 많이 붙는 부분임.
극의 위치	막대자석, 둥근기둥 모양 자석의 극은 양쪽 끝부분에 있음.
극의 개수	자석의 극은 항상 두 개임.

(3) 자석과 철로 된 물체 사이에 작용하는 힘

① 자석과 철로 된 물체 사이에 서로 끌어당기는 힘이 작용합니다.

② 자석과 철로 된 물체 사이에 얇은 플라스틱이나 종이 등 다른 물질이 있어도 자석은 철로 된 물체를 끌어당길 수 있습니다.

(4) 물에 띄운 자석이 가리키는 방향

① 물에 띄운 자석은 항상 북쪽과 남쪽을 가리킵니다.

② 자석의 N극과 S극

N극	막대자석을 물에 띄웠을 때 북쪽을 가리키는 자석의 극
S극	막대자석을 물에 띄웠을 때 남쪽을 가리키는 자석의 극

(5) 철로 된 물체로 나침반 만들기

① 막대자석에 붙여 놓았던 머리핀을 물에 띄웠을 때: 머리핀은 나침반 바늘이 가리키는 방향과 같은 방향인 북쪽과 남쪽을 가리킵니다.

→ 자석의 성질을 지닌 바늘이 항상 북쪽과 남쪽을 가리키는 성질을 이용하여 방향을 알 수 있도록 만든 도구

② 나침반 만들기: 자석이 아니었던 물체가 자석의 성질을 띠면 일정한 방향을 나타내므로 나침반을 만들 수 있습니다.

(6) 자석과 자석 사이에 작용하는 힘

① 자석 사이에 작용하는 힘: 자석은 같은 극끼리는 서로 밀어 내고, 다른 극끼리는 서로 끌어당깁니다.

② 고리 자석으로 탑 쌓기: 고리 자석의 같은 극끼리 서로 밀어 내는 성질을 이용하여 탑을 가장 높이 쌓을 수 있습니다.

(7) 자석 주위에 놓인 나침반

① 막대자석의 N극에는 나침반 바늘의 S극이, 막대자석의 S극에는 나침반 바늘의 N극이 끌려옵니다.

② 나침반 바늘은 자석으로 되어 있어 나침반 바늘과 자석의 극이 서로 밀어 내기도 하고, 끌어당기기도 합니다.

(8) 우리 생활에서 자석의 이용

자석 클립 통	클립 통이 뒤집어져도 클립이 잘 흩어지지 않음.
가방 자석 단추	가방을 쉽게 열고 닫을 수 있음.
냉장고 자석	냉장고를 장식하거나 쪽지를 붙일 수 있음.

5 지구의 모습

(1) 지구 표면의 모습: 지구 표면에서는 산, 들, 강, 호수, 바다, 사막, 빙하 등 다양한 모습을 볼 수 있습니다.

(2) 지구의 육지와 바다

① 지구의 표면은 크게 육지와 바다로 나눌 수 있습니다.

② 육지와 바다의 특징 비교

넓이	물의 양	물의 맛	생물
바다가 육지보다 넓음.	바닷물이 육지의 물보다 훨씬 많음.	바닷물은 짜고, 사람이 마시기에 적당하지 않음.	육지와 바다에 사는 생물이 다름.

(3) 지구의 공기가 하는 역할

→ 부채질을 하거나 얼굴에 스치는 바람 등으로 느낄 수 있음.

① 공기는 눈에 보이지 않지만 지구를 둘러싸고 있습니다.

② 생물이 숨을 쉬고 살 수 있도록 해 줍니다.

③ 바람이 불고, 구름이 생기며, 비가 오게 합니다.

④ 요트를 타고, 비행기가 날 수 있게 합니다.

(4) 지구의 모양

→ 마젤란 탐험대가 세계 일주를 할 수 있었던 것은 지구가 둥글기 때문임.

① 우주에서 본 지구는 둥근 공 모양입니다.

② 지구는 사람의 크기에 비해 매우 커서 우리에게는 편평하게 보입니다.

(5) 달의 모습

① 달의 모양과 표면

전체적인 모양		둥근 공 모양임.
표면	색깔	• 회색빛 • 밝은 부분과 어두운 부분이 있음.
	모습	• 표면에 돌이 있음. • 표면에 움푹 파인 구덩이가 많음. • 매끈매끈한 면과 울퉁불퉁한 면이 있음. • 산처럼 높이 솟은 곳도 있고, 바다처럼 깊고 넓은 곳도 있음.

② 달 표면의 특징

달의 바다	• 달의 표면에서 어둡게 보이는 곳 • 실제로는 이곳에 물이 없음.
달의 충돌 구덩이	• 달 표면에 있는 크고 작은 구덩이 • 우주 공간을 떠돌던 돌덩이가 달 표면에 충돌하여 만들어졌음.

(6) 지구와 달 비교하기

① 지구와 달의 공통점과 차이점

구분	지구	달
공통점	모두 둥근 공 모양이고, 표면에 돌이 있음.	
차이점	물과 공기가 있으며 생물이 살고 있음.	물과 공기가 없으며 생물이 살 수 없음.

② 지구의 환경이 생물이 살아가기에 적합한 까닭: 공기와 물이 있고, 생물이 살기에 알맞은 온도를 유지하기 때문입니다.

과학 1학기
4. 자석의 이용 ~ 5. 지구의 모습

확인문제

중요
01 관련 단원 | 4. 자석의 이용

다음은 자석에 붙는 물체에 대한 설명입니다. ( ) 안에 들어갈 알맞은 말을 쓰시오.

> 자석에 붙는 물체는 공통적으로 ( )(으)로 만들어져 있다.

( )

02 관련 단원 | 4. 자석의 이용

오른쪽은 막대자석을 클립이 든 종이 상자에 넣었다가 들어 올린 모습입니다. 이것으로 알 수 있는 사실을 무엇입니까? ( )

① 막대자석의 모든 부분에 클립이 붙지 않는다.
② 막대자석의 양쪽 끝부분에 클립이 많이 붙는다.
③ 막대자석의 가운데 부분에 클립이 많이 붙는다.
④ 막대자석의 어느 부분에나 클립이 똑같이 붙는다.
⑤ 막대자석에서 클립이 많이 붙는 부분은 오른쪽 끝부분, 가운데 부분, 왼쪽 끝부분이다.

03 관련 단원 | 4. 자석의 이용

막대자석을 투명한 플라스틱 통에 들어 있는 빵 끈 조각에 가까이 가져가면 빵 끈 조각은 어떻게 됩니까? ( )

빵 끈 조각

① 빵 끈 조각이 사라진다.
② 빵 끈 조각의 색깔이 변한다.
③ 빵 끈 조각이 계속 빙글빙글 돈다.
④ 빵 끈 조각이 막대자석에 끌려온다.
⑤ 빵 끈 조각이 막대자석에서 점점 멀어진다.

04 관련 단원 | 4. 자석의 이용

플라스틱 접시 가운데에 막대자석을 올려놓고 물에 띄웠습니다. 잠시 후 막대자석이 가리키는 방향으로 옳은 것은 무엇입니까? ( )

① 북쪽과 남쪽   ② 북쪽과 동쪽
③ 동쪽과 서쪽   ④ 남쪽과 서쪽
⑤ 남쪽과 동쪽

05 관련 단원 | 4. 자석의 이용

막대자석의 극에 붙여 놓았던 머리핀에 수수깡을 끼워 물에 띄웠습니다. 이에 대한 설명으로 옳지 않은 것은 무엇입니까? ( )

① 머리핀이 자석의 성질을 띤다.
② 머리핀이 일정한 방향을 가리킨다.
③ 머리핀이 북쪽과 남쪽을 가리킨다.
④ 머리핀이 동쪽과 서쪽을 가리킨다.
⑤ 머리핀이 나침반 바늘과 같은 방향을 가리킨다.

중요
06 관련 단원 | 4. 자석의 이용

다음과 같이 막대자석 두 개를 다른 극끼리 마주 보게 나란히 놓고 밀 때 자석이 서로 붙는 까닭으로 옳은 것은 무엇입니까? ( )

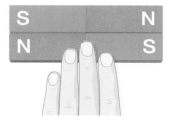

① 자석이 일정한 방향을 가리키기 때문이다.
② 자석의 같은 극끼리 서로 밀어 내기 때문이다.
③ 자석의 다른 극끼리 서로 밀어 내기 때문이다.
④ 자석의 같은 극끼리 서로 끌어당기기 때문이다.
⑤ 자석의 다른 극끼리 서로 끌어당기기 때문이다.

07 관련 단원 | 4. 자석의 이용

나침반에 막대자석을 가까이 가져갔을 때에 대해 옳게 말한 친구의 이름을 쓰시오.

> • 지학: 나침반 바늘이 계속 빙글빙글 돌아.
> • 시경: 나침반 바늘이 북쪽과 남쪽을 가리켜.
> • 민준: 나침반 바늘이 막대자석의 극을 가리켜.

( )

08 관련 단원 | 4. 자석의 이용

자석 클립 통에 대한 설명으로 옳은 것은 무엇입니까? ( )

① 클립 통의 바닥에 자석이 붙어 있다.
② 클립 통이 떨어지면 클립이 쉽게 흩어진다.
③ 클립 통이 뒤집어져도 클립이 잘 흩어지지 않는다.
④ 자석의 다른 극끼리 밀어 내는 성질을 이용하였다.
⑤ 자석의 같은 극끼리 끌어당기는 성질을 이용하였다.

관련 단원 | 5. 지구의 모습

09 지구 표면의 모습 중 들을 표현하는 방법으로 알맞은 것은 무엇입니까? 　　(　　)

① 모래와 낙타를 표현한다.

② 파란색으로 잔잔한 표면을 표현한다.

③ 초록색을 주로 사용하고, 높은 곳과 낮은 곳을 표현한다.

④ 파란색을 주로 사용하고, 파도가 치는 모습을 표현한다.

⑤ 노란색을 사용하고, 곡식들이 자라고 있는 모습을 표현한다.

중요

관련 단원 | 5. 지구의 모습

10 육지와 바다에 대한 설명으로 옳은 것은 무엇입니까?

　　(　　)

① 육지의 물은 짠맛이 난다.

② 바닷물은 사람이 마실 수 없다.

③ 육지와 바다의 넓이는 비슷하다.

④ 육지와 바다에 사는 생물이 같다.

⑤ 육지의 물이 바닷물보다 훨씬 많다.

관련 단원 | 5. 지구의 모습

11 공기를 느껴 본 경험으로 옳지 <u>않은</u> 것을 다음 보기 에서 골라 기호를 쓰시오.

보기

㉠ 풍선을 불어 본다.

㉡ 바람이 얼굴을 스친다.

㉢ 부채질을 하면 시원하다.

㉣ 찬물에 손을 담그면 시원하다.

　　(　　)

관련 단원 | 5. 지구의 모습

12 만약 지구에 공기가 없다면 생길 수 있는 일은 무엇입니까? 　　(　　)

① 바람이 분다.

② 생물이 살 수 없다.

③ 요트를 탈 수 있다.

④ 비행기가 날 수 있다.

⑤ 연날리기를 할 수 있다.

관련 단원 | 5. 지구의 모습

13 마젤란 탐험대의 세계 일주를 통하여 알 수 있는 것은 무엇입니까? 　　(　　)

① 지구는 둥근 공 모양이다.

② 지구의 넓이를 알 수 있다.

③ 지구 끝까지 가면 아래로 떨어진다.

④ 지구의 위쪽은 둥글지만 아래쪽은 편평하다.

⑤ 지구 표면의 대부분은 육지가 차지하고 있다.

관련 단원 | 5. 지구의 모습

14 달 표면에서 어둡게 보이는 부분에 대한 설명으로 옳은 것은 무엇입니까? 　　(　　)

① 공기가 있다.

② 나무가 많이 있다.

③ 물이 있는 곳이다.

④ 달의 바다라고 한다.

⑤ 햇빛이 비치지 않는 곳이다.

중요

관련 단원 | 5. 지구의 모습

15 지구와 달의 공통점으로 옳은 것을 두 가지 고르시오.

　　(　 , 　)

① 산에 나무가 있다.

② 둥근 공 모양이다.

③ 표면에 돌이 있다.

④ 파란 하늘이 있다.

⑤ 여러 종류의 생물이 산다.

관련 단원 | 5. 지구의 모습

16 달에 생물이 살기 어려운 까닭으로 옳은 것은 무엇입니까? 　　(　　)

① 돌과 흙이 없기 때문이다.

② 물과 공기가 없기 때문이다.

③ 충돌 구덩이가 많기 때문이다.

④ 달 표면이 울퉁불퉁하기 때문이다.

⑤ 달의 모양이 둥글지 않기 때문이다.

1 재미있는 나의 탐구

탐구 문제 정하기	궁금한 것 중에서 한 가지를 골라 탐구 문제로 정함.
탐구 계획 세우기	탐구 계획에는 탐구 문제, 탐구 문제를 해결할 방법, 탐구 순서, 준비물, 예상되는 결과가 있어야 함.
탐구 실행하기	탐구를 실행하면서 나타나는 결과를 사실대로 기록해야 함.
탐구 결과 발표하기	발표 방법 정하기 → 발표 자료 만들기 → 결과 발표하기

↳ 탐구 결과를 바탕으로 탐구를 하여 알게 된 것을 정리함.

2 동물의 생활

(1) 주변에서 사는 동물의 특징

↳ 날개를 이용해 날아다님.

동물 이름	사는 곳	특징
잠자리	화단	날개가 두 쌍이 있고, 다리는 세 쌍이 있음.
거미	화단, 나무	다리는 네 쌍이 있고, 걸어 다님.
달팽이	화단	미끄러지듯이 움직이며, 더듬이가 있음.
공벌레	화단, 돌 밑	건드리면 몸을 공처럼 둥글게 만듦.

↳ 몸이 여러 개의 마디로 되어 있음.

(2) 동물을 특징에 따라 분류하기 예

분류 기준: 날개가 있는가?	
그렇다.	그렇지 않다.
비둘기, 참새, 잠자리, 꿀벌, 메뚜기, 사슴벌레, 소금쟁이	뱀, 달팽이, 금붕어, 송사리, 공벌레, 개미, 개구리, 거미, 다람쥐

(3) 땅에서 사는 동물

① 땅 위(다람쥐, 공벌레 등), 땅 위와 땅속(개미, 뱀 등), 땅속(지렁이, 두더지 등) 등에서 삽니다.

② 땅에서 사는 동물의 이동 방법: 다리가 있는 동물은 걷거나 뛰어다니고, 다리가 없는 동물은 기어 다닙니다.

(4) 사막에서 사는 동물

↳ 낮에는 덥고 밤에는 매우 추우며 비가 거의 내리지 않아 매우 건조함.

동물	특징
낙타	• 등의 혹에 지방이 있어서 먹이가 없어도 며칠 동안 생활할 수 있음. • 발바닥이 넓어 모래에 발이 잘 빠지지 않음. • 콧구멍을 여닫을 수 있어 모래바람이 불어도 콧속으로 모래가 잘 들어가지 않음.
사막여우	몸에 비해 큰 귀를 가지고 있어서 체온 조절을 하며, 작은 소리도 잘 들을 수 있음.

(5) 물에서 사는 동물

① 강가나 호숫가(수달, 개구리 등), 강이나 호수의 물속(물방개, 다슬기, 붕어 등), 갯벌(게, 조개 등), 바닷속(상어, 전복, 오징어, 고등어 등) 등에서 삽니다.

② 붕어와 같은 물고기가 물속에서 생활하기에 알맞은 점
  • 지느러미가 있어서 물속에서 헤엄을 잘 칠 수 있습니다.
  • 아가미가 있어서 물속에서 숨을 쉴 수 있습니다.
  • 몸이 부드러운 곡선 형태(유선형)라서 물속에서 빨리 헤엄쳐 이동할 수 있습니다.

(6) 날아다니는 동물

① 날아다니는 동물

새	날개가 있고, 몸이 깃털로 덮여 있음. 예 박새, 직박구리, 까치
곤충	날개가 두 쌍이 있고, 다리가 세 쌍이 있음. 예 매미, 나비, 잠자리

② 날아다니는 동물은 날개가 있고, 몸이 비교적 가볍습니다.

3 지표의 변화

(1) 흙이 만들어지는 과정

① 바위나 돌은 오랜 시간에 걸쳐 여러 가지 과정으로 작게 부서집니다.

↳ 바위틈에 있는 물이 얼었다 녹았다를 반복, 바위틈에서 나무뿌리가 자람 등

② 바위나 돌이 작게 부서진 알갱이와 생물이 썩어 생긴 물질들이 섞여서 흙이 만들어집니다.

(2) 운동장 흙과 화단 흙 비교하기

구분	운동장 흙	화단 흙
색깔	밝은 갈색	어두운 갈색
알갱이의 크기	비교적 큼.	크기가 다양함.
물 빠짐	화단 흙보다 운동장 흙에서 물이 더 잘 빠짐.	

↳ 거칠고 잘 뭉쳐지지 않음. (운동장 흙)
↳ 약간 부드럽고 잘 뭉쳐짐. (화단 흙)

(3) 식물이 잘 자라는 흙

① 운동장 흙과 화단 흙을 물에 넣으면 운동장 흙에서는 물에 뜨는 물질이 거의 없고, 화단 흙에서는 식물의 뿌리 등 물에 뜨는 물질이 많습니다.

② 화단 흙은 부식물이 많아 식물이 잘 자라고, 운동장 흙은 부식물이 적어서 식물이 잘 자라지 않습니다.

↳ 식물의 뿌리나 죽은 곤충, 나뭇잎 조각 등이 썩은 것

(4) 흐르는 물에 의한 지표의 모습 변화

① 흐르는 물의 작용

침식 작용	지표의 바위나 돌, 흙 등이 깎여 나가는 것
퇴적 작용	운반된 돌이나 흙이 쌓이는 것

② 흐르는 물에 의한 침식 작용과 퇴적 작용으로 지표의 모습이 변합니다.

(5) 강 주변의 모습

강의 상류	• 강폭이 좁고, 강의 경사가 급함. • 바위나 큰 돌을 많이 볼 수 있음. • 퇴적 작용보다 침식 작용이 활발하게 일어남.
강의 하류	• 강폭이 넓고, 강의 경사가 완만함. • 모래나 흙이 넓게 쌓여 있음. • 침식 작용보다 퇴적 작용이 활발하게 일어남.

(6) 바닷가 주변의 모습

① 바닷가 지형

침식 작용으로 만들어진 지형	구멍이 뚫린 바위, 가파른 절벽 등
퇴적 작용으로 만들어진 지형	모래 해변, 갯벌 등

② 바다 쪽으로 튀어 나온 부분에서는 침식 작용이 활발하게 일어나고, 안쪽으로 들어간 부분에서는 퇴적 작용이 활발하게 일어납니다.

관련 단원 | 1. 재미있는 나의 탐구

01 좋은 탐구 문제의 조건으로 옳지 <u>않은</u> 것은 무엇입니까?
( )

① 검증 가능해야 한다.
② 간결하고 명료해야 한다.
③ 이미 답을 알고 있어서는 안 된다.
④ 탐구 문제를 다른 사람이 쉽게 이해할 수 있어야 한다.
⑤ 우리 주변에서 쉽게 볼 수 없는 현상으로 정하는 것이 좋다.

관련 단원 | 1. 재미있는 나의 탐구

02 다음 탐구 문제를 해결하기 위해 다르게 해야 할 것은 무엇입니까? ( )

> 막대자석 두 개를 길게 이어 붙이면 막대자석 한 개보다 클립이 더 많이 붙을까?

① 클립의 크기 ② 클립의 개수
③ 막대자석의 크기 ④ 막대자석의 개수
⑤ 막대자석의 개수와 클립의 개수

관련 단원 | 2. 동물의 생활

03 딱딱한 껍데기로 몸을 보호하고, 미끄러지듯이 움직이는 동물은 어느 것입니까? ( )

① ▲ 금붕어 ② ▲ 개구리 ③ ▲ 달팽이
④ ▲ 다람쥐 ⑤ ▲ 비둘기

관련 단원 | 2. 동물의 생활

04 동물을 물속에서 살 수 있는 것과 물속에서 살 수 없는 것으로 분류할 때 같은 무리로 분류할 수 <u>없는</u> 것은 무엇입니까?
( )

① 토끼 ② 다람쥐
③ 개구리 ④ 비둘기
⑤ 사슴벌레

중요

관련 단원 | 2. 동물의 생활

05 땅에서 사는 동물의 특징으로 옳은 것은 무엇입니까?
( )

① 모두 기어 다닌다.
② 땅속에서만 생활한다.
③ 모두 다리가 두 쌍 있다.
④ 몸이 머리, 가슴, 배로 구분된다.
⑤ 다리가 있는 동물은 걷거나 뛰어다닌다.

관련 단원 | 2. 동물의 생활

06 다음은 사막여우가 사막에서 잘 살 수 있는 까닭을 설명한 것입니다. ( ) 안에 들어갈 알맞은 말을 쓰시오.

> 몸에 비해 큰 ( )을/를 가지고 있어서 체온 조절을 하며, 작은 소리도 잘 들을 수 있다.

( )

관련 단원 | 2. 동물의 생활

07 다음 동물이 사는 곳을 선으로 연결하시오.

(1) ▲ 전복 ·

(2) ▲ 게 · · ㉠ 바닷속

(3) ▲ 고등어 · · ㉡ 갯벌

중요

관련 단원 | 2. 동물의 생활

08 날아다니는 동물이 날 수 있는 공통적인 특징을 두 가지 고르시오. (,)

① 날개가 있다. ② 꼬리가 있다.
③ 다리가 없다. ④ 깃털이 있다.
⑤ 몸이 비교적 가볍다.

09 관련 단원 | 2. 동물의 생활

헤엄을 잘 치고 바닥을 기어 다닐 수 있는 바다 탐사 로봇을 만들려고 합니다. 이때 어떤 동물의 특징을 활용할 수 있습니까? (　　　)

① 치타　　　　　② 거북
③ 도마뱀　　　　④ 달팽이
⑤ 너구리

10 관련 단원 | 3. 지표의 변화

흙이 만들어지는 과정에 대한 설명으로 옳은 것을 두 가지 고르시오. (　　，　　)

① 흙에는 생물이 썩어서 생긴 물질이 없다.
② 흙이 만들어지는 데 걸리는 시간은 짧다.
③ 모래보다 작은 알갱이가 뭉쳐져 만들어진다.
④ 흙은 바위나 돌이 여러 가지 과정으로 부서져 만들어진다.
⑤ 바위틈의 물이 얼면서 바위가 부서져 흙이 만들어지기도 한다.

11 관련 단원 | 3. 지표의 변화

운동장 흙과 화단 흙의 특징을 비교한 내용으로 옳지 않은 것을 골라 기호를 쓰시오.

	운동장 흙	화단 흙
㉠	밝은 갈색	어두운 갈색
㉡	알갱이의 크기가 비교적 크다.	알갱이의 크기가 큰 것도 있고 작은 것도 있다.
㉢	만져 보면 거칠다.	만져 보면 부드럽다.
㉣	잘 뭉쳐진다.	잘 뭉쳐지지 않는다.

(　　　　　　　)

12 관련 단원 | 3. 지표의 변화

식물이 잘 자라는 흙에 대한 설명으로 옳지 않은 것은 무엇입니까? (　　　)

① 부식물이 많다.
② 물에 뜨는 물질이 많다.
③ 화단 흙에서 식물이 잘 자란다.
④ 식물의 뿌리, 나뭇잎 조각 등이 썩은 것이 많다.
⑤ 알갱이의 크기가 비교적 크고, 물 빠짐이 빠르다.

13 관련 단원 | 3. 지표의 변화

흐르는 물의 작용에 대한 설명으로 옳지 않은 것은 무엇입니까? (　　　)

① 바위나 돌 등을 깎는다.
② 지표의 모습을 변화시킨다.
③ 흙을 낮은 곳으로 운반한다.
④ 바위나 돌의 크기를 크게 만든다.
⑤ 바위나 돌, 흙 등을 운반하여 쌓아 놓는다.

14 관련 단원 | 3. 지표의 변화

다음 강 주변의 ㉠ 지역 모습에 대한 설명으로 옳은 것은 무엇입니까? (　　　)

① 바위가 많다.
② 강의 폭이 좁다.
③ 강의 경사가 급하다.
④ 침식 작용이 활발하다.
⑤ 운반된 물질이 쌓인다.

15 관련 단원 | 3. 지표의 변화

다음 지형에 대한 설명으로 옳은 것은 무엇입니까? (　　　)

① 강의 상류에서 볼 수 있다.
② 짧은 시간 동안에 만들어진다.
③ 바닷물의 침식 작용으로 만들어진다.
④ 바닷물이 고운 흙을 운반하여 만들어진다.
⑤ 주로 바닷가의 안쪽으로 들어간 곳에서 볼 수 있다.

16 관련 단원 | 3. 지표의 변화

퇴적 작용이 침식 작용보다 활발하게 일어나는 곳은 어디입니까? (　　　)

① 강 상류
② 강폭이 좁은 곳
③ 강의 경사가 급한 곳
④ 바닷가에서 안쪽으로 들어간 부분
⑤ 바닷가에서 바다 쪽으로 튀어 나온 부분

4 물질의 상태

(1) 고체 알아보기 → 눈으로 볼 수 있고, 단단하며, 손으로 잡을 수 있음.

① 나무 막대와 플라스틱 막대를 여러 가지 모양의 투명한 그릇에 넣어보기: 나무 막대와 플라스틱 막대 모두 모양과 크기가 변하지 않습니다.

② 고체: 담는 그릇이 바뀌어도 모양과 부피가 일정한 물질의 상태입니다. 예 책, 지우개, 가위, 필통, 색연필 등

(2) 액체 알아보기

① 물과 주스를 각각 다른 모양의 그릇에 차례로 옮겨 담을 때의 변화

모양	담는 그릇의 모양에 따라 달라짐.
높이	처음에 사용한 그릇으로 다시 옮기면 물과 주스의 높이가 처음과 같음.

② 액체: 물, 주스와 같이 담는 그릇에 따라 모양은 변하지만, 부피는 변하지 않는 물질의 상태입니다. 예 사이다, 우유, 간장, 식초 등 → 눈으로 볼 수 있고, 흐르며, 손으로 잡을 수 없음.

(3) 기체 알아보기

① 공기가 있다는 것을 알 수 있는 방법

- 부풀린 풍선의 입구를 손으로 쥔 채 얼굴 가까이 대고 쥐었던 손을 놓으면 머리카락이 날립니다.
- 물속에서 주사기 피스톤을 밀면 공기 방울이 생겨 위로 올라갑니다.

② 공기가 공간을 차지하는지 알아보기

- 바닥에 구멍이 뚫리지 않은 컵과 바닥에 구멍이 뚫린 컵으로 물 위에 띄운 페트병 뚜껑을 바닥까지 밀어 넣기

바닥에 구멍이 뚫리지 않은 컵	바닥에 구멍이 뚫린 컵
컵 안에 있는 공기가 공간을 차지하고 있어 컵 안으로 물이 들어가지 못함.	컵 안에 있는 공기가 컵 바닥의 구멍으로 빠져나가기 때문에 물이 컵 안으로 들어감.

- 나무 막대나 물처럼 공기도 공간을 차지합니다.

③ 공기 옮겨 보기

- 코끼리 나팔과 피스톤을 당겨 놓은 주사기를 비닐관으로 연결한 뒤, 피스톤을 밀면 코끼리 나팔이 길게 펼쳐지고, 피스톤을 당기면 코끼리 나팔이 돌돌 말립니다.
- 공기는 다른 곳으로 이동할 수 있습니다.

④ 기체: 공기와 같이 담는 그릇에 따라 모양과 부피가 변하고, 담긴 그릇을 항상 가득 채우는 물질의 상태입니다.

(4) 공기의 무게 알아보기

① 페트병 입구에 공기 주입 마개를 끼운 뒤 공기 주입 마개를 누르면, 누르기 전보다 누른 후에 페트병의 무게가 늘어납니다.

② 공기처럼 대부분의 기체는 눈에 보이지 않지만 무게가 있습니다.

5 소리의 성질

(1) 물체에서 소리가 날 때의 공통점 → 소리가 나는 소리굽쇠를 물에 대 보면 떨림 때문에 물이 튀어 오름.

① 물체에서 소리가 날 때의 특징: 소리가 나는 목이나 스피커, 소리굽쇠에 손을 대면 떨림이 느껴집니다.

② 물체에서 소리가 날 때의 공통점: 물체가 떨립니다.
→ 물체의 떨림을 멈추게 하면 소리가 나지 않음.

(2) 소리의 세기

① 소리의 세기: 소리의 크고 작은 정도로, 물체가 크게 떨리면 큰 소리가 나고, 작게 떨리면 작은 소리가 납니다.

② 우리 생활에서 작은 소리와 큰 소리를 내는 경우

작은 소리를 내는 경우	큰 소리를 내는 경우
• 아기에게 자장가를 불러 줄 때 • 피아노로 조용한 곡을 연주할 때	• 멀리 있는 친구를 부를 때 • 체육 대회에서 응원할 때

(3) 소리의 높낮이 → 높은 소리가 날 때 관의 길이가 짧음.

① 소리의 높낮이: 소리의 높고 낮은 정도로, 팬 플루트의 관과 실로폰의 음판은 길이에 따라 소리의 높낮이가 다릅니다.

② 소리의 높낮이를 이용하는 경우: 다양한 악기를 연주하는 관현악단, 여러 사람이 함께 노래를 부르는 합창단 등
→ 높은 소리가 날 때 음판의 길이가 짧음.

(4) 소리의 전달

① 우리 생활에서 들리는 대부분의 소리는 기체인 공기를 통해 전달되고, 나무나 철과 같은 고체, 물과 같은 액체를 통해서도 전달됩니다.

② 여러 가지 물질을 통한 소리의 전달 → 실 전화기는 실의 떨림으로 소리가 전달됨.

철(고체)	철봉에 귀를 대고 철봉을 두드리는 소리를 들음.
물(액체)	잠수부가 멀리서 오는 배의 엔진 소리를 들음.
공기(기체)	멀리 있는 친구가 부르는 소리를 들음.

(5) 소리의 반사

① 여러 가지 물체를 이용해 스피커에서 나는 소리의 크기 비교하기

아무것도 들지 않고 소리 듣기	나무판을 들고 소리 듣기	스타이로폼판을 들고 소리 듣기
소리가 가장 작게 들림.	소리가 가장 크게 들림.	소리가 중간 크기로 들림.

② 소리의 반사: 소리가 나아가다가 물체에 부딪쳐 되돌아오는 성질로, 소리는 딱딱한 물체에서는 잘 반사되지만 부드러운 물체에서는 잘 반사되지 않습니다.

③ 소리가 반사되는 경우: 산에서 메아리가 들릴 때, 목욕탕, 동굴에서 소리가 울릴 때 등

(6) 우리 주변의 소음을 줄이는 방법

① 밤늦게 청소기를 사용하지 않습니다.

② 벽에 소리가 잘 전달되지 않는 물질을 붙입니다.

③ 도로에 방음벽을 설치해 자동차 소리를 줄입니다.

01 관련 단원 | 4. 물질의 상태
나무 막대와 물, 공기의 차이점으로 옳은 것은 무엇입니까?
(   )

① 나무 막대는 색깔이 없지만, 공기는 색깔이 있다.
② 물은 눈에 보이지만, 나무 막대는 눈에 보이지 않는다.
③ 물은 아무 느낌이 없으나, 공기는 만지면 느낄 수 있다.
④ 나무 막대는 모양이 변하지 않지만, 물은 모양이 변한다.
⑤ 공기는 다른 그릇에 옮길 수 있지만, 물은 다른 그릇에 옮겨 담기 힘들다.

|| 중요 ||
02 관련 단원 | 4. 물질의 상태
다음과 같이 나무 막대를 여러 가지 모양의 그릇에 옮겨 담아 보았습니다. 그릇에 담긴 나무 막대의 변화로 옳은 것을 보기 에서 두 가지 골라 기호를 쓰시오.

> 보기
> ㉠ 모양이 변한다.
> ㉡ 크기가 변한다.
> ㉢ 모양이 변하지 않는다.
> ㉣ 크기가 변하지 않는다.

(,   )

03 관련 단원 | 4. 물질의 상태
물과 주스의 공통점으로 옳은 것은 무엇입니까? (   )

① 흘러내리지 않는다.   ② 눈에 보이지 않는다.
③ 손으로 잡을 수 없다.   ④ 색깔이 없고 투명하다.
⑤ 모양이 변하지 않는다.

|| 중요 ||
04 관련 단원 | 4. 물질의 상태
다음과 같이 물을 다른 모양의 그릇에 차례대로 옮겨 담을 때 변하는 것을 보기 에서 골라 기호를 쓰시오.

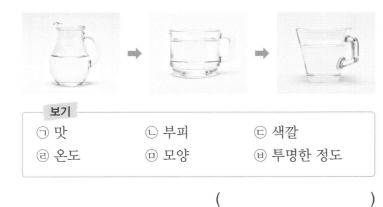

> 보기
> ㉠ 맛   ㉡ 부피   ㉢ 색깔
> ㉣ 온도   ㉤ 모양   ㉥ 투명한 정도

(   )

05 관련 단원 | 4. 물질의 상태
우리 주변에 공기가 있다는 것을 확인할 수 있는 방법으로 옳지 않은 것은 무엇입니까? (   )

① 부채질을 한다.
② 깃발이 휘날린다.
③ 풍선을 불어 본다.
④ 튜브에 물을 가득 채운다.
⑤ 바람에 나뭇가지가 흔들린다.

06 관련 단원 | 4. 물질의 상태
다음과 같이 수조에 물 높이를 표시한 뒤, 바닥에 구멍이 뚫린 플라스틱 컵과 바닥에 구멍이 뚫리지 않은 플라스틱 컵으로 페트병 뚜껑을 덮은 다음 수조 바닥까지 밀어 넣었습니다. 이 때 수조 안 물의 높이가 높아지는 것의 기호를 쓰시오.

▲ 바닥에 구멍이 뚫린 컵   ▲ 바닥에 구멍이 뚫리지 않은 컵

(   )

07 관련 단원 | 4. 물질의 상태
공기가 공간을 차지하는 성질을 이용한 물체가 아닌 것은 무엇입니까? (   )

① 공기 침대   ② 플라스틱 컵
③ 자동차 타이어   ④ 풍선 미끄럼틀
⑤ 구조용 안전 매트

|| 중요 ||
08 관련 단원 | 4. 물질의 상태
공기 주입 마개를 끼운 페트병의 무게가 35.0 g이었습니다. 공기 주입 마개를 가장 많이 누른 후의 무게로 옳은 것은 무엇입니까? (   )

① 35.1 g   ② 35.2 g
③ 35.3 g   ④ 35.4 g
⑤ 35.5 g

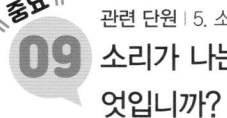

09 소리가 나는 목에 손을 대 보았을 때의 결과로 옳은 것은 무엇입니까? (　　　)

① 소리가 커진다.
② 소리가 작아진다.
③ 손이 차가워진다.
④ 손에서 떨림이 느껴진다.
⑤ 손에 아무 느낌이 나지 않는다.

관련 단원 | 5. 소리의 성질

10 소리가 나는 소리굽쇠의 소리를 멈추게 하는 방법을 옳게 말한 친구의 이름을 쓰시오.

> • 지학: 소리굽쇠를 계속 흔들어.
> • 민수: 소리굽쇠를 더 떨리게 해.
> • 수지: 소리굽쇠를 손으로 세게 움켜잡아.

(　　　)

관련 단원 | 5. 소리의 성질

11 소리의 세기에 대한 설명으로 옳지 <u>않은</u> 것을 두 가지 고르시오. (　　,　　)

① 소리의 크고 작은 정도를 말한다.
② 소리의 높고 낮은 정도를 말한다.
③ 물체가 크게 떨리면 작은 소리가 난다.
④ 물체가 떨리는 크기에 따라 소리의 세기는 달라진다.
⑤ 북을 치는 힘의 세기를 다르게 하면 소리의 세기를 다르게 할 수 있다.

관련 단원 | 5. 소리의 성질

12 팬 플루트를 불 때 가장 높은 소리를 내는 방법으로 옳은 것은 무엇입니까? (　　　)

① 팬 플루트를 세게 분다.
② 팬 플루트를 약하게 분다.
③ 팬 플루트를 오랫동안 분다.
④ 팬 플루트의 가장 긴 관을 분다.
⑤ 팬 플루트의 가장 짧은 관을 분다.

관련 단원 | 5. 소리의 성질

13 파란색 식용 색소를 섞은 물속에 소리가 나는 스피커를 넣은 뒤 플라스틱 관을 이용해 스피커를 찾아보았습니다. 이에 대한 설명으로 옳은 것은 무엇입니까? (　　　)

스피커

① 수조가 소리의 전달을 막는다.
② 플라스틱 관을 통해 소리가 들리지 않는다.
③ 플라스틱 관을 이동시켜도 들리는 소리의 크기는 일정하다.
④ 플라스틱 관이 스피커에 가까이 갈수록 들리는 소리가 커진다.
⑤ 플라스틱 관이 스피커에 가까이 갈수록 들리는 소리가 작아진다.

관련 단원 | 5. 소리의 성질

14 소리의 전달에 대한 설명으로 옳지 <u>않은</u> 것을 다음 보기 에서 골라 기호를 쓰시오.

> 보기
> ㉠ 소리는 기체에서만 전달된다.
> ㉡ 물속에서도 소리가 전달된다.
> ㉢ 공기가 없는 달에서는 소리가 전달되지 않는다.

(　　　)

관련 단원 | 5. 소리의 성질

15 소리의 반사가 일어나는 경우로 옳은 것을 다음 보기 에서 모두 고른 것은 무엇입니까? (　　　)

> 보기
> ㉠ 산에서 메아리를 들은 경우
> ㉡ 체육관에서 박수 소리가 울린 경우
> ㉢ 실 전화기로 친구와 이야기를 한 경우
> ㉣ 공사장에서 건설 기계로 땅을 깊게 판 경우

① ㉠, ㉡　　　　　② ㉡, ㉢
③ ㉢, ㉣　　　　　④ ㉠, ㉡, ㉢
⑤ ㉠, ㉡, ㉢, ㉣

관련 단원 | 5. 소리의 성질

16 많은 사람들이 생활하는 공동 주택에서 생기는 소음을 줄이는 방법으로 옳은 것은 무엇입니까? (　　　)

① 뛰어 다닌다.
② 큰 소리로 이야기를 한다.
③ 밤늦게 청소기를 사용한다.
④ 이어폰을 끼고 음악을 듣는다.
⑤ 문을 벽에 부딪히게 세게 연다.

1 인사하기

(1) 만날 때 인사하기

> A: Hi, Jim. 안녕, Jim.
> B: Hello, Mina. 안녕, 미나야.

· 만났을 때는 Hi. 또는 Hello.로 인사합니다.

· Hi.와 Hello.는 시간에 관계 없이 언제나 할 수 있는 인사말입니다.

(2) 헤어질 때 인사하기

> A: Bye, Jim. 잘 가, Jim.
> B: Goodbye, Mina. 잘 가, 미나야.

· 헤어질 때는 Bye. 또는 Goodbye.로 인사합니다.

· Bye.와 Goodbye.는 시간에 관계 없이 언제나 할 수 있는 인사말입니다.

2 자기소개하고 답하기

(1) 자기소개하기

> A: Hi, I'm Jina. 안녕, 나는 지나야.
>   What's your name? 네 이름은 뭐니?
> B: My name is Tony. 내 이름은 Tony야.

· 상대방의 이름을 물을 때는 What's your name?이라고 합니다.

· 자기를 소개할 때는 「I'm + 이름.」(나는 ~야.) 또는 「My name is + 이름.」(내 이름은 ~야.)라고 합니다.

(2) 소개에 답하기

> A: Nice to meet you. 만나서 반가워.
> B: Nice to meet you, too. 나도 만나서 반가워.

· 처음 만난 사람에게 만나서 반갑다고 할 때는 Nice to meet you.라고 합니다.

· '나도 만나서 반가워.'라고 답할 때는 Nice to meet you, too.라고 합니다. too는 '또한, 역시'라는 뜻의 낱말입니다.

> 참고 처음 만났을 때 하는 여러 인사말
> (I'm) Glad to meet you. / (I'm) Happy to meet you.

3 무엇인지 묻고 답하기

(1) 가까이 있는 것이 무엇인지 묻고 답하기

> A: What's this? 이것은 무엇이니?
> B: It's a pencil. 그것은 연필이야.

· '이것은 무엇이니?'라고 가까이 있는 것이 무엇인지 물을 때는 What's this?라고 합니다.

· '그것은 ~야.'라고 대답할 때는 「It's a[an] + 사물 이름.」이라고 합니다.

(2) 멀리 있는 것이 무엇인지 묻고 답하기

> A: What's that? 저것은 무엇이니?
> B: It's an eraser. 그것은 지우개야.

· '저것[그것]은 무엇이니?'라고 멀리 있는 것이 무엇인지 물을 때는 What's that?이라고 합니다.

· '그것은 ~야.'라고 대답할 때는 「It's a[an] + 사물 이름.」이라고 합니다.

> 참고 사물을 나타내는 낱말
> bag (가방), cap (모자), hat (챙이 있는 모자), door (문), cup (컵), ball (공), umbrella (우산), violin (바이올린), book (책), eraser (지우개), notebook (공책), pen (펜), pencil (연필), ruler (자), crayon (크레용), glue stick (딱풀), pencil case (필통)

4 무엇인지 확인하고 답하기

> A: Is it a cat? 그것은 고양이니?
> B: Yes, it is. 응, 그래. /
>   No, it isn't. 아니, 그렇지 않아.

· '그것은 ~이니?'라고 추측한 것을 확인하기 위해 물을 때는 「Is it a[an] + 추측한 것의 이름?」이라고 합니다.

· 상대방이 추측한 것이 맞으면 Yes, it is.라고 답합니다.

· 상대방이 추측한 것이 틀리면 No, it isn't.라고 답합니다.

> 참고 동물을 나타내는 낱말
> dog (개), cat (고양이), zebra (얼룩말), bird (새), monkey (원숭이), pig (돼지), elephant (코끼리), tiger (호랑이), lion (사자), horse (말)

영어 1학기

1. 인사하기 ~ 4. 무엇인지 확인하고 답하기

확인문제

[01~02] 그림의 낱말과 첫소리가 같은 것을 고르시오.

01 관련 단원 | 3. 무엇인지 묻고 답하기 / 4. 무엇인지 확인하고 답하기 ( )

① bag ② cup
③ door ④ eraser
⑤ pencil

02 관련 단원 | 3. 무엇인지 묻고 답하기 / 4. 무엇인지 확인하고 답하기 ( )

① dog ② cat
③ bird ④ pig
⑤ elephant

03 중요 관련 단원 | 1. 인사하기
그림의 빈칸에 알맞은 말을 쓰시오.

Hi.

( )

[04~05] 그림을 보고, 대화의 빈칸에 알맞은 것을 고르시오.

04 관련 단원 | 3. 무엇인지 묻고 답하기 ( )

A: What's this?
B: It's a _____ .

① door ② book ③ ball
④ cup ⑤ hat

05 관련 단원 | 4. 무엇인지 확인하고 답하기 ( )

A: Is it a _____ ?
B: Yes, it is.

① dog ② cat ③ bird
④ monkey ⑤ zebra

06 관련 단원 | 2. 자기소개하고 답하기
대화의 빈칸에 알맞은 말은 무엇입니까? ( )

A: Nice to meet you.
B: _____

① Hello.
② Goodbye.
③ I'm Junseo.
④ My name is Julie.
⑤ Nice to meet you, too.

07 중요 관련 단원 | 1. 인사하기
다음 그림에 어울리는 대화는 무엇입니까? ( )

① A: Bye.
  B: Goodbye.
② A: What's your name?
  B: I'm Sumi.
③ A: What's this?
  B: It's a hat.
④ A: Is it a pig?
  B: Yes, it is.
⑤ A: Nice to meet you.
  B: I'm glad to meet you, too.

08 중요 관련 단원 | 2. 자기소개하고 답하기
대화의 밑줄 친 부분과 바꾸어 쓸 수 있는 것은 무엇입니까?
( )

A: What's your name?
B: My name is Mark.

① I'm Mark. ② Bye, Mark.
③ Hello, Mark. ④ No, it's Mark.
⑤ Yes, I'm Mark.

∥중요∥
09 관련 단원 | 3. 무엇인지 묻고 답하기
대화의 빈칸에 알맞지 <u>않은</u> 것은 무엇입니까?　（　　）

> A: What's that?
> B: It's a _____.

① cup　　　　② hat　　　　③ bag
④ door　　　　⑤ mom

10 관련 단원 | 2. 자기소개하고 답하기
대화의 빈칸에 알맞은 말은 무엇입니까?　（　　）

> A: Hi, _____.
> B: My name is Cathy.
> A: Nice to meet you.
> B: Nice to meet you, too.

① Hello.　　　　② It it a zebra?
③ What's this?　　　　④ What's that?
⑤ What's your name?

11 관련 단원 | 3. 무엇인지 묻고 답하기
대화의 빈칸에 알맞은 말은 무엇입니까?　（　　）

> A: What's this?
> B: _____.

① It's a cap.　　　　② It's a pen.
③ It's a ball.　　　　④ It's a crayon.
⑤ It's an umbrella.

∥중요∥
12 관련 단원 | 4. 무엇인지 확인하고 답하기
그림을 보고, 대화의 빈칸에 알맞은 말을 쓰시오.

> A: Is that a zebra?
> B: _____, it isn't. It's a pig.

（　　　　　　）

[13~14] 다음 대화를 읽고, 물음에 답하시오.

> A: Is it a cat?
> B: _____
> 　　It's a monkey.

13 관련 단원 | 4. 무엇인지 확인하고 답하기
대화의 빈칸에 알맞은 말은 무엇입니까?　（　　）

① Yes, it is.　　　　② No, it isn't.
③ Yes, it isn't.　　　　④ No, it is.
⑤ It's a cat.

14 관련 단원 | 4. 무엇인지 확인하고 답하기
두 사람이 무엇을 보며 말하고 있는지 우리말로 쓰시오.

（　　　　　　）

[15~16] 다음 대화를 읽고, 물음에 답하시오.

> Julia ： Hi, my name is Julia.
> 　　　　(is / your / What / name)?
> Harry: I'm Harry.
> Julia ： <u>Nice to meet you.</u>
> Harry: Nice to meet you, too.

15 관련 단원 | 2. 자기소개하고 답하기
괄호 안에 주어진 낱말을 올바른 순서로 배열하여 쓰시오.

（　　　　　　）

∥중요∥
16 관련 단원 | 2. 자기소개하고 답하기
밑줄 친 부분과 바꾸어 쓸 수 <u>없는</u> 것은 무엇입니까?
（　　）

① I'm Julia.
② Glad to meet you.
③ Happy to meet you.
④ I'm glad to meet you.
⑤ I'm happy to meet you.

5 감사 표현하고 답하기

> A: Thank you. 고마워.
> B: You're welcome. 천만에.

· 상대방에게 고마움을 표현할 때는 Thank you.라고 말하고 이에 대해 '천만에.'라고 답할 때는 You're welcome.이라고 합니다.

· 친한 사이에 고마움을 표현할 때는 Thank you. 대신 Thanks.라고 하기도 합니다.

6 사과하고 답하기

> A: I'm sorry. 미안해.
> B: That's okay. 괜찮아.

· '미안해.'라고 사과할 때는 I'm sorry. 또는 Sorry.라고 하고, '괜찮아.'라고 답할 때는 That's okay.라고 합니다.

> 참고 That's okay.와 뜻이 같은 말
> It's okay. / That's all right.

7 개수 묻고 답하기

> A: How many apples? 사과는 몇 개니?
> B: Four apples. 사과는 네 개야.

· 셀 수 있는 사물의 개수를 물을 때는 「How many + 사물 이름s?」라고 하고, 이에 대해 대답할 때는 「숫자 + 사물 이름s.」로 말합니다.

· 사물이 두 개 이상일 때는 사물 이름에 -s를 붙이며, 이를 '복수형(둘 이상의 수를 나타내는 모양)'이라고 합니다.
   예 dog – dogs, cat – cats, ball – balls, cap – caps, pencil – pencils, apple – apples, banana – bananas

> 참고 수를 나타내는 낱말
> one (1), two (2), three (3), four (4), five (5),
> six (6), seven (7), eight (8), nine (9), ten (10)

8 생일 축하하기

> A: Happy birthday! 생일 축하해!
> B: Thank you. 고마워.

· 생일을 축하할 때는 Happy birthday! 또는 Happy birthday to you!라고 합니다.

· 축하하는 말을 들으면 Thank you. 또는 Thanks.로 고마움을 표현합니다.

9 나이 묻고 답하기

> A: How old are you? 너는 몇 살이니?
> B: I'm eight years old. 나는 여덟 살이야.

· 상대방의 나이를 물을 때는 How old are you?라고 합니다.

· '나는 ~살이야.'라고 말할 때는 「I'm + 나이에 해당하는 숫자 + years old.」라고 합니다.

· year는 '해, 나이'라는 뜻으로 두 살이거나 두 살보다 나이가 많을 때는 year에 -s를 붙인 복수형 years를 씁니다.

10 누구인지 묻고 답하기

> A: Who is he? 그 남자는 누구니?
> B: He is Junsu. 그 애는 준수야.
>   He is my brother. 그 애는 내 남동생이야.
> A: Who is she? 그 여자분은 누구시니?
> B: She is my mom. 그분은 우리 엄마셔.

· 어떤 남자가 누구인지 물을 때는 Who is he?라고 하고, 어떤 여자가 누구인지 물을 때는 Who is she?라고 합니다.

· 남자가 누구인지 말할 때는 「He is + 이름[관계를 나타내는 말].」이라고 하고, 여자가 누구인지 말할 때는 「She is + 이름[관계를 나타내는 말].」이라고 합니다.

> 참고 관계를 나타내는 낱말
> dad (아빠), mom (엄마), brother (형, 오빠, 남동생),
> sister (누나, 언니, 여동생), uncle (삼촌), aunt (숙모),
> grandfather/grandpa (할아버지),
> grandmother/grandma (할머니), teacher (선생님), friend (친구)

[01~02] 그림의 낱말과 첫소리가 같은 것을 고르시오.

관련 단원 | 7. 개수 묻고 답하기

01 ( )

5

① two   ② four
③ six   ④ nine
⑤ ten

관련 단원 | 7. 개수 묻고 답하기 / 10. 누구인지 묻고 답하기

02 ( )

6

① dad   ② mom
③ sister   ④ bother
⑤ friend

[03~04] 그림을 보고, 대화의 빈칸에 알맞은 것을 고르시오.

중요
관련 단원 | 7. 개수 묻고 답하기

03 ( )

A: How many flowers?
B: _____ flowers.

① Two   ② Four   ③ Six
④ Eight   ⑤ Ten

관련 단원 | 8. 생일 축하하기

04 ( )

A: _____ birthday!
B: Thank you.

① How   ② Okay   ③ Sorry
④ Happy   ⑤ Welcome

관련 단원 | 10. 누구인지 묻고 답하기

05 대화의 빈칸에 알맞지 <u>않은</u> 것은 무엇입니까? ( )

A: Who is he?
B: He is my _____.

① dad   ② brother   ③ uncle
④ grandfather   ⑤ sister

중요
관련 단원 | 9. 나이 묻고 답하기

06 세호의 나이로 알맞은 숫자는 무엇입니까? ( )

A: How old are you, Seho?
B: I'm nine years old.

① 6   ② 7   ③ 8
④ 9   ⑤ 10

[07~08] 그림을 보고, 대화의 빈칸에 알맞은 말을 쓰시오.

관련 단원 | 7. 개수 묻고 답하기

07 ( )

A: How many balls?
B: _____ balls.

( )

관련 단원 | 9. 나이 묻고 답하기

08 ( )

A: How old are you?
B: I'm _____ years old.

( )

[09~10] 그림의 빈칸에 알맞은 말을 고르시오.

중요

09

관련 단원 | 5. 감사 표현하고 답하기

( )

Thank you.

① Thank you.　　② Goodbye.
③ That's okay.　　④ Happy birthday.
⑤ You're welcome.

중요

10

관련 단원 | 6. 사과하고 답하기

( )

Oops. _____　　That's okay.

① I'm sorry.　　② It's okay.
③ What's that?　　④ Happy birthday.
⑤ Nice to meet you.

중요

11

관련 단원 | 7. 개수 묻고 답하기 / 9. 나이 묻고 답하기

두 문장의 빈칸에 공통으로 들어갈 말을 쓰시오.

• _____ old are you?
• _____ many melons?

( )

12

관련 단원 | 6. 사과하고 답하기

대화의 밑줄 친 부분과 바꾸어 쓸 수 있는 것은 무엇입니까?

( )

A: I'm sorry.
B: <u>That's okay.</u>

① It's okay.　　② It's a ruler.
③ Yes, it is.　　④ No, it isn't.
⑤ I'm Mark.

중요

13

관련 단원 | 5. 감사 표현하고 답하기

짝 지어진 대화 중 자연스럽지 <u>않은</u> 것은 무엇입니까?

( )

① A: Who is she?
　 B: She is my mom.
② A: How many tomatoes?
　 B: Five tomatoes.
③ A: Happy birthday!
　 B: Thanks.
④ A: Thank you.
　 B: It's okay.
⑤ A: I'm sorry.
　 B: That's okay.

14

관련 단원 | 10. 누구인지 묻고 답하기

사진의 남자가 누구인지 우리말로 쓰시오.

Sally: Who is he?
Nick: He is my dad.

사진의 남자는 Nick의 ( )입니다.

[15~16] 다음 대화를 읽고, 물음에 답하시오.

Amy : Hi. My name is Amy. What's your name?
Jason: I'm Jason.
Amy : I'm ten years old. How _____ are you?
Jason: I'm eight years old.
Amy : Who is she?
Jason: She is my sister.

중요

15

관련 단원 | 9. 나이 묻고 답하기

대화의 빈칸에 알맞은 말을 쓰시오.

( )

16

관련 단원 | 10. 누구인지 묻고 답하기

대화의 내용과 일치하는 것은 무엇입니까? ( )

① Amy와 Jason은 아는 사이이다.
② Jason은 일곱 살이다.
③ Amy와 Jason은 나이가 같다.
④ Jason은 여자 형제가 있다.
⑤ Jason은 남자 형제가 있다.

11 모습 표현하기

(1) 주의 끌기 / 사물의 크기 표현하기

> A: Look! 봐!
> B: It's big. 그것은 크기가 크구나.

· '봐!'라고 하면서 주의를 끌 때는 Look!이라고 합니다.

· 사물의 크기를 표현할 때는 「It's + 크기를 나타내는 말.」이라고 합니다.

> 참고 사물의 크기를 나타내는 낱말
> big (크기가 큰), small (크기가 작은),
> tall (높이가 높은), short (높이가 낮은)

(2) 사람의 외모 표현하기

> · He is tall. 그는 키가 크다.
> · She is pretty. 그녀는 예쁘다.

· 사람의 외모를 표현할 때는 「He[She] is + 외모를 나타내는 말.」이라고 합니다.

> 참고 사람의 외모를 나타내는 낱말
> tall (키가 큰), short (키가 작은), pretty (예쁜), cute (귀여운)

12 지시하고 답하기

> A: Open the window, please. 창문을 열어 주세요.
> B: Okay. 알겠습니다.

· 상대방에게 무엇을 하라고 지시할 때는 '행동을 나타내는 말'로 말을 시작합니다.
> 예 Open the door. 문을 열어 주세요.
> Close the door. 문을 닫아 주세요.

· '~ 해 주세요.'라고 공손하게 말할 때는 지시하는 말 앞이나 뒤에 please를 붙입니다.
> 예 Sit down, please. 앉아 주세요.
> Please, stand up. 일어서 주세요.

· 상대방의 지시에 대해 '알겠습니다.'라고 답할 때는 Okay.라고 합니다.

13 색깔 묻고 답하기

> A: What color is it? 그것은 무슨 색이니?
> B: It's blue. 그것은 파란색이야.

· 사물의 색깔을 물을 때는 What color is it?이라고 합니다.

· 색깔을 말할 때는 「It's + 색깔을 나타내는 낱말.」이라고 합니다.

> 참고 색깔을 나타내는 낱말
> red (빨간색), orange (주황색), yellow (노란색), green (초록색),
> blue (파란색), purple (보라색), pink (분홍색), white (하얀색),
> black (검은색), gray[grey] (회색), brown (갈색)

14 좋아하거나 싫어하는 것 말하기

(1) 좋아하거나 싫어하는 것 말하기

> · I like chicken. 나는 닭고기를 좋아해.
> · I don't like chicken. 나는 닭고기를 좋아하지 않아.

· 좋아하는 것을 말할 때는 「I like + 좋아하는 것의 이름.」이라고 하고, 싫어하는 것을 말할 때는 「I don't like + 싫어하는 것의 이름.」이라고 합니다.

(2) 좋아하는지 묻고 답하기

> A: Do you like oranges? 너는 오렌지를 좋아하니?
> B: Yes, I do. 응, 좋아해. /
> No, I don't. 아니, 좋아하지 않아.

· 상대방이 어떤 것을 좋아하는지 물을 때는 「Do you like + 좋아하는 것의 이름?」이라고 합니다.

· 좋아한다고 대답할 때는 Yes, I do.라고 합니다.

· 좋아하지 않는다고 대답할 때는 No, I don't.라고 합니다.

> 참고 과일 · 채소를 나타내는 낱말
> apple (사과), banana (바나나), kiwi (키위), lemon (레몬),
> melon (멜론), orange (오렌지), tomato (토마토), strawberry (딸기),
> carrot (당근), potato (감자)

관련 단원 | 11. 모습 표현하기

[01~02] 다음 그림을 알맞은 낱말과 연결하시오.

01

- ① big
- ② small
- ③ tall
- ④ short

02

관련 단원 | 12. 지시하고 답하기

[03~04] 그림의 행동을 하도록 지시한 말을 고르시오.

03 (   )

① Open the door.
② Close the door.
③ Open the window.
④ Stand up, please.
⑤ Sit down, please.

04 (   )

① Open the door.
② Close the door.
③ Open the window.
④ Stand up, please.
⑤ Sit down, please.

관련 단원 | 13. 색깔 묻고 답하기

05 대화의 빈칸에 알맞은 말은 무엇입니까? (   )

A: What color is it?
B: _____

① It's white.
② It's small.
③ No, I don't.
④ He is short.
⑤ I like apples.

중요
관련 단원 | 14. 좋아하거나 싫어하는 것 말하기

06 Ian이 좋아하는 것을 우리말로 쓰시오.

Jina: Do you like chicken, Ian?
Ian : No, I don't. I like pizza.

(   )

[07~08] 그림을 보고, 대화의 빈칸에 알맞은 것을 고르시오.

관련 단원 | 11. 모습 표현하기

07 (   )

A: Look!
B: Wow, it's _____.

① big
② tall
③ pretty
④ short
⑤ small

관련 단원 | 11. 모습 표현하기

08 (   )

A: Look!
B: Wow, it's _____.

① big
② small
③ tall
④ short
⑤ black

중요
관련 단원 | 13. 색깔 묻고 답하기

09 대화의 빈칸에 알맞지 <u>않은</u> 것은 무엇입니까? (   )

A: What color is it?
B: It's _____.

① red
② green
③ black
④ blue
⑤ small

10 대화에서 Sally가 좋아하는 음식은 무엇입니까? ( )

관련 단원 | 14. 좋아하거나 싫어하는 것 말하기

Bomi: I like chicken. Do you like chicken?
Sally : Yes, I do.

① 피자　　　② 멜론　　　③ 닭고기
④ 우유　　　⑤ 오렌지

관련 단원 | 13. 색깔 묻고 답하기

11 대화에서 말하고 있는 것은 무엇입니까? ( )

A: What color is it?
B: It's green.

① 　　　② 　　　③
④ 　　　⑤

관련 단원 | 14. 좋아하거나 싫어하는 것 말하기

12 대화의 빈칸에 알맞은 말을 쓰시오.

A: Do you like kiwis?
B: No, I _____. I like melons.

( )

관련 단원 | 13. 색깔 묻고 답하기

13 그림을 보고, 대화의 빈칸에 알맞은 낱말을 쓰시오.

A: What color is it?
B: It's _____.

( )

관련 단원 | 14. 좋아하거나 싫어하는 것 말하기

14 대화에서 Bill이 좋아하는 것은 무엇입니까? ( )

Cathy: Do you like tomatoes?
Bill : No, I don't. I like oranges.

①　　　②　　　③
④　　　⑤

관련 단원 | 12. 지시하고 답하기

15 그림의 빈칸에 알맞은 낱말을 쓰시오.

_____ the door, please.

Okay, Mom.

( )

[16~17] 다음 대화를 읽고, 물음에 답하시오.

Mina: Look!
Tom : Wow! That apple is big.
Mina: Do you like apples, Tom?
Tom : _____, I do. I like apples.

관련 단원 | 14. 좋아하거나 싫어하는 것 말하기

16 대화의 빈칸에 알맞은 말을 쓰시오.

( )

관련 단원 | 11. 모습 표현하기

17 대화의 내용과 일치하는 것은 무엇입니까? ( )

① 사과는 노란색이다.
② 사과는 크기가 크다.
③ 사과는 Tom의 가까이에 있다.
④ Tom은 사과를 먹고 있다.
⑤ Tom은 사과를 좋아하지 않는다.

15 할 수 있는 것 묻고 답하기

(1) 할 수 있는 것과 할 수 없는 것 말하기

> • I can dance. 나는 춤출 수 있어.
> • I can't skate. 나는 스케이트를 탈 수 없어.

• 할 수 있는 것을 표현할 때는 「I can + 행동을 나타내는 말.」 이라고 하고, 할 수 없는 것을 표현할 때는 「I can't + 행동을 나타내는 말.」이라고 합니다.

(2) 할 수 있는지 묻고 답하기

> A: Can you swim? 너는 수영할 수 있니?
> B: Yes, I can. 응, 할 수 있어. /
> No, I can't. 아니, 할 수 없어.

• 상대방에게 무엇을 할 수 있는지 물을 때는 「Can you + 행동을 나타내는 말?」로 표현합니다.

• 그 행동을 할 수 있으면 Yes, I can.이라고 답합니다.

• 그 행동을 할 수 없으면 No, I can't.라고 답합니다.

> **참고** 행동을 나타내는 낱말
> come (오다), sit (앉다), sing (노래하다), dance (춤추다), walk (걷다), jump (뛰어오르다), skate (스케이트 타다), swim (수영하다), run (뛰다)

16 가지고 있는 것 묻고 답하기

(1) 가지고 있는 것과 가지고 있지 않은 것 말하기

> • I have a notebook. 나는 공책을 가지고 있어.
> • I don't have a pen. 나는 펜을 가지고 있지 않아.

• 가지고 있는 것을 말할 때는 「I have a[an] + 사물 이름.」이라고 하고, 가지고 있지 않은 것을 말할 때는 「I don't have a[an] + 사물 이름.」이라고 합니다.

(2) 가지고 있는 것 묻고 답하기

> A: Do you have a book? 너는 책을 가지고 있니?
> B: Yes, I do. 응, 가지고 있어. /
> No, I don't. 아니, 가지고 있지 않아.

• 상대방이 어떤 것을 가지고 있는지 물을 때는 「Do you have a[an] + 사물 이름?」이라고 합니다.

• 상대방이 물은 것을 가지고 있으면 Yes, I do.라고 답합니다.

• 상대방이 물은 것을 가지고 있지 않으면 No, I don't.라고 답합니다.

17 물건 주고받을 때 말하기

> A: Here you are. 여기 있어.
> B: Thank you. 고마워.

• '여기 있어.'라고 말하며 물건을 건네줄 때는 Here you are. 라고 합니다.

• 물건을 건네받은 사람은 Thank you.라고 고마움을 표현합니다.

18 날씨 묻고 답하기

> A: How's the weather? 날씨가 어때?
> B: It's raining. 비가 오고 있어.

• 날씨가 어떤지 물을 때는 How's the weather?라고 합니다.

• 날씨를 말할 때는 「It's + 날씨를 나타내는 말.」로 합니다. 이때 It's를 '그것은 ~이다.'라고 해석하여 말하지 않습니다.

> **참고** 날씨를 나타내는 낱말
> sunny (맑은), cloudy (흐린), windy (바람이 부는), raining (비 오는), snowing (눈 오는)

19 제안하고 답하기

> A: Let's make a snowman. 우리 눈사람 만들자.
> B: Okay. 좋아. /
> Sorry. I can't. 미안하지만 안 되겠어.

• '~하자.'라고 상대방에게 제안할 때는 「Let's + 행동을 나타내는 말.」이라고 합니다.

• 제안을 받아들일 때는 Okay.라고 하고, 거절할 때는 Sorry, I can't.라고 합니다.

영어 2학기
15. 할 수 있는 것 묻고 답하기 ~ 19. 제안하고 답하기

확인문제

01 관련 단원 | 15. 할 수 있는 것 묻고 답하기
그림에 알맞은 낱말은 무엇입니까?   (   )

① sing   ② jump
③ swim   ④ skate
⑤ dance

[02~03] 그림을 보고, 대화의 빈칸에 알맞은 말을 고르시오.

02 관련 단원 | 16. 가지고 있는 것 묻고 답하기   (   )

A: Do you have a notebook?
B: _____

① Yes, I do.   ② No, I don't.
③ Yes, I can.   ④ No, I can't.
⑤ Yes, I am.

03 관련 단원 | 18. 날씨 묻고 답하기   (   )

A: How's the weather?
B: _____

① It's sunny.   ② It's windy.
③ It's cloudy.   ④ It's raining.
⑤ It's snowing.

04 중요 관련 단원 | 17. 물건 주고받을 때 말하기
그림의 빈칸에 알맞은 말은 무엇입니까?   (   )

Thank you.

① Look!   ② Let's walk.
③ It's sunny.   ④ Here you are.
⑤ I like books.

[05~06] 대화의 빈칸에 알맞은 말을 고르시오.

05 관련 단원 | 15. 할 수 있는 것 묻고 답하기   (   )

A: Can you dance?
B: _____ I can dance.

① Yes, I do.   ② No, I don't.
③ Yes, I can.   ④ No, I can't.
⑤ Yes, I can't.

06 관련 단원 | 18. 날씨 묻고 답하기   (   )

A: _____
B: It's snowing.

① Here you are.   ② What color is it?
③ Can you skate?   ④ How's the weather?
⑤ Do you have an umbrella?

07 관련 단원 | 17. 물건 주고받을 때 말하기
다음 대화의 빈칸에 알맞은 것은 무엇입니까?   (   )

Mina: I don't have a pencil.
          Do you have a pencil?
Tom : Yes, I do. _____ you are.
Mina: Thank you!

① It   ② Can   ③ Here
④ Have   ⑤ Please

08 중요 관련 단원 | 19. 제안하고 답하기
다음 우리말을 영어로 바르게 표현한 것은 무엇입니까?   (   )

눈사람을 만들자.

① I like a snowman.
② Make a snowman.
③ I have a snowman.
④ Let's make a snowman.
⑤ I can make a snowman.

09 관련 단원 | 18. 날씨 묻고 답하기
대화의 내용에 알맞은 그림은 무엇입니까?　　(　　　)

> A: How's the weather?
> B: It's windy.

① ② ③
④ ⑤

10 관련 단원 | 19. 제안하고 답하기
대화의 빈칸에 공통으로 들어갈 것은 무엇입니까?(　　　)

> Minjun: It's snowing.
> ＿＿＿＿＿＿＿ go outside.
> Jisu　: Okay.
> Minjun: ＿＿＿＿＿＿＿ skate.
> Jisu　: Sorry, I can't. I can't skate.

① I'm　　　② Nice　　　③ It's
④ Hello　　⑤ Let's

11 중요 관련 단원 | 15. 할 수 있는 것 묻고 답하기
괄호 안에 주어진 낱말을 올바른 순서로 배열하여 쓰시오.

> Bomi: (you, Can, skate)?
> Sally : Yes, I can. I can skate.

(　　　　　　　　　　　)

12 관련 단원 | 16. 가지고 있는 것 묻고 답하기
유진이가 가지고 있는 것은 무엇입니까?　　(　　　)

> Jim　: Yujin, do you have a pen?
> Yujin: Yes, I do.
> Jim　: What color is it?
> Yujin: It's black.

① 검은색 펜　　　　② 검은색 연필
③ 빨간색 펜　　　　④ 빨간색 연필
⑤ 검은색 지우개

13 중요 관련 단원 | 16. 가지고 있는 것 묻고 답하기
진희가 가지고 있는 것을 우리말로 쓰시오.

> Sam　 : Do you have an eraser?
> Jinhee: No, I don't. I have a ruler.

(　　　　　　　　　　　)

14 중요 관련 단원 | 17. 물건 주고받을 때 말하기
짝 지어진 대화 중 자연스럽지 않은 것은 무엇입니까?
(　　　)

① A: Let's swim.
　 B: Okay.
② A: Here you are.
　 B: You're welcome.
③ A: Do you have a book?
　 B: Yes, I do.
④ A: How's the weather?
　 B: It's sunny.
⑤ A: Can you skate?
　 B: No, I can't.

[15~16] 다음 대화를 읽고, 물음에 답하시오.

> Bomi: How's the weather?
> Jack : It's raining.
> Bomi: Do you have an umbrella, Jack?
> Jack : Yes, I do. Do you have an umbrella, Bomi?
> Bomi: No, I don't.

15 관련 단원 | 18. 날씨 묻고 답하기
대화의 날씨로 알맞은 것은 무엇입니까?　　(　　　)
① 흐리다.　　　　　② 화창하다.
③ 비가 온다.　　　④ 눈이 온다.
⑤ 바람이 분다.

16 관련 단원 | 16. 가지고 있는 것 묻고 답하기
보미와 Jack 중 우산을 가지고 있는 사람의 이름을 쓰시오.
(　　　　　　　　　　　)

모의 평가

각 과목별로 시험에 잘 나오는 문제들을
간추려 모의 평가를 3회씩
제공하였습니다.

모의 평가 1회

출제 범위: 3학년 전 범위   문항 수: 25문항

점수

정답과 해설 17쪽

감각적 표현 파악하기

01 밑줄 친 부분은 대상을 어떻게 표현했습니까?   (   )

> 툭툭! 바스락!
> 어, 이게 뭐지? / 콕콕 쪼아 봤어.
> 짭조름하고 고소한 냄새에 코끝이 찡했어.
> 조심스럽게 한 입 깨물어 보았지.
> 와그작. / 바삭! 바삭!

① 코로 맡은 냄새를 생생하게 표현했다.
② 눈으로 본 것처럼 무언가를 표현했다.
③ 소리나 모양을 흉내 낸 말로 표현했다.
④ 피부에서 느껴지는 촉감을 실감 나게 표현했다.
⑤ 무엇인가를 생선에 빗대어 감각적으로 표현했다.

[02~03] 다음 글을 읽고 물음에 답하시오.

> 우리 조상은 여러 가지 한과를 만들어 먹었습니다. 한과는 전통 과자를 말합니다. 한과에는 약과, 강정, 엿처럼 여러 가지가 있습니다. 요즘에는 한과를 주로 시장에서 사 먹지만, 옛날에는 한과를 집에서 만들어 먹었습니다.
> ㉠약과는 밀가루를 꿀과 기름 따위로 반죽해 기름에 지진 과자입니다. 꿀물이나 조청에 넣어 두어 속까지 맛이 배면 꺼내어 먹습니다. 지금은 국화 모양을 본떠서 많이 만들지만, 옛날에는 새, 물고기 같은 모양으로 만들었다고 합니다. 약과를 만들 때에는 만들고 싶은 모양으로 나무를 파서, 반죽한 것을 그 속에 넣어 찍어 냅니다.

글의 내용 이해하기

02 옛날에는 한과를 어떻게 먹었습니까?   (   )

① 시장에서 사 먹었다.
② 집에서 만들어 먹었다.
③ 궁궐에서만 만들어 먹었다.
④ 관청에서 만들어 나누어 주었다.
⑤ 약방처럼 특별한 곳에서 사 먹었다.

뒷받침 문장 파악하기

03 ㉠을 자세히 설명하는 문장을 모두 골라 ○표 하시오.

(1) 한과는 전통 과자를 말합니다.   (   )
(2) 한과에는 약과, 강정, 엿처럼 여러 가지가 있습니다.   (   )
(3) 꿀물이나 조청에 넣어 두어 속까지 맛이 배면 꺼내어 먹습니다.   (   )
(4) 약과를 만들 때에는 만들고 싶은 모양으로 나무를 파서, 반죽한 것을 그 속에 넣어 찍어 냅니다. (   )

알맞은 높임 표현 사용하기

04 훈민이의 말을 높임 표현에 맞게 고친 것은 무엇입니까?   (   )

① 집에 → 그곳에
② 어른이 → 어른에게
③ 어른이 → 어른께서
④ 있을까요? → 있어?
⑤ 있을까요? → 있어요?

마음을 나타내는 말 익히기

05 다음 상황에 알맞은 마음을 전하는 말은 무엇입니까?   (   )

> 친구가 미술 대회에서 대상을 받은 상황

① 너무 고마워.   ② 보고 싶었어.
③ 정말 대단하다.   ④ 많이 속상했지?
⑤ 힘내, 응원할게.

글의 내용 간추리기

06 다음 글의 내용을 간추린 문장으로 알맞은 것은 무엇입니까?   (   )

> 민화는 옛날 사람들이 널리 사용하던 그림이에요. 따라서 민화 속에는 우리 조상의 삶과 신앙, 멋이 깃들어 있어요. 민화가 여느 그림과 다른 점은 생활에 필요한 실용적인 그림이라는 것이에요. 다시 말해, 선비들이 그린 격조 높은 산수화나 솜씨 좋은 화원이 그린 작품들은 오래 두고 감상하는 그림이지만, 민화는 어떤 특별한 목적을 위해 사용한 그림이지요.

① 선비들은 격조 높은 산수화를 그렸다.
② 민화는 솜씨 좋은 화원들에게 환영받았다.
③ 민화는 어떤 특별한 목적을 위해 사용했다.
④ 민화는 옛날 사람들이 널리 사용하던 그림이다.
⑤ 민화 속에는 조상의 삶과 신앙, 멋이 들어 있다.

원인과 결과 파악하기

07 경험을 원인과 결과로 나타낼 때, 빈칸에 들어갈 내용으로 알맞은 것에 ○표 하시오.

원인	
결과	혼자서도 자전거를 잘 탈 수 있게 되었다.

⑴ 자전거 타는 연습을 매일했다. 　　　 (　　　)
⑵ 자전거를 타려다가 자꾸 넘어져서 포기했다. (　　　)

[08~09] 다음 글을 읽고 물음에 답하시오.

　　우리는 ㉠지구를 깨끗이 하려고 노력해야 합니다. 왜냐하면 지구는 앞으로도 우리가 살아갈 ㉡터전이기 때문입니다. 그런데 우리가 한 번 쓰고 난 뒤에 무심코 버리는 일회용품은 지구를 병들게 합니다. 일회용품은 평소에 사람들이 자주 쓰는 ㉢비닐봉지, 일회용 컵, 일회용 나무젓가락 따위를 말합니다. 그러므로 일회용품을 덜 쓰려면 다음과 같은 일을 실천해야 합니다.
　　첫째, 비닐봉지를 적게 써야 합니다. 왜냐하면 전 세계에서 매년 사용하고 버리는 비닐봉지 양이 매우 많기 때문입니다. 이것을 처리하려면 돈이 많이 듭니다. 그냥 두면 없어지는 데 500년이 넘게 걸립니다. 그러므로 ㉣물건을 사거나 담을 때에는 여러 번 쓸 수 있는 ㉤가방이나 장바구니를 활용해야 합니다.

국어사전을 찾는 방법 알기

08 ㉠~㉤을 국어사전에 싣는 차례대로 늘어놓은 것은 무엇입니까? 　　　 (　　　)

① ㉠ → ㉡ → ㉤ → ㉣ → ㉢
② ㉢ → ㉠ → ㉡ → ㉣ → ㉤
③ ㉢ → ㉤ → ㉠ → ㉡ → ㉣
④ ㉤ → ㉣ → ㉠ → ㉢ → ㉡
⑤ ㉤ → ㉣ → ㉢ → ㉠ → ㉡

글쓴이의 의견 찾기

09 이 글에 나타난 글쓴이의 의견은 무엇입니까? 　 (　　　)

① 시간을 아껴 쓰자.
② 주변을 깨끗이 청소하자.
③ 지구를 깨끗하게 보호하자.
④ 일회용품을 분류하여 버리자.
⑤ 장바구니 대신 비닐봉지를 이용하자.

글에서 생략된 내용 짐작하기

10 글에서 생략된 내용을 짐작하는 방법을 두 가지 고르시오. 　　　 (　　 , 　　)

① 자신의 경험을 떠올린다.
② 글에서 문장의 길이를 살펴본다.
③ 글에서 찾을 수 있는 단서를 확인한다.
④ 대상을 생생하게 표현한 부분을 찾는다.
⑤ 인물의 말이나 생각이 나타난 부분을 찾는다.

[11~12] 다음 글을 읽고 물음에 답하시오.

　　다음 날은 친구들의 생각을 엿들을 수 있었어. ㉠동환이 옆을 지나자 동환이의 생각이 쑥덕쑥덕 들렸어.
　　'아이참, 왜 자꾸 방귀가 나오지? 아침에 고구마를 너무 많이 먹었나? 앗! 또 나오려고 한다. 이키.'
　　㉡만복이는 코를 막고 키득키득 웃었어. 그러자 동환이가 만복이의 눈치를 살폈어.
　　'어, 만복이가 눈치챘나? 분명히 친구들한테 다 소문낼 거야. 어떻게 하지?'
　　㉢만복이는 입이 간질간질한 걸 꾹 참았어. 다른 때 같으면 방귀쟁이라고 여기저기 떠벌리고 다녔을 거야. 하지만 부끄러워하는 동환이의 마음을 알자 그러고 싶은 마음이 싹 사라졌어.

이야기에서 재미나 감동을 주는 부분 찾기

11 ㉠~㉢에서 재미를 느낄 수 있는 까닭은 무엇입니까? 　　　 (　　　)

① 흉내 내는 말이 반복되어서
② 색깔을 표현한 낱말이 많아서
③ 앞뒤 문장의 차례가 바뀌어서
④ 긴 문장과 짧은 문장이 반복되어서
⑤ 인물의 행동을 자세히 설명해 주어서

인물의 마음 헤아리기

12 ㉢에 나타난 만복이의 마음으로 알맞은 것은 무엇입니까? 　　　 (　　　)

① 방귀쟁이인 동환이가 싫은 마음
② 몸이 약한 동환이를 돕고 싶은 마음
③ 동환이에게 비밀을 들켜서 부끄러운 마음
④ 동환이를 방귀쟁이라고 놀리고 싶은 마음
⑤ 동환이를 위해 비밀을 지켜 주고 싶은 마음

13 다음 장면에 알맞은 자두의 표정이나 몸짓은 무엇입니까?
( )

> 자두는 동생 미미가 자신보다 유명해지고 싶어서 몰래 발레를 배웠다는 사실을 알고 놀랐던 일을 떠올린다.

① 팔짱을 끼고   ② 뒷짐을 지며
③ 두 손을 흔들며   ④ 눈물을 글썽이며
⑤ 깜짝 놀란 표정으로

[14~15] 다음 글을 읽고 물음에 답하시오.

> 첫째, 선생님께서 계시지 않을 때에는 과학 실험을 하지 않습니다. 과학실에는 조심히 다루어야 할 실험 기구와 위험한 화학 약품이 많습니다. 선생님의 말씀에 따라 실험 기구나 화학 약품을 다루어야 사고가 나는 것을 예방할 수 있습니다. 그러므로 선생님께서 계시지 않을 때에는 과학 실험을 해서는 안 됩니다.
>
> 둘째, 과학실에서는 절대 장난을 치면 안 됩니다. 과학실에는 깨지기 쉽거나 위험한 실험 기구가 많습니다. 장난을 치다가 유리로 만든 실험 기구가 깨지면 날카로운 유리 조각이 생겨 이 유리 조각에 사람이 다칠 수 있습니다. 또 장난을 치다가 알코올램프가 바닥에 떨어지면 과학실에 화재가 발생할 수도 있습니다. 그러므로 과학실에서는 장난을 치지 말고 진지한 자세로 실험을 해야 합니다.

14 이 글을 읽고 알 수 있는 실험실 안전 수칙은 무엇입니까?
( )

① 과학실에서 음식을 먹지 않는다.
② 과학실에서 절대 장난을 치면 안 된다.
③ 실험할 때 책상에 바짝 다가가지 않는다.
④ 과학실에 깨지는 물건을 가져오지 않는다.
⑤ 선생님께서 계실 때는 과학 실험을 하지 않는다.

15 이 글과 관련된 경험을 알맞게 떠올린 친구의 이름을 쓰시오.

> 선율: 과학 실험을 하다가 약품을 쏟았던 적이 있어.
> 채은: 과학 시험을 보고 백 점을 맞았던 경험이 있어.
> 유하: 교통 안전 표지판에 대한 책을 읽었던 적이 있어.

( )

16 글을 쓰기 위해 인상 깊은 일을 떠올리는 방법으로 알맞은 것은 무엇입니까? ( )

① 재미있었던 일만 떠올린다.
② 학교에서 있었던 일만 떠올린다.
③ 매일 하는 일만 차례대로 떠올린다.
④ 평소와 다른 특별한 일을 떠올린다.
⑤ 혼자 있을 때 일어난 일만 떠올린다.

[17~18] 다음 시를 읽고 물음에 답하시오.

> 강가 고운 모래밭에서
> 발가락 옴지락거려
> 두더지처럼 파고들었다.
>
> 지구가 간지러운지
> 굼질굼질 움직였다.
>
> 아, 내 ㉠작은 신호에도
> 지구는 대답해 주는구나.
>
> 그 큰 몸짓에
> 이 조그마한 발짓
> 그래도 지구는 대답해 주는구나.

17 ㉠이 뜻하는 것은 무엇입니까? ( )

① 강가를 걷는 것
② 강에 모래를 뿌리는 것
③ 모래밭에서 돌을 찾은 것
④ 발가락으로 모래를 파고든 것
⑤ 파도가 밀려오는 모습을 바라보는 것

18 이 시에서 조금씩 천천히 움직이는 모습을 나타낸 흉내 내는 말을 찾아 쓰시오.

( )

19 밑줄 친 부분이 잘못된 표현인 까닭은 무엇입니까?( )

> 승민: 사과주스 한 잔 주세요.
> 점원: 사과주스 나오셨습니다.

① 사물에 높임 표현을 썼다.
② 공손한 태도로 말하지 않았다.
③ 끝맺는 말을 '해요'로 쓰지 않았다.
④ 손님에게 '-님'을 붙여서 말하지 않았다.
⑤ 높임을 나타내는 특별한 낱말을 쓰지 않았다.

마음을 전하는 말 떠올리기

20 여자아이가 할 말로 가장 알맞은 것은 무엇입니까?
( )

① 이게 뭐야?
② 고맙습니다.
③ 정말 미안해요.
④ 저는 이것 싫어해요.
⑤ 빨리 나으시면 좋겠어요.

[21~22] 다음 글을 읽고 물음에 답하시오.

우리나라 국기인 태극기도 궁금하지?

일본에 나라를 빼앗긴 시대에는 태극기를 마음대로 사용하지 못했어.

일본이 태극기 사용을 금지했거든.

하지만 우리는 독립하려고 열심히 싸울 때마다 태극기를 힘차게 휘날렸어.

마침내 1945년에 나라를 되찾았고, 그동안 무늬가 조금씩 달랐던 태극기는 1949년에 지금의 태극기 모습으로 정해졌어.

우리나라 사람들의 평화를 사랑하는 마음은 태극기의 흰색에 담겨 있어.

태극 문양은 조화로운 우주를 뜻하고, 네 모서리의 사괘는 하늘, 땅, 물, 불을 나타낸 거야.

글의 내용 이해하기

21 태극기의 태극 문양은 무엇을 뜻합니까? ( )

① 물과 불
② 하늘과 땅
③ 조화로운 우주
④ 독립하려는 마음
⑤ 평화를 사랑하는 마음

글에서 새롭게 안 내용 파악하기

22 이 글을 읽고 새롭게 안 내용을 알맞게 말한 친구에게 ○표 하시오.

(1) 윤서: 태극기의 흰색에는 우리 민족의 순수한 마음이 담겨 있어. ( )

(2) 다원: 일본에 나라를 빼앗긴 시대에도 태극기를 자유롭게 쓸 수 있었어. ( )

(3) 지호: 지금의 태극기 모습이 정해진 것은 나라를 되찾은 뒤의 일이라는 것을 알게 됐어. ( )

[23~24] 다음 글을 읽고 물음에 답하시오.

가 동물원 입구를 지나 가장 먼저 간 곳은 '곤충관'이었다. 곤충관에는 여러 지역의 곤충들이 전시되어 있었는데, 날개가 있는 동물로 나비와 벌, 메뚜기와 같은 곤충들이 있었다. 곤충관에서 가장 관심이 갔던 곤충은 톱사슴벌레이다. 톱사슴벌레는 몸 색깔이 갈색이고 톱날 모양의 큰턱이 있다.

나 곤충관 바로 옆은 '야행관'이었는데 주로 밤에 활동하는 동물들이 있는 곳이었다. 야행관에도 날개가 있는 동물들이 있었다. 바로 박쥐와 올빼미였다. 외국에서 산다는 과일 박쥐도 인상 깊었지만, 내 눈길을 끈 것은 수리부엉이이다. 수리부엉이는 천연기념물로 몸길이가 70센티미터나 될 정도로 큰 새이다.

글의 내용을 간추리는 방법 알기

23 이 글은 어떤 방법으로 간추려야 합니까? ( )

① 장소 변화에 따라 내용을 간추린다.
② 시간의 흐름에 따라 내용을 간추린다.
③ 일 차례가 드러나게 내용을 간추린다.
④ 인물이 한 일을 중심으로 내용을 간추린다.
⑤ 글쓴이의 의견과 까닭으로 내용을 간추린다.

글의 흐름 파악하기

24 이 글의 흐름과 같은 방법으로 글을 쓸 수 있는 주제는 무엇입니까? ( )

① 윷놀이 규칙
② 스포츠의 역사
③ 주말에 다녀온 곳
④ 인형 만드는 방법
⑤ 샌드위치 만드는 방법

인물의 말을 실감 나게 읽기

25 밑줄 친 부분을 실감 나게 읽는 방법으로 알맞은 것은 무엇입니까? ( )

"그래서 어쩌라고? 이 꼬맹이야! 감히 아침 식사 하는 나를 귀찮게 해?"

"투루, 그렇게 거만하게 굴 것까진 없잖아! 너는 몸집이 가장 크다고 네가 가장 힘이 센 줄 알지? 난 줄다리기를 하면 널 언제든 이길 수 있어!"

"네가? 너 같은 꼬맹이가? 흥, 푸우하하하!"

① 시무룩한 표정을 지으며
② 거만한 말투로 크게 웃으며
③ 당황한 말투로 말을 더듬으며
④ 배를 잡고 아픈 표정을 지으며
⑤ 다정한 목소리로 미소를 지으며

모의 평가 1회

출제 범위: 3학년 전 범위   문항 수: 25문항

점수

정답과 해설 18쪽

받아내림이 없는 (세 자리 수)−(세 자리 수)

01 □ 안에 알맞은 수는 어느 것입니까?　　(　　　)

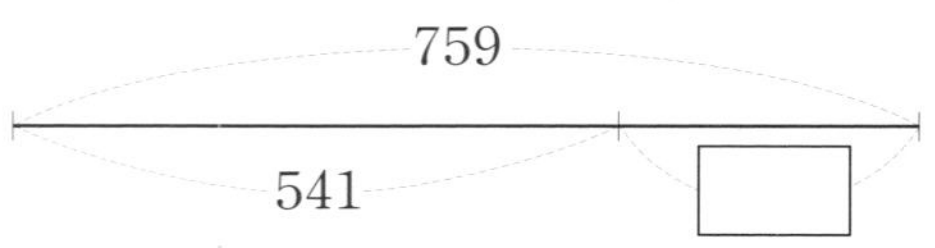

759
541

① 208　　② 218　　③ 308

④ 318　　⑤ 328

직각삼각형 알아보기

02 다음에서 설명하는 도형의 이름으로 알맞은 것은 어느 것입니까?　　(　　　)

- 변이 3개, 꼭짓점이 3개이다.
- 한 각이 직각이다.

① 직각삼각형　　② 직사각형　　③ 정사각형
④ 반직선　　⑤ 직선

대분수를 가분수로 나타내기

03 대분수를 가분수로 바르게 나타낸 것은 어느 것입니까?

(　　　)

$2\frac{3}{7}$

① $\frac{13}{3}$　　② $\frac{17}{3}$　　③ $\frac{13}{7}$

④ $\frac{17}{7}$　　⑤ $\frac{18}{7}$

내림이 없는 (몇십)÷(몇)

04 빈칸에 알맞은 몫은 어느 것입니까?　　(　　　)

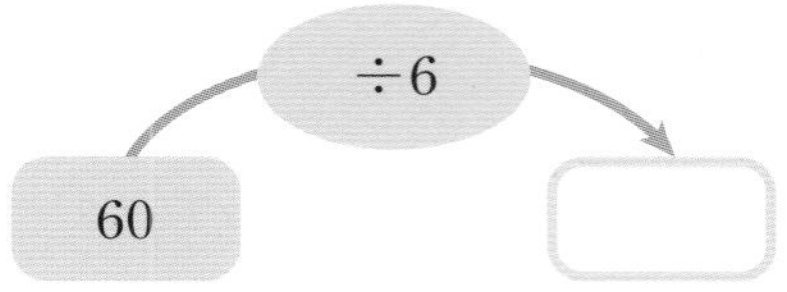

60 ÷6

① 2　　② 5　　③ 10

④ 12　　⑤ 20

들이의 단위

05 다음 중 들이를 mL 단위로 나타내기에 가장 알맞지 <u>않은</u> 것은 어느 것입니까?　　(　　　)

① 욕조　　② 주사기　　③ 요구르트 병
④ 종이컵　　⑤ 음료수 캔

똑같이 나누기

06 뺄셈식 12−3−3−3−3=0을 나눗셈식으로 바르게 나타낸 것은 어느 것입니까?　　(　　　)

① 3÷4=12　　② 4÷4=12　　③ 4÷3=12
④ 12÷4=3　　⑤ 12÷3=4

1 cm보다 작은 단위

07 색 테이프의 길이로 알맞은 것을 두 가지 고르시오.

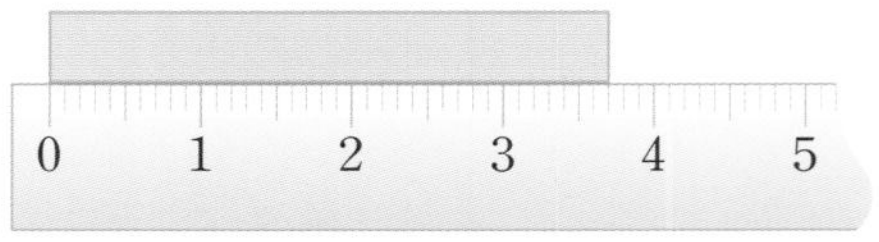

(　　　,　　　)

① 37 mm　　② 370 mm　　③ 37 cm
④ 3 cm 7 mm　　⑤ 3 cm 70 mm

원의 중심, 반지름, 지름

08 효진이가 다음과 같이 원을 그렸습니다. 누름 못이 꽂힌 점의 이름으로 알맞은 것은 어느 것입니까?　　(　　　)

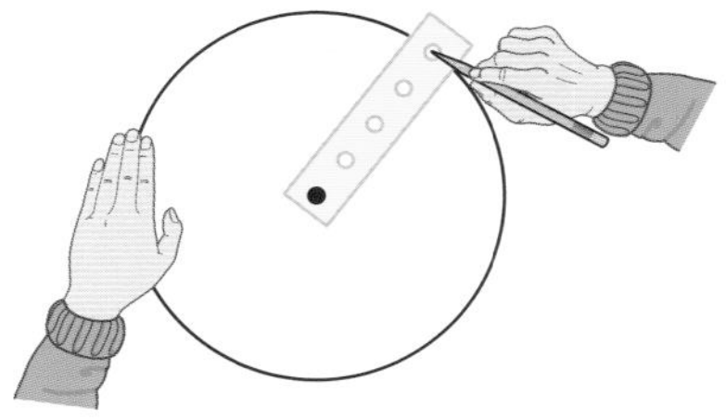

① 지름　　② 원의 중심　　③ 반지름
④ 꼭짓점　　⑤ 변

똑같이 나누기

09 똑같이 나누어진 도형은 어느 것입니까?　　(　　　)

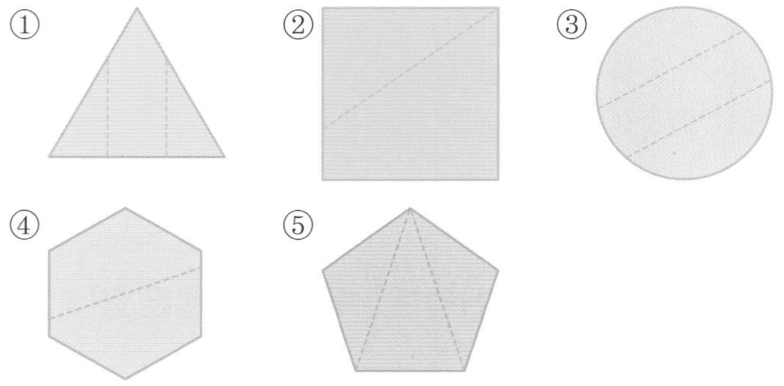

①　　②　　③

④　　⑤

10 표의 내용 알아보기

종훈이네 반 학생들이 키우고 싶어 하는 동물을 조사하여 나타낸 표입니다. 가장 많은 학생들이 키우고 싶어 하는 동물은 어느 것입니까? (　　　)

키우고 싶어 하는 동물

동물	이구아나	햄스터	고양이	개	앵무새	합계
학생 수 (명)	2	5	8	3	6	24

① 이구아나　　② 햄스터　　③ 고양이
④ 개　　⑤ 앵무새

11 직각 알아보기

도형에서 직각은 모두 몇 개입니까? (　　　)

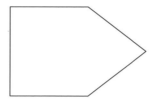

① 1개　　② 2개　　③ 3개
④ 4개　　⑤ 5개

12 올림이 있는 (몇십몇)×(몇)

두 수의 곱은 얼마입니까? (　　　)

26	3

① 78　　② 75　　③ 68
④ 65　　⑤ 58

13 나눗셈의 몫을 곱셈구구로 구하기

색종이 한 장으로 종이꽃을 9개 만들 수 있습니다. 종이꽃 63개를 만들려면 색종이는 몇 장이 필요합니까? (　　　)

① 5장　　② 6장　　③ 7장
④ 8장　　⑤ 9장

14 분수로 나타내기

□ 안에 들어갈 분수로 알맞은 것은 어느 것입니까?
(　　　)

12는 30의 □이다.

① $\frac{1}{5}$　　② $\frac{2}{5}$　　③ $\frac{1}{6}$
④ $\frac{2}{6}$　　⑤ $\frac{3}{6}$

15 무게의 덧셈

감자 캐기 현장 체험 학습에서 지은이는 2 kg 400 g을 캤고, 수현이는 3 kg 700 g을 캤습니다. 지은이와 수현이가 캔 감자는 모두 몇 kg 몇 g입니까? (　　　)

① 5 kg 100 g　　② 5 kg 200 g　　③ 5 kg 900 g
④ 6 kg　　⑤ 6 kg 100 g

16 내림과 나머지가 있는 (몇십몇)÷(몇)

다음 중 나머지가 가장 큰 것은 어느 것입니까? (　　　)

① 35÷2　　② 46÷3　　③ 73÷5
④ 81÷7　　⑤ 83÷6

17 올림이 없는 (세 자리 수)×(한 자리 수)

세 변의 길이가 모두 같은 삼각형입니다. 삼각형의 세 변의 길이의 합은 몇 cm입니까? (　　　)

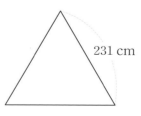

231 cm

① 369 cm　　② 396 cm　　③ 639 cm
④ 693 cm　　⑤ 963 cm

18 그림그래프 알아보기

종현이네 학교 3학년 학생 92명의 혈액형을 조사하여 나타낸 그림그래프입니다. 혈액형이 O형인 학생은 몇 명입니까?　　　　　　　　　(　　　　)

혈액형별 학생 수

혈액형	학생 수
A형	👤👤👤👤
B형	👤👤👤👤
O형	
AB형	👤👤👤👤👤👤👤

👤10명　👤1명

① 21명　　　② 22명　　　③ 23명
④ 24명　　　⑤ 25명

19 시간의 뺄셈

서울에서 대전까지 가는 데 걸리는 시간은 몇 시간 몇 분입니까?　　　　　　　　　(　　　　)

승차권

20○○년 ○월 ○일

서울　▶　대전
8 : 32　　10 : 27

① 1시간 50분　　② 1시간 55분　　③ 2시간
④ 2시간 5분　　⑤ 2시간 10분

20 올림이 있는 (몇십몇)×(몇십몇)

동훈이는 동화책을 하루에 36쪽씩 매일 읽으려고 합니다. 동훈이가 4주일 동안 읽을 수 있는 소설책은 모두 몇 쪽입니까?　　　　　　　　　(　　　　)

① 47쪽　　　② 144쪽　　　③ 252쪽
④ 908쪽　　　⑤ 1008쪽

21 (세 자리 수)÷(한 자리 수)

다음 4장의 수 카드를 모두 한 번씩만 사용하여 (세 자리 수)÷(한 자리 수)의 나눗셈식을 만들려고 합니다. 몫이 가장 작게 될 때의 나눗셈식의 몫은 얼마입니까? (　　)

3　2　6　4

① 38　　　② 39　　　③ 40
④ 41　　　⑤ 42

22 원의 성질

점 ㄱ, 점 ㄴ, 점 ㄷ은 각각 원의 중심입니다. 선분 ㄱㄷ은 몇 cm입니까?　　　　(　　　　)

ㄱ
32 cm
ㄴ
ㄷ
ㄹ

① 12 cm　　② 16 cm　　③ 22 cm
④ 24 cm　　⑤ 28 cm

23 소수의 크기 비교

큰 수부터 차례대로 기호를 쓰시오.

ㄱ 0.1이 7개인 수
ㄴ 0.1이 17개인 수
ㄷ $\frac{1}{10}$이 12개인 수

(　　　　　　　　)

24 올림이 있는 (몇십몇)×(몇)

과일 가게에 사과가 130개 있었습니다. 이 사과를 한 상자에 16개씩 담아서 8상자를 팔았습니다. 남은 사과는 몇 개인지 구해 보시오.

(　　　　　　　　)

25 받아올림이 있는 (세 자리 수)+(세 자리 수)

□ 안에 알맞은 수를 써넣으시오.

	□	□	8
+	5	4	□
	1	2	4	4

정답과 해설 19쪽

고장의 장소 파악하기

01 다음과 같은 경험을 할 수 있는 고장의 장소는 어디인지 쓰시오.

(1) 친구들과 함께 교실에서 공부도 하고 운동장에서 신나게 놉니다.   (   )

(2) 주말마다 가족과 등산을 하고 맑은 공기를 마십니다.   (   )

[02~03] 다음 지도를 보고 물음에 답하시오.

▲ 혜지가 그린 고장의 모습

▲ 상우가 그린 고장의 모습

지도에 나타난 고장의 모습 파악하기

02 혜지가 그린 그림 가운데에 있는 장소는 어디입니까?   (   )

① 공원   ② 약국
③ 학교   ④ 편의점
⑤ 빵 가게

그림으로 그린 고장의 모습 비교하기

03 혜지와 상우가 그린 고장의 모습을 바르게 비교한 것은 무엇입니까?   (   )

① 혜지는 약국을 가장 크게 그렸다.
② 상우의 그림 가운데에는 놀이터가 있다.
③ 상우는 건물 없이 자연의 모습만 그렸다.
④ 혜지와 상우가 그린 학교의 크기와 모양이 똑같다.
⑤ 상우가 그린 그림에는 길이 있는데, 혜지가 그린 그림에는 길이 없다.

디지털 영상 지도의 좋은 점 알기

04 디지털 영상 지도를 이용해 고장의 주요 장소를 살펴볼 때 좋은 점을 두 가지 고르시오.   (,   )

① 주요 장소의 모습은 크게 나타난다.
② 주요 장소의 위치를 쉽게 알 수 있다.
③ 주요 장소가 아닌 곳은 나타나지 않는다.
④ 주요 장소의 모습을 생생하게 볼 수 있다.
⑤ 큰길, 큰 산, 큰 강만 나타나 있어 복잡하지 않다.

디지털 영상 지도를 볼 수 있는 도구 알기

05 다음 중 디지털 영상 지도를 이용하여 고장의 모습을 살펴보기 위해 필요한 준비물은 무엇입니까?   (   )

① 녹음기   ② 돋보기
③ 사진기   ④ 컴퓨터
⑤ 현미경

자연환경과 관련된 고장의 지명 알기

06 고장의 자연환경과 관련된 지명이 <u>아닌</u> 것은 무엇입니까?   (   )

① 두물머리: 두 물줄기가 만나는 곳이라 하여 붙여진 지명이다.
② 효자동: 고장에 살던 인물의 효심을 알리려고 붙여진 지명이다.
③ 한반도면: 땅 모양이 한반도 모양을 닮았다고 하여 붙여진 지명이다.
④ 마이산: 산의 두 봉우리가 말의 귀처럼 생겼다고 해서 붙여진 지명이다.
⑤ 얼음골: 더운 여름에도 바위틈에 얼음이 생긴다고 해서 붙여진 지명이다.

고장의 지명으로 알 수 있는 사실 알기

07 다음 중 고장의 지명으로 알 수 있는 사실로 알맞은 것은 무엇입니까?   (   )

① 고장의 날씨   ② 고장의 인구
③ 고장의 주소   ④ 고장의 특징
⑤ 고장의 대표자

문화유산 구분하기

08 다음 중 문화유산이 <u>아닌</u> 것은 무엇입니까?   (   )

① 세탁기   ② 삼국사기
③ 평택 농악   ④ 한산 모시 짜기
⑤ 금동 미륵보살 반가 사유상

고장의 문화유산을 통해 알 수 있는 점 알기

09 고장의 문화유산을 통해 알 수 있는 점으로 알맞지 <u>않은</u> 것은 무엇입니까? ( )

① 조상들의 지혜
② 문화유산의 특징
③ 문화유산의 역사적 가치
④ 오늘날 발달한 과학 기술
⑤ 옛날 우리 고장 사람들의 생활 모습

오늘날 교통수단의 특징 알기

10 오늘날 교통수단에 대한 설명으로 알맞지 <u>않은</u> 것은 무엇입니까? ( )

① 먼 곳까지 갈 수 있다.
② 빠르게 목적지까지 갈 수 있다.
③ 석유, 가스, 전기 등을 이용한다.
④ 여러 사람이 함께 이용할 수 없다.
⑤ 한 번에 많은 사람과 물건을 실어 나를 수 있다.

특별한 목적을 위해 만들어진 교통수단 알기

11 다음과 같은 목적으로 만들어진 교통수단은 무엇입니까? ( )

> 경사가 심한 곳에서 사람이나 물건을 실어 나를 때 이용한다.

① 갯배
② 버스
③ 경운기
④ 구급차
⑤ 모노레일

오늘날의 통신수단 알기

12 다음에서 설명하는 통신수단은 무엇인지 쓰시오.

현 위치에서 목적지까지의 운전하는 길을 찾아 주어 자동차 운전을 도와준다.

( )

장소에 따라 달라지는 통신수단 알기

13 다음 장소에서 주로 이용하는 통신수단을 찾아 선으로 이으시오.

(1) 촌락의 주택 •   • ㉮ 인터폰

(2) 도시의 아파트 •   • ㉯ 마을 방송

계절에 따른 사람들의 생활 모습 알기

14 다음은 신문 기사의 제목입니다. 이와 관련된 계절은 언제입니까? ( )

> 진달래, 개나리 만개, 이번 주 절정

① 봄
② 여름
③ 가을
④ 겨울
⑤ 가을과 겨울

환경에 따른 사람들의 생활 모습 알기

15 논과 밭이 있는 고장 사람들이 하는 일로 알맞지 <u>않은</u> 것은 무엇입니까? ( )

① 가축을 기르는 일
② 김을 양식하는 일
③ 곡식을 재배하는 일
④ 채소를 재배하는 일
⑤ 농기구를 수리하는 일

의식주 생활 모습 구분하기

16 다음 중 주생활과 관련된 것은 무엇입니까? ( )

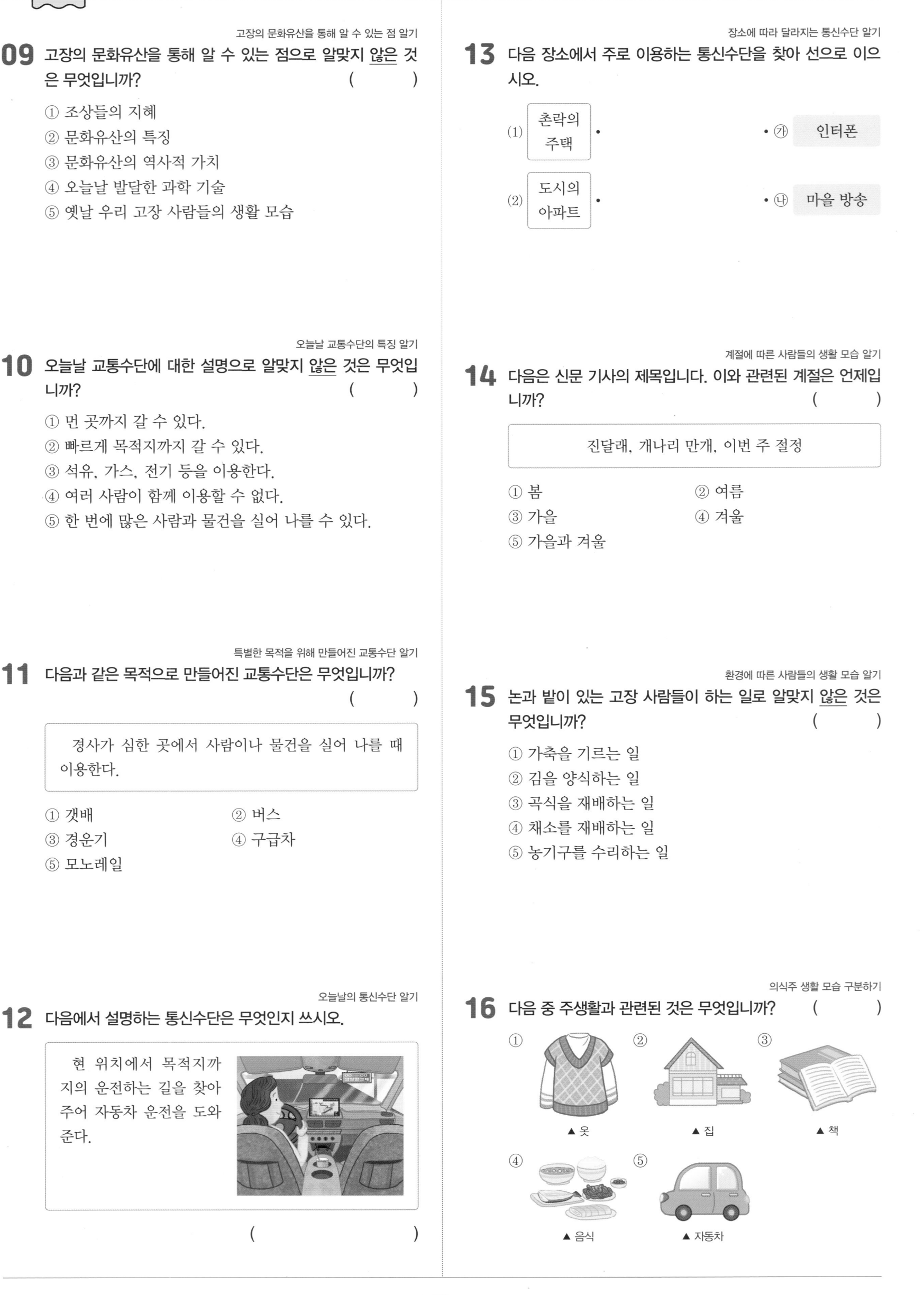

① ▲ 옷
② ▲ 집
③ ▲ 책
④ ▲ 음식
⑤ ▲ 자동차

17 다음과 같은 자연환경 때문에 경상남도 통영에 발달한 음식은 무엇입니까?   (   )

자연환경에 영향을 받는 식생활 모습 알기

> 통영의 바닷가에서는 굴이 잘 자란다.

① 굴국밥   ② 도토리묵
③ 옥돔구이   ④ 전어구이
⑤ 감자 옹심이

18 돌을 깨뜨려 도구를 만들어 사용했던 시대의 생활 모습으로 알맞지 <u>않은</u> 것은 무엇입니까?   (   )

옛날의 생활 모습 구분하기

① 불을 사용했다.
② 농사를 짓기 시작했다.
③ 사냥을 해 먹을 것을 구했다.
④ 옮겨 다니며 동굴에서 살았다.
⑤ 나무에서 열매를 따 먹을 것을 구했다.

19 음식을 만드는 도구가 발달한 차례대로 기호를 늘어놓으시오.

도구의 발달 과정 알기

> ㉮ 시루   ㉯ 토기   ㉰ 가마솥   ㉱ 전기밥솥

(   ) → (   ) → (   ) → (   )

20 다음 세시 풍속과 관련된 것은 무엇입니까?   (   )

옛날의 세시 풍속 알기

> • 부럼을 깨문다.
> • 쥐불놀이를 한다.
> • 오곡밥과 나물을 먹는다.

① 단오   ② 동지
③ 추석   ④ 한식
⑤ 정월 대보름

21 세시 풍속에 대한 설명으로 옳지 <u>않은</u> 것은 무엇입니까?   (   )

옛날과 오늘날의 세시 풍속 알기

① 단오에는 창포물에 머리를 감았다.
② 설날에는 윷놀이와 제기차기를 했다.
③ 옛날에는 농사와 관련된 세시 풍속이 많았다.
④ 옛날의 세시 풍속은 오늘날에도 그대로 행해진다.
⑤ 해마다 되풀이되는 생활 모습을 세시 풍속이라고 한다.

22 옛날의 결혼식에서 신랑이 신부에게 오래도록 행복하게 살기를 바라는 뜻에서 주었던 것은 무엇입니까?   (   )

옛날의 결혼식에서 신랑이 신부에게 주었던 물건 알기

① 말   ② 함
③ 가마   ④ 결혼반지
⑤ 나무 기러기

23 다음에서 설명하는 가족 형태를 쓰시오.

확대 가족과 핵가족 구분하기

(1) 결혼한 부부와 그 부모가 함께 사는 가족을 말한다.   (   )

(2) 부부 혹은 부부와 결혼하지 않은 자녀로 이루어진 가족을 말한다.   (   )

24 가족 구성원의 바람직한 역할로 알맞지 <u>않은</u> 것은 무엇입니까?   (   )

가족 구성원의 바람직한 역할 알기

① 가족이 실수했을 때 이해해 준다.
② 가족에게 힘든 일이 있을 때 도와준다.
③ 가족이 실패했을 때 용기를 가질 수 있게 해 준다.
④ 가족과 함께 생활하면서 필요한 규칙과 예절을 지킨다.
⑤ 가족에게 힘든 일이 있을 때 위로보다는 무조건 모른 척한다.

25 빈칸에 들어갈 알맞은 말은 무엇입니까?   (   )

다양한 가족을 대하는 태도 알기

> 다양한 가족의 생활 모습을 [   ] 해야 한다.

① 대항   ② 무시
③ 배척   ④ 존중
⑤ 차별

정답과 해설 20쪽

과학적인 측정 방법 알아보기

01 연필의 길이를 정확하게 측정하기 위한 방법으로 옳은 것을 두 가지 고르시오. (,)

① 한 번만 측정한다.
② 여러 번 반복하여 측정한다.
③ 자세히 살펴보아 길이를 어림한다.
④ 자를 이용해 가장 긴 부분을 측정한다.
⑤ 여러 번 측정하여 가장 큰 값을 선택한다.

여러 가지 물질의 성질 알아보기

02 나무 막대, 금속 막대, 고무 막대, 플라스틱 막대를 서로 긁어 보았을 때에 대한 설명으로 옳은 것은 무엇입니까?
( )

① 고무 막대가 가장 단단하다.
② 금속 막대는 나무 막대에 긁힌다.
③ 나무 막대는 금속 막대보다 단단하다.
④ 플라스틱 막대는 나무 막대에 긁히지 않는다.
⑤ 고무 막대는 플라스틱 막대에 긁히지 않는다.

물질의 성질이 우리 생활에 어떻게 이용되는지 알아보기

03 자전거 타이어를 이루는 물질과 그 물질로 만들면 좋은 점을 옳게 짝 지은 것은 무엇입니까? ( )

① 가죽 – 질기고 부드럽다.
② 플라스틱 – 가볍고 단단하다.
③ 금속 – 잘 부러지지 않고 튼튼하다.
④ 고무 – 충격을 잘 흡수하고 탄력이 있다.
⑤ 종이 – 싸고 가벼워 쉽게 사용할 수 있다.

서로 다른 물질을 섞었을 때 물질의 성질 변화 알아보기

04 물, 붕사, 폴리비닐 알코올을 섞어 탱탱볼을 만들었습니다. 이 실험으로 알 수 있는 사실은 무엇입니까? ( )

▲ 따뜻한 물   +   ▲ 붕사   →   ▲ 폴리비닐 알코올

① 서로 다른 물질을 섞어도 성질이 변하지 않는다.
② 서로 다른 물질을 섞으면 성질이 변하기도 한다.
③ 서로 다른 물질을 섞으면 성질이 서로 같게 된다.
④ 서로 다른 물질을 섞으려고 해도 섞이지 않는 경우가 있다.
⑤ 서로 다른 물질을 섞어도 다시 원래 물질로 분리할 수 있다.

동물 암수의 역할 알아보기

05 가시고기가 알과 새끼를 돌보는 과정에서 암수의 역할로 옳은 것은 무엇입니까? ( )

① 돌보지 않는다.   ② 암수가 함께 돌본다.
③ 다른 동물이 돌본다.   ④ 암컷이 혼자서 돌본다.
⑤ 수컷이 혼자서 돌본다.

배추흰나비를 기를 때 주의할 점 알아보기

06 배추흰나비를 기를 때 알이나 애벌레를 옮기는 방법으로 옳은 것은 무엇입니까? ( )

① 손으로 직접 옮긴다.
② 천으로 감싸서 옮긴다.
③ 가위를 이용하여 옮긴다.
④ 셀로판테이프를 이용하여 옮긴다.
⑤ 알이나 애벌레가 붙은 잎을 함께 옮긴다.

새끼를 낳는 동물의 한살이 알아보기

07 새끼를 낳는 동물의 한살이에 대한 설명으로 옳지 않은 것은 무엇입니까? ( )

① 임신 기간이 다르다.
② 새끼가 자라는 기간이 다르다.
③ 한 번에 낳는 새끼의 수가 같다.
④ 새끼와 어미의 모습이 비슷하다.
⑤ 다 자랄 때까지 어미의 보살핌을 받는다.

자석의 극 알아보기

08 다음과 같이 막대자석을 클립이 든 종이 상자에 넣었다가 천천히 들어 올렸습니다. 이 실험에 대한 설명으로 옳지 않은 것은 무엇입니까? ( )

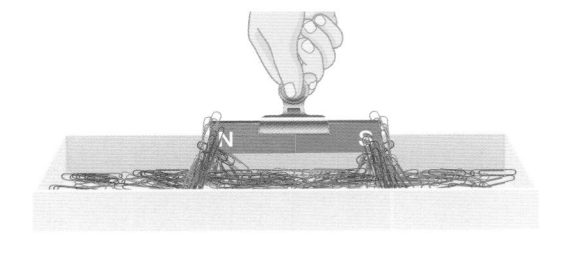

① 자석의 극은 한 개이다.
② 자석에는 철로 된 물체가 붙는다.
③ 자석의 극은 양쪽 끝부분에 있다.
④ 자석의 양쪽 끝부분에 클립이 많이 붙는다.
⑤ 자석에서 클립이 많이 붙는 부분이 자석의 극이다.

09 막대자석에 붙여 놓았던 머리핀을 수수깡 조각에 끼워 물에 띄웠습니다. 머리핀이 가리키는 방향에 대한 설명으로 옳지 않은 것을 두 가지 고르시오. (,)

나침반을 만드는 방법 알아보기

① 북쪽과 남쪽을 가리킨다.
② 동쪽과 서쪽을 가리킨다.
③ 나침반 바늘과 같은 방향을 가리킨다.
④ 일정한 방향을 가리키지 않고 계속 회전한다.
⑤ 머리핀 대신 바늘을 이용해도 같은 결과가 나온다.

10 다음은 고리 자석으로 탑을 가장 높게 쌓는 방법에 대한 설명입니다. ( ) 안에 들어갈 알맞은 말을 각각 쓰시오.

자석과 자석 사이에 작용하는 힘 알아보기

> 고리 자석의 (㉠) 극끼리 서로 (㉡) 성질을 이용하면 탑을 가장 높게 쌓을 수 있다.

㉠: ( ), ㉡: ( )

11 지구 표면의 모습에 대한 설명으로 옳지 않은 것은 무엇입니까? ( )

지구 표면의 모습 알아보기

① 산의 높이는 거의 똑같다.
② 파도가 치는 바다가 있다.
③ 표면이 잔잔한 호수가 있다.
④ 곡식들이 자라고 있는 들이 있다.
⑤ 모래가 넓게 펼쳐져 있는 사막이 있다.

12 지구에 공기가 없을 때 생길 수 있는 일을 두 가지 고르시오. (,)

지구의 공기가 하는 역할 알아보기

① 달이 뜨지 않는다.
② 구름이 많이 생긴다.
③ 바람이 불지 않는다.
④ 생물이 살아갈 수 없다.
⑤ 식물이 더 빨리 자란다.

13 달의 바다에 대한 설명으로 옳은 것은 무엇입니까? ( )

달 표면의 특징 알아보기

① 생물이 살고 있는 곳이다.
② 달 표면에서 물이 있는 곳이다.
③ 달 표면에서 밝게 보이는 곳이다.
④ 달 표면에서 어둡게 보이는 곳이다.
⑤ 달 표면에서 온도가 가장 낮은 곳이다.

14 동물을 특징에 따라 분류한 것으로 옳지 않은 것은 무엇입니까? ( )

동물의 특징에 따른 분류 알아보기

① 다리가 두 개인 동물: 비둘기, 참새
② 새끼를 낳는 동물: 다람쥐, 고양이, 토끼
③ 물속에서 살 수 있는 동물: 소금쟁이, 거미
④ 더듬이가 있는 동물: 꿀벌, 개미, 사슴벌레
⑤ 날개가 있는 동물: 잠자리, 메뚜기, 사슴벌레

15 다음 두 동물의 공통점으로 옳은 것은 무엇입니까? ( )

물에서 사는 동물의 특징 알아보기

▲ 조개   ▲ 상어

① 갯벌에서 산다.
② 헤엄쳐 이동한다.
③ 아가미로 숨을 쉰다.
④ 몸이 비늘로 덮여 있다.
⑤ 여러 개의 지느러미가 있다.

16 다음 잠자리에 대한 설명으로 옳은 것은 무엇입니까? ( )

날아다니는 동물의 특징 알아보기

① 몸이 두껍고 짧다.
② 날개가 두 쌍 있다.
③ 날개에 깃털이 있다.
④ 다리가 없어 앉을 수 없다.
⑤ 두꺼운 날개로 천천히 날아다닌다.

17 다음은 흙이 만들어지는 과정을 순서 없이 나타낸 것입니다. 순서대로 기호를 쓰시오.

흙이 만들어지는 과정 알아보기

> ㉠ 바위가 부서진다.
> ㉡ 바위틈에 물이 스며든다.
> ㉢ 오랜 시간 물이 얼었다 녹았다를 반복한다.
> ㉣ 작아진 알갱이와 생물이 썩어 생긴 물질들이 섞인다.

( ) → ( ) → ( ) → ( )

18 다음은 흙 언덕의 위쪽에서 물을 흘려보내는 실험입니다. 이 실험에 대한 설명으로 옳은 것은 무엇입니까? (　　　)

흐르는 물에 의한 지표의 변화 알아보기

① ㉠에서는 흙이 쌓인다.
② ㉢에서는 흙이 깎인다.
③ ㉡에는 물이 흘러가지 않는다.
④ ㉠에서는 침식 작용이 활발하다.
⑤ 색 모래는 아래쪽에서 위쪽으로 이동한다.

19 다음 두 지형의 공통점으로 옳은 것을 두 가지 고르시오.

바닷가 지형의 특징 알아보기

(　　，　　)

▲ 모래 해변   ▲ 갯벌

① 바닷가에서 볼 수 있는 지형이다.
② 모래나 흙이 넓게 쌓여 있는 지형이다.
③ 오랜 시간이 지나도 모습이 변하지 않는다.
④ 바닷물의 침식 작용으로 만들어진 지형이다.
⑤ 주로 바다 쪽으로 돌출된 부분에서 볼 수 있다.

20 고체에 대한 설명으로 옳지 <u>않은</u> 것은 무엇입니까?

고체의 성질 알아보기

(　　　)

① 고체는 눈으로 볼 수 있다.
② 대부분의 고체는 단단하다.
③ 고체는 손으로 잡을 수 있다.
④ 고체는 담는 그릇에 따라 부피가 변한다.
⑤ 고체는 담는 그릇이 바뀌어도 모양이 변하지 않는다.

21 다음은 오렌지 주스를 여러 가지 모양의 그릇에 옮겨 담은 모습입니다. 이로부터 알 수 있는 사실은 무엇입니까?

액체의 성질 알아보기

(　　　)

① 담는 그릇이 바뀌면 부피가 변한다.
② 담는 그릇이 바뀌면 모양이 변한다.
③ 담는 그릇이 바뀌면 무게가 변한다.
④ 담는 그릇이 바뀌면 모양과 부피가 변한다.
⑤ 담는 그릇이 바뀌어도 모양과 부피가 변하지 않는다.

22 다음과 같이 물속에서 플라스틱병을 눌렀을 때 나타나는 현상으로 옳지 <u>않은</u> 것을 보기 에서 골라 기호를 쓰시오.

물속에서 플라스틱병 누르기

보기
㉠ 공기 방울이 아래로 내려간다.
㉡ 공기 방울이 위로 올라와 사라진다.
㉢ 플라스틱병 입구에 공기 방울이 생긴다.

(　　　　　　　)

23 소리의 세기에 대해 옳게 말한 친구의 이름을 쓰시오.

소리의 세기 알아보기

• 민주: 소리의 크고 작은 정도를 말해.
• 희경: 물체가 작게 떨리면 큰 소리가 나.
• 수지: 물체가 크게 떨리면 작은 소리가 나.
• 인경: 물체가 떨리는 크기에 상관없이 소리의 크기는 같아.

(　　　　　　　)

24 소리의 전달에 대한 설명으로 옳은 것을 다음 보기 에서 골라 기호를 쓰시오.

소리의 전달 알아보기

보기
㉠ 액체인 물속에서도 소리가 전달된다.
㉡ 소리는 철과 같은 고체에서만 전달된다.
㉢ 기체인 공기가 없는 달에서도 소리가 전달된다.

(　　　　　　　)

25 도로에 다음과 같은 방음벽을 설치하는 까닭으로 옳은 것은 무엇입니까?

소음을 줄이는 방법 알아보기

(　　　)

① 도로를 오래 사용하기 위해서이다.
② 도로를 아름답게 꾸미기 위해서이다.
③ 자동차 소리를 흡수하기 위해서이다.
④ 도로가 훼손되는 것을 막기 위해서이다.
⑤ 자동차 소리를 반사시켜 소음을 줄이기 위해서이다.

모의 평가 1회

출제 범위: 3학년 전 범위   문항 수: 25문항

점수

정답과 해설 21쪽

1번부터 21번까지는 듣고 답하는 문제입니다. 녹음 내용을 잘 듣고, 물음에 답하기 바랍니다. 내용은 한 번만 들려줍니다.

첫소리가 같은 낱말 찾기

01 다음을 듣고, 들려주는 낱말과 첫소리가 같은 것을 고르시오.
( )

① ② ③ ④ ⑤

사물을 나타내는 낱말 이해하기

02 다음을 듣고, 들려주는 낱말과 일치하는 것을 고르시오.
( )

① ② ③
④ ⑤

수를 나타내는 낱말 이해하기

03 다음을 듣고, 들려주는 낱말과 숫자가 일치하는 것을 고르시오.
( )

① 3   ② 5   ③ 6   ④ 7   ⑤ 9

행동을 나타내는 낱말 이해하기

04 다음을 듣고, 그림과 일치하는 낱말을 고르시오. ( )

① ② ③ ④ ⑤

날씨를 나타내는 낱말 이해하기

05 다음을 듣고, 들려주는 낱말과 그림이 일치하는 것을 고르시오.
( )

① ② ③
④ ⑤

지시하는 표현 이해하기

06 다음을 듣고, 그림의 행동을 하도록 지시한 말을 고르시오.
( )

① ② ③ ④ ⑤

색깔을 묻고 답하는 표현 이해하기

07 그림을 보고, 이어질 대답으로 알맞은 것을 고르시오.
( )

① ② ③ ④ ⑤

인사 표현 이해하기

08 다음을 듣고, 이어질 대답으로 알맞은 것을 고르시오.
( )

① ② ③ ④ ⑤

누구인지 묻고 답하는 표현 이해하기

09 대화를 듣고, 두 사람이 말하고 있는 사람을 고르시오.
( )

물건을 주고받는 표현 이해하기

10 다음을 듣고, 그림에 가장 어울리는 말을 고르시오.
( )

① 🎧 ② 🎧 ③ 🎧 ④ 🎧 ⑤ 🎧

동물을 확인하고 답하는 표현 이해하기

11 대화를 듣고, 여자아이가 말하고 있는 동물을 고르시오.
( )

생일 축하 표현 이해하기

12 다음을 듣고, 그림에 가장 어울리는 대화를 고르시오.
( )

① 🎧 ② 🎧 ③ 🎧 ④ 🎧 ⑤ 🎧

나이를 묻고 답하는 표현 이해하기

13 대화를 듣고, 민수의 나이로 알맞은 숫자를 고르시오.
( )

① 6   ② 7   ③ 8   ④ 9   ⑤ 10

좋아하는지 묻고 답하는 표현 이해하기

14 대화를 듣고, 수미가 좋아하는 음식을 고르시오. ( )

사물을 묻고 답하는 표현 이해하기

15 대화를 듣고, 두 사람이 말하고 있는 물건을 고르시오.
( )

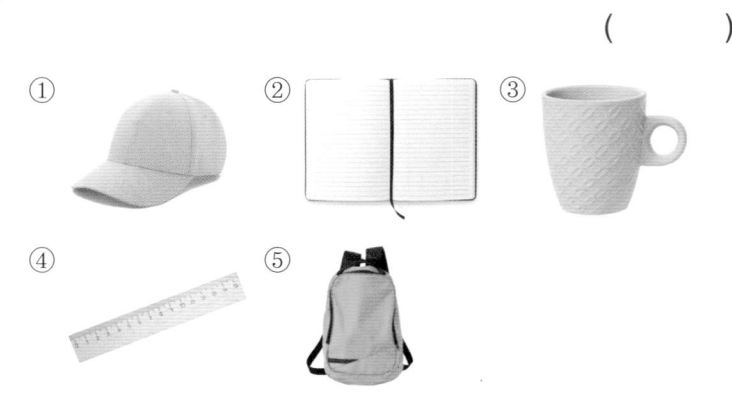

개수를 묻고 답하는 표현 이해하기

16 대화를 듣고, 멜론의 개수로 알맞은 숫자를 고르시오.
( )

① 6   ② 7   ③ 8   ④ 9   ⑤ 10

17 다음을 듣고, 자연스럽지 <u>않은</u> 대화를 고르시오. ( )

누구인지 묻고 답하는 표현 이해하기

① 🎧 ② 🎧 ③ 🎧 ④ 🎧 ⑤ 🎧

18 대화를 듣고, 수진이가 가지고 있는 것을 고르시오.

가지고 있는 것을 묻고 답하는 표현 이해하기

( )

① 자 ② 펜 ③ 풀
④ 연필 ⑤ 지우개

19 그림을 보고, 이어질 대답으로 알맞은 것을 고르시오.

날씨를 묻고 답하는 표현 이해하기

( )

① 🎧 ② 🎧 ③ 🎧 ④ 🎧 ⑤ 🎧

20 대화를 듣고, 남자아이가 할 수 있는 것을 고르시오.

할 수 있는 것을 묻고 답하는 표현 이해하기

( )

① 수영 ② 춤추기 ③ 줄넘기
④ 스키 타기 ⑤ 스케이트 타기

21 대화를 듣고, 두 사람이 할 일을 고르시오. ( )

제안하고 답하는 표현 이해하기

① 수영 ② 춤추기 ③ 줄넘기
④ 스키 타기 ⑤ 스케이트 타기

> 이제 듣기 문제가 모두 끝났습니다. 22번부터는 문제지의 지시에 따라 답하기 바랍니다.

22 다음 그림에 알맞은 낱말을 고르시오. ( )

사물을 나타내는 낱말 읽고 의미 이해하기

① ruler ② pen ③ pencil
④ eraser ⑤ notebook

23 다음 낱말을 읽고, 의미로 알맞은 것을 고르시오. ( )

색깔을 나타내는 낱말 읽고 의미 이해하기

| yellow |

① 흰색 ② 노란색 ③ 초록색
④ 빨간색 ⑤ 파란색

24 그림을 보고, 보기 의 알파벳을 사용하여 바르게 쓴 낱말을 고르시오. ( )

동물을 나타내는 낱말 완성하여 쓰기

| 보기 |
| e, k, m, n, o, y |

① keymon ② monkey ③ nomkey
④ komney ⑤ menoky

25 다음 낱말을 소문자로 바르게 바꾸어 쓴 것을 고르시오.

알파벳 대문자를 소문자로 바꾸어 쓰기

( )

BIRD

① dirb ② bird ③ blrd
④ dlrb ⑤ bind

[01~02] 다음 글을 읽고 물음에 답하시오.

　　밤이 되면 장승 친구들은 신바람이 나요. 팔다리가 생겨 마음껏 뛰어놀 수 있거든요. ㉠날아서 훨훨, 헤엄치며 첨벙 첨벙.
　　그렇지만 날이 밝기 전에 꼭 제자리로 돌아와야 해요. 그 약속을 어기면 다시는 움직일 수 없게 되니까요.
　　장승 친구들은 환한 보름달 아래에서 숨바꼭질도 해요.
　　"꼭꼭 숨어라. 머리카락 보인다." / "야, 이빨 보인다."
　　"아이고, 넌 배꼽 보여." / "주먹코도 보인다!"
　　㉡별빛처럼 맑은 웃음소리가 밤하늘을 수놓아요.
　　장승 친구들은 날이 밝는 줄도 몰랐어요.
　　㉢"꼬끼오!"
　　멀리서 새벽닭 소리가 들려오자 뻐드렁니가 소리쳤어요.
　　"벌써 아침이야! 빨리 돌아가지 않으면 여기서 꼼짝 못 하게 돼!" / ㉣모두들 정신없이 달렸어요.
　　그런데 멋쟁이가 보이지 않아요. 어디에 있는 걸까요?
　　멋쟁이는 잘난 척하고 꼭꼭 숨어 있다가 그만 날이 밝은 줄도 모른 거예요.

감각적 표현 찾기

01 ㉠~㉣ 중에서 다음 설명에 해당하는 부분의 기호를 쓰시오.

　장승들이 밝게 웃으며 밤새 재미있게 노는 모습을 감각적으로 표현하였다.

（　　　　　）

이어질 내용 예측하기

02 이 글 다음에 이어질 내용을 알맞게 짐작한 것은 무엇입니까? （　　　）

① 장승 친구들이 다시 숨바꼭질을 할 것이다.
② 멋쟁이 장승은 낮에도 움직일 수 있을 것이다.
③ 멋쟁이 장승은 밤이 되어도 움직이지 못할 것이다.
④ 뻐드렁니 장승은 낮이 되어도 재미있게 놀 것이다.
⑤ 장승 친구들은 앞으로 숨바꼭질을 하지 않을 것이다.

문단의 개념 이해하기

03 문단에 대한 설명이 틀린 것은 무엇입니까? （　　　）

① 문단이 모이면 한 편의 글이 된다.
② 한 문단이 끝나면 줄을 바꾸어 쓴다.
③ 문단을 시작할 때는 한 칸을 들여 쓴다.
④ 문단은 여러 개의 중심 문장으로만 구성된다.
⑤ 문단은 문장이 몇 개 모여 한 가지 생각을 나타낸다.

높임 표현의 방법 파악하기

04 민용이가 사용한 높임 표현을 두 가지 고르시오.
（　　，　　）

① '-습니다'로 문장을 끝맺었다.
② 높임을 나타내는 '-시-'를 넣었다.
③ 높임의 뜻이 있는 '드리다'를 사용했다.
④ 높여야 할 대상에게 '께'나 '께서'를 썼다.
⑤ 낱말 뒤에 '분'을 붙여 높임의 뜻을 나타냈다.

글쓴이의 마음 짐작하기

05 '나'는 어머니께 어떤 마음을 전하고 싶어 합니까? （　　　）

　　그때 단짝 친구 소은이가 나를 불렀다.
　　"민서야. 너희 어머니께서 이거 너 주라고 하셨어."
　　내 물감이었다.
　　"우리 어머니 만났어?"
　　"교문 앞에서 만났는데, 시간이 없어서 그러신다며 나한테 대신 전해 달라고 하셨어."
　　나는 어머니 말씀에 대꾸도 하지 않고 학교에 왔는데, 어머니께서는 출근하느라 바쁘신데도 학교까지 오셔서 물감을 주고 가셨나 보다. 집에 가서 어머니께 죄송하다고 말씀드려야겠다.

① 서운한 마음　　　　② 속상한 마음
③ 죄송한 마음　　　　④ 축하하는 마음
⑤ 격려하는 마음

글의 내용 간추리는 방법 알기

06 설명하는 글을 읽고 내용을 간추리는 방법으로 알맞지 않은 것은 무엇입니까? （　　　）

① 각 문단의 중요한 내용을 찾아 정리한다.
② 묶을 수 있는 낱말을 이용해 간단하게 정리한다.
③ 첫 번째 문단은 최대한 길고 자세하게 정리한다.
④ 중요한 내용을 이어서 전체 내용을 하나로 묶는다.
⑤ 중요한 내용을 이을 때는 이어 주는 말을 사용한다.

원인과 결과에 따라 이야기하기

07 다음 글에서 일어난 일을 알맞게 정리한 것에 ○표 하시오.

> 그날 저녁이었습니다. 승호는 교실에 혼자 남겨 두고 온 짹짹콩콩이가 걱정되어 잠을 이룰 수가 없었습니다. 걱정을 하던 승호는 살그머니 밖으로 나왔습니다. 그리고 학교를 향해 달렸습니다. 승호는 조금 무서웠지만 조심조심 복도를 걸어 교실로 갔습니다.
> "어?"
> 승호는 두 눈을 동그랗게 떴습니다. 교실에는 선생님과 여러 명의 아이가 와 있었습니다.

(1) 승호는 아기 참새가 걱정되었다. 그러나 저녁에 혼자 교실로 갔다. ( )

(2) 승호는 저녁에 교실로 갔다. 왜냐하면 혼자 남은 아기 참새가 걱정되었기 때문이다. ( )

국어사전을 찾는 방법 알기

08 ㉠~㉢의 기본형이 알맞게 짝 지어진 것은 무엇입니까? ( )

> 기후에 따라 사람들이 생활하는 모습이 다릅니다. ㉠입는 옷, 먹는 음식, 사는 집도 기후와 ㉡깊은 관련이 있습니다. 기후에 따라 생활 모습이 어떻게 ㉢다른지 알아봅시다.

	㉠	㉡	㉢
①	입다	기다	달다
②	입다	깊다	달다
③	입다	깊다	다르다
④	입는	기프다	다르다
⑤	입는	기프다	다르다

글쓴이의 의견 파악하기

09 골무 할미가 자신이 중요하다고 말한 까닭은 무엇입니까? ( )

> 골무 할미: 에헴, 나도 말참견 좀 해야겠다. 중요함으로 치면 나만 한 이가 또 없지. 아씨 손 다칠세라 밤낮 시중드는 것도 바로 내 몸이야. 내가 빠져서는 안 되지. 암, 그렇고말고.

① 밤낮으로 잠을 자지 않기 때문이다.
② 심심하지 않게 말참견을 잘하기 때문이다.
③ 아씨의 손을 다치지 않게 보호하기 때문이다.
④ 아씨가 손을 다쳤을 때 대신 일했기 때문이다.
⑤ 아씨가 자신이 제일 중요하다고 말했기 때문이다.

[10~11] 다음 글을 읽고 물음에 답하시오.

> 우리나라에서는 사라져 가는 반딧불이 ㉠서식지를 천연기념물로 정하고 있습니다. 전라북도 무주군 설천면 남대천 일대가 바로 그곳이에요. 여기에서는 매년 반딧불이 축제가 열립니다. 수십, 수백 마리의 반딧불이가 반짝거리는 모습을 보면 말로는 설명이 안 될 정도로 황홀하답니다.
> 반딧불이가 반짝반짝 빛을 내는 것은 서로 ㉡의견을 나누기 위해서랍니다. 다른 동물처럼 소리를 내거나 냄새를 잘 맡지 못하기 때문에 빛으로 서로의 생각을 전달하지요. 특히 암수가 서로 짝을 찾을 때 그 불빛이 큰 역할을 해요. 수컷이 암컷에게 사랑을 고백하는 뜻으로 빛을 깜빡이면 암컷도 반짝거리며 대답합니다. 빛으로 어떻게 얘기할까 싶지만 빛을 빠르게 또는 천천히 깜빡이거나, 점점 밝게, 점점 약하게 조절하는 방법으로 여러 가지 생각을 표현하지요.

글의 내용 이해하기

10 이 글의 내용으로 알맞지 <u>않은</u> 것은 무엇입니까? ( )

① 반딧불이는 소리를 내서 짝을 찾는다.
② 무주에서는 매년 반딧불이 축제가 열린다.
③ 반딧불이는 빛으로 서로의 생각을 전달한다.
④ 우리나라에서 반딧불이 서식지가 사라지고 있다.
⑤ 반딧불이는 다른 동물들처럼 냄새를 맡지 못한다.

낱말의 뜻 짐작하기

11 ㉠, ㉡과 바꾸어 쓸 수 있는 낱말이 알맞게 짝 지어진 것은 무엇입니까? ( )

① ㉠ – 곳, ㉡ – 대답
② ㉠ – 장소, ㉡ – 말
③ ㉠ – 자리, ㉡ – 소리
④ ㉠ – 사는 곳, ㉡ – 질문
⑤ ㉠ – 사는 곳, ㉡ – 생각

이야기에서 재미나 감동을 느낀 부분 찾기

12 이야기에서 재미나 감동을 느낀 부분을 찾는 방법을 알맞게 말한 친구의 이름을 쓰시오.

> 재연: 글쓴이가 누구인지 알면 재미와 감동을 느낄 수 있어.
> 우정: 주인공이 겪은 일과 관련이 없는 경험을 떠올려서 찾았어.
> 형준: 글에서 흉내 내는 말이나 반복되는 말이 나오는 부분을 찾으면 돼.

( )

알맞은 표정, 몸짓, 말투 찾기

13 밑줄 친 부분에 어울리는 표정, 몸짓, 말투로 알맞은 것에 ○표 하시오.

> "정말 웃기지도 않네. 우리 지렁이들은 젠체하고 살지 않아. 우리는 그냥 지렁이야."
> "너는 내가 무섭지 않니?"
> "왜 너를 무서워해야 하는데?"
> "내가 너보다 훨씬 덩치가 크니까."
> 부벨라는 당연하다는 듯이 대답했어요.

(1) 펄쩍펄쩍 뛰면서 기쁜 표정으로 ( )
(2) 입을 삐죽 내밀고 속상한 표정으로 ( )
(3) 쪼그리고 앉아서 놀란 표정과 목소리로 ( )

[14~15] 다음 글을 읽고 물음에 답하시오.

> **갯벌을 보존해야 하는 까닭**
> ㉠셋째, 갯벌은 육지에서 나오는 오염 물질을 분해해 좋은 환경을 만듭니다. ㉡갯벌은 겉으로는 그냥 진흙탕처럼 보이지만 작은 생물이 갯벌에 많이 살고 있습니다. 이 생물들은 오염 물질 분해가 잘 이루어지게 합니다. 갯벌에서 흔히 사는 갯지렁이도 오염 물질 분해를 돕습니다.
> ㉢넷째, 갯벌은 기후를 조절하고 홍수를 줄여 주는 역할을 합니다. ㉣갯벌 흙은 물을 많이 흡수해 저장했다가 내보내는 기능을 합니다. ㉤그러므로 갯벌은 비가 많이 오면 빗물을 저장해 갑작스러운 홍수를 막아 줍니다. 그리고 주변 온도와 습도에 따라 물을 흡수하고 내보내는 역할을 알맞게 수행해 기후를 알맞게 만들어 줍니다.

글쓴이의 생각 파악하기

14 제목을 보고 알 수 있는 글쓴이의 생각은 무엇입니까? ( )

① 갯벌이 생겨난 까닭을 강조하고 싶어 한다.
② 갯벌 체험을 했던 경험을 말하고 싶어 한다.
③ 갯벌이 많아졌을 때의 문제점을 알려 주려고 한다.
④ 갯벌을 보존해야 하는 까닭을 강조하고 싶어 한다.
⑤ 갯벌에 사는 다양한 생물을 자세히 알려 주려고 한다.

중심 문장 찾기

15 ㉠~㉤ 중에서 중심 문장을 모두 찾아 기호를 쓰시오.
( )

인상 깊은 일을 글로 쓰기

16 기억에 남는 일을 정리하면 좋은 점이 <u>아닌</u> 것은 무엇입니까? ( )

① 자신이 한 일을 되돌아볼 수 있다.
② 기억에 남는 일을 글로 쓸 수 있다.
③ 다른 사람보다 글씨를 잘 쓸 수 있다.
④ 기억에 남는 일을 자세히 떠올릴 수 있다.
⑤ 어떤 내용을 말하거나 쓸지 점검할 수 있다.

[17~18] 다음 글을 읽고 물음에 답하시오.

> 나는 간식을 먹다가 결심했어요.
> 아저씨에게 색깔을 가르쳐 주기로요.
> 블링크 아저씨에게 알려 주기 위해 나는 색깔을 떠올리는 것을 찾아봤어요.
> 가장 초록색인 것은 맨발로 걸을 때 발가락 사이로 살살 삐져나오는 축축한 풀잎이에요.
> 가장 붉은색인 것은 할아버지 밭에서 나는 토마토 맛이에요.
> 가장 푸른색인 것은 옆집 수영장에서 헤엄치는 것이에요.
> 가장 흰 것은 여름에 푹 자고 열 시쯤에 일어났을 때예요.

글의 내용 이해하기

17 '내'가 색깔을 떠올리는 것을 찾아본 까닭은 무엇입니까? ( )

① 피아노 연주를 잘 하기 위해서
② 할아버지를 기쁘게 해 드리기 위해서
③ 그림을 잘 그리는 화가가 되기 위해서
④ 할아버지께 블링크 아저씨를 소개하기 위해서
⑤ 블링크 아저씨에게 색깔을 가르쳐 주기 위해서

감각적 표현 찾기

18 다음은 '내'가 어떤 색깔을 떠올린 것입니까? ( )

> 옆집 수영장에서 헤엄치는 것

① 흰색　　② 붉은색　　③ 초록색
④ 푸른색　　⑤ 노란색

대화할 때 고려해야 할 점 알기

19 다른 사람과 대화하는 방법으로 알맞은 것에 ○표 하시오.

(1) 웃어른께는 높임 표현을 써야 한다. ( )
(2) 상대방의 기분보다 내 기분을 중요하게 여겨야 한다. ( )

[20~21] 다음 글을 읽고 물음에 답하시오.

이튿날, 운동회에 나갈 선수를 뽑기로 했어요. 모두 들뜬 마음으로 선생님의 말씀에 귀 기울였어요.

"제비뽑기로 선수를 뽑자. 누구나 한 경기씩 나갈 수 있도록 말이야."

"말도 안 돼. 가장 잘하는 사람이 나가야 하는 것 아닌가요?"

아이들은 투덜거리며 제비를 뽑았어요. 기찬이의 제비뽑기 순서가 다가왔어요. 기찬이는 '이어달리기'가 쓰인 쪽지를 뽑았어요. 울상이 된 기찬이를 보고 친구들이 몰려들었어요.

"안 봐도 질 게 뻔해!"

"어떡해! 이어달리기가 가장 점수가 높은데!"

그때 이호가 쪽지를 까딱까딱 흔들며 말했어요. 이호가 뽑은 쪽지도 '이어달리기'였어요.

"얘들아, 이 형님만 믿어!"

인물이 처한 상황 파악하기

20 기찬이가 제비를 뽑았을 때 친구들의 반응은 어떠하였습니까? ( )

① 제비를 다시 뽑자고 했다.
② 손뼉을 치며 축하해 주었다.
③ 안 봐도 질 게 뻔하다며 걱정했다.
④ 기찬이가 뽑은 쪽지를 부러워했다.
⑤ 이호에게 기찬이 대신 나가라고 부탁했다.

인물의 마음 짐작하기

21 '이어달리기'가 쓰인 쪽지를 뽑은 이호의 마음으로 알맞은 것은 무엇입니까? ( )

① 부담이 되어 마음이 무거웠을 것이다.
② 잘할 수 있다고 생각해서 설렜을 것이다.
③ 운이 없다고 생각해 기분이 나빴을 것이다.
④ 친구들이 부러워해서 자랑스러웠을 것이다.
⑤ 좋아하는 것을 뽑지 못해서 속상했을 것이다.

여러 가지 방법으로 책 소개하기

22 '책 보여 주며 말하기'로 책을 소개하는 방법이 <u>아닌</u> 것은 무엇입니까? ( )

① 책 표지를 보여 주며 제목을 말한다.
② 책 앞뒤 표지의 글과 그림을 소개한다.
③ 가장 인상적인 부분과 그 까닭을 말한다.
④ 노랫말을 책을 소개하는 내용으로 바꾸어 부른다.
⑤ 책 내용 가운데에서 소개하고 싶은 부분을 말한다.

[23~24] 다음 글을 읽고 물음에 답하시오.

가 토요일 아침 일찍 출발해서, 맨 처음 도착한 고창 관광지는 고인돌 박물관이었다. 고인돌 박물관에서는 영화와 유물들을 보면서 고인돌의 역사를 알 수 있었다.

나 다음으로 간 곳은 동림 저수지 야생 동식물 보호 구역이었다. 동림 저수지는 겨울 철새가 많이 찾는 곳으로 우리 가족도 혹시 철새 떼의 춤을 볼 수 있을까 하는 기대로 방문해 보았다.

다 마지막으로 고창의 유명한 절인 선운사를 방문했다. 선운사는 삼국 시대 때부터 지어진 오래된 절이다. 오래된 절답게 웅장한 건물과 많은 관광객이 있었다. 선운사에서 가장 인상 깊었던 것은 선운사 뒤편의 동백나무 숲이었다.

장소의 변화 파악하기

23 글쓴이가 방문한 장소의 차례대로 기호를 쓰시오.

㉮ 선운사　　㉯ 동림 저수지　　㉰ 고인돌 박물관

( ) → ( ) → ( )

글의 흐름에 따라 간추리기

24 이 글을 정리하려면 어떤 부분에 주의하며 간추려야 합니까? ( )

① 시간의 흐름과 차례
② 일하는 방법과 일 차례
③ 일이 일어난 원인과 결과
④ 장소 변화와 각 장소에서 한 일
⑤ 전체의 생김새와 각 부분의 특징

인물의 표정, 몸짓, 말투 상상하기

25 밑줄 친 부분에 어울리는 표정, 몸짓, 말투는 무엇입니까? ( )

토끼: 네, 알았습니다. 그러니까 이 호랑이하고 당신이 궤짝 속에 갇혀 있었다고요?
나그네: 아니지요. 호랑이가…….
호랑이: (답답하다는 듯이 화를 내며) 왜 이렇게 말귀를 못 알아듣지? (궤짝 속으로 들어가며) 이 궤짝 속에 내가 이렇게 있었어. 내가 이렇게 갇혀 있었단 말이야. 알았지?

① 가슴을 치며 호통 치는 말투로 말한다.
② 기쁜 표정을 하며 즐거운 말투로 말한다.
③ 재빠르게 움직이며 도망가는 몸짓을 한다.
④ 반가운 표정과 빠르고 급한 말투로 말한다.
⑤ 미안해하는 표정으로 손을 모으는 동작을 한다.

정답과 해설 24쪽

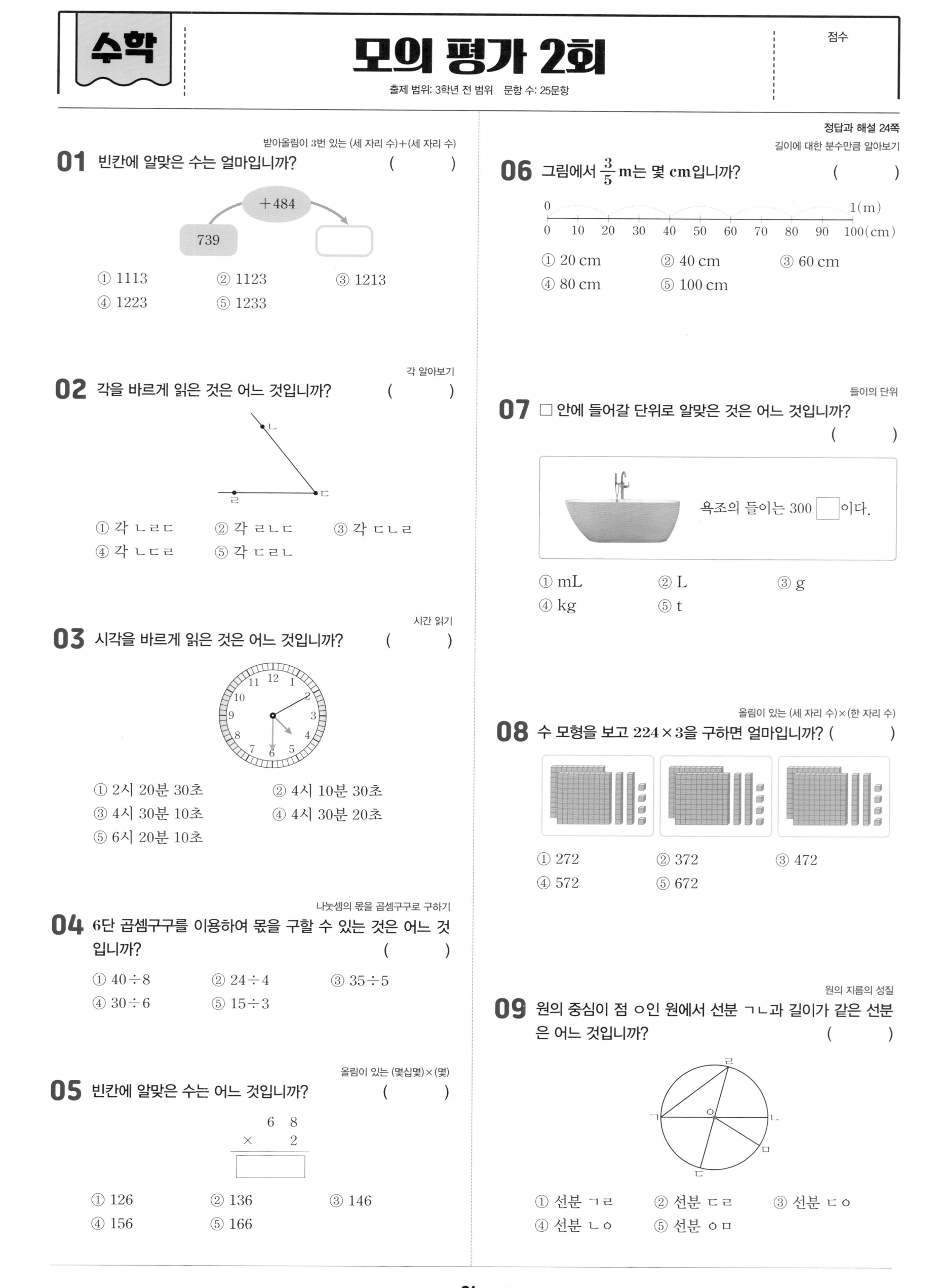

01 빈칸에 알맞은 수는 얼마입니까? (   )

받아올림이 3번 있는 (세 자리 수)+(세 자리 수)

739 ＋484 →

① 1113   ② 1123   ③ 1213
④ 1223   ⑤ 1233

02 각을 바르게 읽은 것은 어느 것입니까? (   )

각 알아보기

① 각 ㄴㄹㄷ   ② 각 ㄹㄴㄷ   ③ 각 ㄷㄹㄴ
④ 각 ㄴㄷㄹ   ⑤ 각 ㄷㄴㄹ

03 시각을 바르게 읽은 것은 어느 것입니까? (   )

시간 읽기

① 2시 20분 30초   ② 4시 10분 30초
③ 4시 30분 10초   ④ 4시 30분 20초
⑤ 6시 20분 10초

04 6단 곱셈구구를 이용하여 몫을 구할 수 있는 것은 어느 것입니까? (   )

나눗셈의 몫을 곱셈구구로 구하기

① 40÷8   ② 24÷4   ③ 35÷5
④ 30÷6   ⑤ 15÷3

05 빈칸에 알맞은 수는 어느 것입니까? (   )

올림이 있는 (몇십몇)×(몇)

$$\begin{array}{r} 6\ 8 \\ \times\ \ 2 \\ \hline \end{array}$$

① 126   ② 136   ③ 146
④ 156   ⑤ 166

06 그림에서 $\frac{3}{5}$ m는 몇 cm입니까? (   )

길이에 대한 분수만큼 알아보기

① 20 cm   ② 40 cm   ③ 60 cm
④ 80 cm   ⑤ 100 cm

07 □ 안에 들어갈 단위로 알맞은 것은 어느 것입니까? (   )

들이의 단위

욕조의 들이는 300 □ 이다.

① mL   ② L   ③ g
④ kg   ⑤ t

08 수 모형을 보고 224×3을 구하면 얼마입니까? (   )

올림이 있는 (세 자리 수)×(한 자리 수)

① 272   ② 372   ③ 472
④ 572   ⑤ 672

09 원의 중심이 점 ㅇ인 원에서 선분 ㄱㄴ과 길이가 같은 선분은 어느 것입니까? (   )

원의 지름의 성질

① 선분 ㄱㄹ   ② 선분 ㄷㄹ   ③ 선분 ㄷㅇ
④ 선분 ㄴㅇ   ⑤ 선분 ㅇㅁ

10 구슬이 51개 있습니다. 4명이 똑같이 나누어 가진다면 한 명이 구슬을 몇 개씩 가질 수 있고, 몇 개가 남습니까?

내림과 나머지가 있는 (몇십몇)÷(몇)

(   )

① 11개씩 가질 수 있고, 1개가 남는다.
② 11개씩 가질 수 있고, 3개가 남는다.
③ 12개씩 가질 수 있고, 3개가 남는다.
④ 12개씩 가질 수 있고, 2개가 남는다.
⑤ 12개씩 가질 수 있고, 1개가 남는다.

11 □ 안에 들어갈 수가 가장 작은 것은 어느 것입니까?

소수 알아보기

(   )

① 0.8은 0.1이 □개이다.
② 0.□은/는 0.1이 7개이다.
③ 0.1이 □개이면 0.6이다.
④ 0.1이 5개이면 0.□이다.
⑤ 0.9는 0.1이 □개이다.

12 네 변의 길이의 합이 16 cm인 정사각형의 한 변의 길이는 몇 cm입니까?

정사각형의 성질

(   )

① 4 cm   ② 5 cm   ③ 6 cm
④ 7 cm   ⑤ 8 cm

13 표와 그림그래프에 대한 설명으로 **틀린** 것은 어느 것입니까?

표와 그림그래프 알아보기

(   )

① 표는 조사한 수의 합계를 바로 알 수 없다.
② 표는 조사한 수를 세지 않고 바로 알 수 있다.
③ 그림그래프는 단위에 따라 그림의 크기를 다르게 그린다.
④ 그림그래프는 자료의 많고 적음을 한눈에 비교할 수 있다.
⑤ 그림그래프는 합계를 바로 알 수 없다.

14 길이가 4 m인 색 테이프 중에서 152 cm를 사용했습니다. 남은 색 테이프의 길이는 몇 cm입니까?

받아내림이 두 번 있는 (세 자리 수)−(세 자리 수)

(   )

① 248 cm   ② 247 cm   ③ 246 cm
④ 245 cm   ⑤ 244 cm

15 그림과 같이 원의 반지름이 1 cm씩 늘어나는 규칙으로 원을 그렸습니다. 5번째 원의 지름은 몇 cm입니까?

원을 이용하여 여러 가지 모양 그리기

(   )

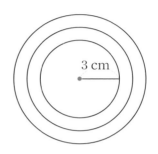

3 cm

① 5 cm   ② 7 cm   ③ 10 cm
④ 12 cm   ⑤ 14 cm

16 지민이의 가방의 무게는 1 kg 300 g이고, 현수의 가방의 무게는 지민이의 가방의 무게보다 900 g 더 무겁습니다. 현수의 가방 무게는 몇 kg 몇 g입니까?

무게의 덧셈

(   )

① 1 kg 200 g   ② 1 kg 500 g
③ 1 kg 900 g   ④ 2 kg 200 g
⑤ 2 kg 900 g

17 □ 안에 들어갈 수로 알맞은 수는 어느 것입니까?(   )

나눗셈의 활용

$$\square \div 7 = 7$$

① 1   ② 14   ③ 18
④ 21   ⑤ 49

18 내림과 나머지가 있는 (몇십몇)÷(몇)

농장에 있는 돼지와 오리의 다리를 세어 보니 136개였습니다. 오리가 40마리라면 돼지는 몇 마리입니까? (   )

① 10마리　　② 11마리　　③ 12마리

④ 14마리　　⑤ 20마리

19 올림이 있는 (몇십몇)×(몇십몇)

도로의 한쪽에 15 m 간격으로 처음부터 끝까지 가로수 28 그루를 심었습니다. 가로수를 심은 도로의 길이는 몇 m입니까? (단, 가로수의 두께는 생각하지 않습니다.)

(   )

① 390 m　　② 405 m　　③ 420 m

④ 435 m　　⑤ 450 m

20 가분수 알아보기

조건 에 맞는 분수는 모두 몇 개입니까? (   )

> 조건
> 2보다 작으면서 분모가 4인 가분수

① 2개　　② 3개　　③ 4개

④ 5개　　⑤ 6개

21 올림이 있는 (몇)×(몇십몇)

장미꽃이 한 다발에 4송이씩 17다발 있고 학생은 한 모둠에 11명씩 3모둠 있습니다. 학생 한 명에게 장미꽃을 한 송이씩 나누어 주면 남는 장미꽃은 몇 송이입니까?

(   )

① 10송이　　② 20송이　　③ 30송이

④ 35송이　　⑤ 45송이

22 시간의 덧셈

재범이는 단축 마라톤 경기에 참가했습니다. 출발 시각은 9시 40분 30초이고, 재범이의 단축 마라톤 완주 기록은 55분 40초입니다. 재범이가 결승점에 도착한 시각은 몇 시 몇 분 몇 초인지 구해 보시오.

(   )

23 분모가 같은 분수의 크기 비교

조건 에 알맞은 분수를 모두 구해 보시오.

> 조건
> • 분모가 15이다.
> • 분자가 10보다 작다.
> • 분자가 짝수이다.

(   )

24 맞게 계산했는지 확인하기

어떤 수를 5로 나누어야 할 것을 잘못하여 7로 나누었더니 몫이 14이고, 나누어떨어졌습니다. 바르게 계산했을 때의 몫과 나머지를 각각 구해 보시오.

몫 (   )

나머지 (   )

25 올림이 있는 (몇십몇)×(몇)

다음 3장의 수 카드를 모두 한 번씩만 사용하여 (몇십몇)×(몇)의 곱셈식을 만들려고 합니다. 곱이 가장 작게 될 때의 곱셈식을 만들고 답을 구해 보시오.

| 3 | 5 | 7 |

□□ × □ = □□□

정답과 해설 25쪽

01 장소에서의 경험 떠올리기

고장의 장소에 대한 경험으로 알맞은 것을 찾아 선으로 이으시오.

(1) 우체국 ·

(2) 병원 ·

(3) 산 ·

(4) 놀이터 ·

· ㉮ 아픈 곳을 치료했다.

· ㉯ 등산을 하며 맑은 공기를 마셨다.

· ㉰ 친구들과 시소와 그네를 타며 즐겁게 놀았다.

· ㉱ 제주도에 사시는 할아버지, 할머니께 편지를 써서 부쳤다.

02 고장의 모습을 그릴 때 그릴 장소 정하기

우리 고장의 모습을 그리려고 합니다. 그릴 장소로 알맞지 않은 것은 무엇입니까?   (   )

① 내가 좋아하는 곳
② 내가 자주 가는 곳
③ 친구들에게 알리고 싶은 곳
④ 고장 사람들이 많이 찾는 곳
⑤ 우리 고장에는 없지만 있었으면 하는 곳

03 지도에 나타난 고장의 모습 파악하기

다음 그림에 대한 설명으로 알맞은 것은 무엇입니까?
(   )

▲ 현수가 그린 고장의 모습

① 큰길을 강조하여 그렸다.
② 상상 속의 장소를 그렸다.
③ 그림의 가운데에 학교를 그렸다.
④ 어린이들만 이용할 수 있는 장소를 그렸다.
⑤ 장소의 모습을 알 수 없게 건물을 단순하게 그렸다.

04 디지털 영상 지도의 기능 알기

디지털 영상 지도에서 우리 고장의 모습을 자세히 살펴보기 위해 사용해야 할 기능은 무엇입니까?   (   )

① ─ 단추 누르기
② + 단추 누르기
③ 이동 기능 사용하기
④ 백지도 기능 사용하기
⑤ 길 찾기 기능 사용하기

05 백지도의 의미 알기

다음에서 설명하는 지도를 무엇이라고 합니까? (   )

산, 강, 큰길 등과 같은 밑그림만 그려져 있는 지도를 말한다.

① 교통도   ② 그래프
③ 백지도   ④ 지형도
⑤ 디지털 영상 지도

06 고장의 옛이야기로 알 수 있는 것 알기

고장의 옛이야기로 알 수 있는 것은 무엇입니까? (   )

① 고장 인구수
② 고장에서 가장 발달한 곳
③ 고장 이름의 유래나 특징
④ 고장의 시·군·구청의 위치
⑤ 오늘날 발달한 고장의 교통수단

07 고장의 옛이야기 조사 방법 알기

고장의 옛이야기 조사 방법 중 다음과 같은 효과를 얻을 수 있는 조사 방법은 무엇입니까?   (   )

옛이야기와 관련된 장소의 현재 모습을 생생하게 볼 수 있다.

① 지도 검색하기
② 누리집 검색하기
③ 어른께 여쭈어보기
④ 고장 홍보 자료 검색하기
⑤ 옛이야기와 관련된 장소 찾아가기

08 답사의 의미 알기

문화유산이 있는 장소에 직접 가서 조사하는 방법을 무엇이라고 하는지 쓰시오.

문화유산 (   )

09 문화유산을 답사할 때 주의할 점으로 알맞은 것은 무엇입니까? ( )

① 한 사람이 모든 역할을 맡아서 한다.
② 문화유산을 직접 만지면서 답사를 한다.
③ 무엇을 조사할 것인지 생각하지 않고 간다.
④ 사진 촬영은 허락된 곳에서만 하도록 한다.
⑤ 어른들 없이 모둠 친구들끼리만 답사를 한다.

10 소달구지에 대한 설명으로 알맞은 것은 무엇입니까? ( )

① 옛날의 통신수단이다.
② 바람이 없으면 이용할 수 없다.
③ 주로 물건을 옮기는 데 사용하였다.
④ 석유와 같은 연료가 반드시 필요하다.
⑤ 오늘날 도시에서 많이 이용하는 교통수단이다.

11 고속 열차의 등장으로 변화된 사람들의 생활 모습으로 알맞은 것은 무엇입니까? ( )

① 해외여행이 증가하였다.
② 위험한 곳도 쉽게 갈 수 있게 되었다.
③ 섬에 갈 때 자동차를 가지고 갈 수 있게 되었다.
④ 원하는 곳까지 더 빠른 속도로 갈 수 있게 되었다.
⑤ 높은 곳에 있는 고장도 편하게 오갈 수 있게 되었다.

12 옛날 사람들이 통신수단을 이용했던 모습으로 알맞지 <u>않은</u> 것은 무엇입니까? ( )

① 편지를 보냈다.
② 휴대 전화로 약속을 정했다.
③ 직접 찾아가서 소식을 전했다.
④ 사람을 시켜 중요한 문서를 보냈다.
⑤ 많은 사람이 볼 수 있도록 글을 써서 벽에 붙였다.

13 통신수단의 발달로 달라진 생활 모습으로 알맞지 <u>않은</u> 것은 무엇입니까? ( )

① 집에서 인터넷 쇼핑을 한다.
② 실시간 버스 도착 알림 서비스를 이용한다.
③ 집에서 재택근무를 하며 화상 회의를 한다.
④ 직접 가서 관찰하기 어려운 것들은 인터넷 영상으로 살펴본다.
⑤ 자동차로 목적지까지 가는 길을 찾기 위해 종이로 된 지도를 살펴본다.

14 다음 중 날씨에 영향을 주는 것과 관련된 환경을 모두 고르시오. (, ,)

① 눈   ② 비
③ 산   ④ 우박
⑤ 하천

15 다음은 각각 자연환경과 인문환경 중 어떤 환경을 이용한 여가 활동인지 쓰시오.

(1)   (2)

( )   ( )

16 자연환경에 따른 식생활에 대한 설명 중 알맞은 것을 모두 고르시오. (, ,)

① 각 고장의 자연환경에 따라 발달한 음식이 다르다.
② 바다가 있는 고장에서는 해산물을 이용한 음식을 많이 먹는다.
③ 바다가 있는 고장에서는 산나물을 이용한 음식을 많이 먹는다.
④ 산지가 있는 고장에서는 해산물을 이용한 음식을 많이 먹는다.
⑤ 산지가 있는 고장에서는 산나물을 이용한 음식을 많이 먹는다.

자연환경에 따른 주생활 모습 알기

17 다음은 터돋움집에 대한 설명입니다. 터돋움집이 발달한 고장은 어디입니까? 　　　（　　　）

> 집이 물에 잠기지 않도록 땅 위에 터를 돋우어 그 위에 집을 지었다.

▲ 터돋움집

① 산이 많은 고장
② 날씨가 더운 고장
③ 날씨가 추운 고장
④ 겨울에 눈이 많이 오는 고장
⑤ 여름에 비가 많이 오는 고장

도구의 발달 과정과 도구의 쓰임새 알기

18 다음은 도구의 발달을 나타낸 것입니다. 도구의 쓰임새로 알맞은 것은 무엇입니까? 　（　　　）

> 반달 돌칼 → 철로 만든 낫 → 탈곡기 → 콤바인

① 땅을 가는 도구
② 옷을 만드는 도구
③ 음식을 만드는 도구
④ 곡식을 수확하는 도구
⑤ 곡식을 보관하는 데 쓰는 도구

집 형태의 발달 과정 알기

19 집의 형태가 발달한 차례대로 기호를 늘어놓으시오.

> ㉮ 움집　　　　　　㉯ 주택, 아파트
> ㉰ 초가집, 기와집　㉱ 동굴, 바위 그늘

（　　　）→（　　　）→（　　　）→（　　　）

설날의 세시 풍속 알기

20 다음과 같은 준비물이 필요한 설날의 세시 풍속은 무엇입니까? 　（　　　）

> ・윷　　　・윷말　　　・윷판

① 씨름　　　　　　② 윷놀이
③ 강강술래　　　　④ 그네뛰기
⑤ 제기차기

오늘날의 세시 풍속이 옛날과 다른 까닭 알기

21 오늘날의 세시 풍속이 옛날과 다른 까닭은 무엇입니까? 　（　　　）

① 큰 명절까지 모든 명절이 사라졌기 때문에
② 농업에 종사하는 사람들이 크게 늘었기 때문에
③ 전해 내려오는 세시 풍속이 하나도 없기 때문에
④ 농업과 관련된 세시 풍속만 전해 내려오기 때문에
⑤ 과학의 발달로 사람들의 직업이 다양해지고 생활 모습이 달라졌기 때문에

신랑과 신부가 결혼식 때 입는 옷 알기

22 빈칸에 들어갈 알맞은 말을 쓰시오.

> 옛날에는 결혼식 때 신랑과 신부는 [　　　]을/를 입었고, 오늘날에는 주로 신랑은 턱시도, 신부는 웨딩드레스를 입는다.

（　　　）

핵가족과 확대 가족 구분하기

23 핵가족에 대한 설명으로 알맞은 것은 무엇입니까? 　（　　　）

① 오늘날에는 사라진 가족 형태이다.
② 옛날에 많이 볼 수 있었던 가족 형태이다.
③ 결혼한 자녀와 부모가 함께 사는 가족이다.
④ 확대 가족보다 가족 구성원의 수가 많은 편이다.
⑤ 결혼하지 않은 자녀와 부모가 함께 사는 가족이다.

가족 구성원의 역할이 변화한 까닭 알기

24 가족 구성원의 역할이 변화하게 된 까닭과 관련이 없는 것은 무엇입니까? 　（　　　）

① 여성의 사회 활동이 활발해졌다.
② 교육의 기회가 불평등하게 제공된다.
③ 남녀노소 모두 교육받을 기회가 늘어났다.
④ 모두가 평등하다는 사회 분위기가 만들어졌다.
⑤ 개인의 의견을 존중하는 사회 분위기가 만들어졌다.

다양한 형태의 가족을 대하는 태도 알기

25 다양한 형태의 가족을 대하는 태도로 적합하지 않은 것은 무엇입니까? 　（　　　）

① 배려　　　② 배척　　　③ 이해
④ 인정　　　⑤ 존중

정답과 해설 26쪽

과학적인 추리 방법 알아보기

01 과학적으로 추리하는 방법에 대한 설명으로 옳지 <u>않은</u> 것은 무엇입니까?   (   )

① 대상에 대한 정보를 많이 얻어야 한다.
② 대상을 다양하고 정확하게 관찰해야 한다.
③ 앞으로 무슨 일이 일어날지 명확하게 생각해야 한다.
④ 추리한 것이 관찰 결과를 모두 설명할 수 있어야 한다.
⑤ 관찰한 것을 자신이 알고 있는 것, 과거 경험과 관련지어 생각해야 한다.

여러 가지 물질의 성질 알아보기

02 오른쪽 금속으로 만든 자동차 장난감에 대한 설명으로 옳은 것은 무엇입니까?   (   )

① 물에 뜬다.
② 물렁물렁하다.
③ 모양이 잘 변한다.
④ 가볍고 잘 휘어진다.
⑤ 단단하고 잘 부서지지 않는다.

물질의 성질 이용 알아보기

03 다음 책상에 대한 설명으로 옳지 <u>않은</u> 것은 무엇입니까?
(   )

① 두 가지 이상의 물질로 만들어졌다.
② 상판을 나무로 만들어 가벼우면서도 단단하다.
③ 몸체는 금속으로 만들어 잘 부러지지 않고 튼튼하다.
④ 상판을 고무로 만들면 부드러워 책을 올려놓기에 좋다.
⑤ 받침은 플라스틱으로 만들어 바닥이 긁히는 것을 줄여 준다.

종류가 같은 물체를 여러 가지 물질로 만드는 까닭 알아보기

04 다음과 같은 특징을 가진 컵을 이루는 물질은 무엇입니까?
(   )

- 잘 깨진다.
- 투명하며 무엇이 들어 있는지 쉽게 알 수 있다.

① 흙   ② 유리   ③ 금속
④ 종이   ⑤ 플라스틱

배추흰나비 애벌레의 특징 알아보기

05 배추흰나비 애벌레가 번데기로 변하기 전에 나타나는 변화로 옳은 것을 다음 보기 에서 두 가지 골라 기호를 쓰시오.

보기

㉠ 안전한 곳을 찾는다.   ㉡ 몸의 색깔이 맑아진다.
㉢ 몸의 마디가 없어진다.   ㉣ 먹이를 더 많이 먹는다.

(,   )

배추흰나비 어른벌레의 특징 알아보기

06 배추흰나비 어른벌레가 애벌레, 번데기와 다른 점으로 옳은 것은 무엇입니까?   (   )

① 계속 자란다.
② 몸에 마디가 있다.
③ 먹이를 먹을 수 있다.
④ 다리로 기어 다닐 수 있다.
⑤ 날개가 있어 날아다닐 수 있다.

알을 낳는 동물의 한살이 알아보기

07 닭의 한살이에 대한 설명으로 옳은 것은 무엇입니까?
(   )

① 병아리는 몸이 깃털로 덮여 있다.
② 큰 병아리는 깃털이 솜털로 바뀐다.
③ 알은 물렁물렁한 껍데기에 싸여 있다.
④ 다 자란 닭은 암컷이 알을 낳을 수 있다.
⑤ 어미 닭이 알을 품은 지 1일이 지나면 부화한다.

자석의 극 알아보기

08 자석의 극에 대한 설명으로 옳지 <u>않은</u> 것은 무엇입니까?
(   )

① 고리 자석의 극은 두 개이다.
② 막대자석의 극은 양쪽 끝부분에 있다.
③ 철로 된 물체가 가장 많이 붙는 부분이다.
④ 자석의 극은 항상 자석의 한가운데에 있다.
⑤ 둥근기둥 모양 자석의 극은 양쪽 끝부분에 있다.

자석이 가리키는 방향 알아보기

09 다음과 같이 막대자석을 플라스틱 접시에 놓고 물에 띄웠을 때, 일정한 시간이 지난 뒤 막대자석이 가리키는 방향을 쓰시오.

(   )

10 자석 클립 통과 자석 필통에 공통적으로 이용된 자석의 성질은 무엇입니까?   (   )

자석의 이용 알아보기

① 같은 극끼리 밀어 내는 성질
② 다른 극끼리 끌어당기는 성질
③ 일정한 방향을 가리키는 성질
④ 두 개의 극을 가지고 있는 성질
⑤ 철로 된 물체를 끌어당기는 성질

11 다음 세계 지도를 보고, 지구의 육지와 바다에 대한 설명으로 옳은 것은 무엇입니까?   (   )

지구의 육지와 바다 알아보기

① 육지가 바다보다 더 넓다.
② 바다가 육지보다 더 넓다.
③ 육지가 바다보다 더 낮다.
④ 육지와 바다의 넓이는 비슷하다.
⑤ 지구 표면은 대부분 육지로 덮여 있다.

12 지구의 모양으로 옳은 것은 무엇입니까?   (   )

지구의 모양 알아보기

① 지구는 네모난 모양이다.
② 지구는 세모난 모양이다.
③ 지구는 편평한 모양이다.
④ 지구는 둥근 공 모양이다.
⑤ 지구의 모양은 계속 변한다.

13 지구와 달의 공통점으로 옳은 것은 무엇입니까? (   )

지구와 달의 공통점 알아보기

① 표면이 매끄럽다.
② 둥근 공 모양이다.
③ 구름과 바다가 있다.
④ 표면에 물이 흐른다.
⑤ 하늘에 새가 날아다닌다.

14 동물을 다음과 같이 분류했을 때 분류 기준으로 알맞은 것은 무엇입니까?   (   )

동물을 특징에 따라 분류하기

고양이, 참새	토끼, 꿀벌

① 날개가 있는가?
② 다리가 있는가?
③ 새끼를 낳는가?
④ 다른 동물을 먹는가?
⑤ 물속에서 살 수 있는가?

15 붕어가 물속에서 생활하기에 알맞은 점을 두 가지 고르시오.   (,   )

물에서 사는 동물의 특징 알아보기

① 물갈퀴가 있다.
② 지느러미가 있다.
③ 아가미로 숨을 쉰다.
④ 몸이 네모꼴 형태이다.
⑤ 물에 잘 젖지 않는 털로 덮여 있다.

16 다음 고속 열차의 앞부분은 어떤 동물의 특징을 활용한 것입니까?   (   )

우리 생활에서 동물의 특징을 활용한 예 알아보기

① 오리 발   ② 상어 피부
③ 문어 빨판   ④ 물총새 부리
⑤ 전복의 껍데기

17 운동장 흙과 화단 흙의 물 빠짐을 비교하는 실험에서 다르게 해야 할 것은 무엇입니까?   (   )

운동장 흙과 화단 흙 비교하기

① 물의 양   ② 흙의 양
③ 흙의 종류   ④ 물을 붓는 빠르기
⑤ 플라스틱 통의 크기

18 흐르는 물이 지표에 미치는 영향에 대한 설명으로 옳지 <u>않은</u> 것은 무엇입니까? ( )

흐르는 물에 의한 지표의 변화 알아보기

① 지표 위의 돌을 운반한다.
② 지표의 모습을 변화시킨다.
③ 운반한 돌이나 흙을 쌓는다.
④ 지표 위의 바위나 돌을 깎는다.
⑤ 짧은 시간 동안에 지표를 빠르게 변화시킨다.

19 다음에서 설명하는 바닷가 지형을 골라 기호를 쓰시오.

바닷가 지형의 특징 알아보기

> 바닷물이 바위와 만나는 부분을 계속 깎고 무너뜨려서 만들어진 지형이다.

㉠   ㉡

( )

20 다음 물체와 같이 담는 그릇이 바뀌어도 모양과 부피가 변하지 않는 물질의 상태를 무엇이라고 하는지 쓰시오.

물체의 성질 알아보기

▲ 쇠구슬   ▲ 주사위

( )

21 액체에 대한 설명으로 옳은 것은 무엇입니까? ( )

액체의 성질 알아보기

① 모든 액체는 투명하다.
② 손으로 쉽게 잡을 수 있다.
③ 모양이 변해서 무게를 잴 수가 없다.
④ 그릇의 모양에 따라 모양이 변하지 않는다.
⑤ 다른 그릇에 옮겨 담아도 부피가 변하지 않는다.

22 다음 중 주사기 안의 공기가 코끼리 나팔로 이동한 경우를 골라 기호를 쓰시오.

기체의 성질 알아보기

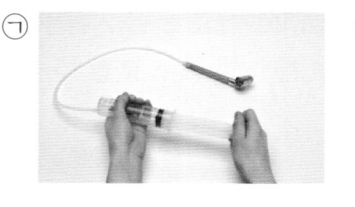
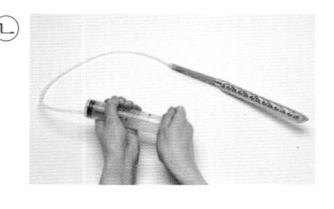

㉠   ㉡

( )

23 다음은 물체에서 소리가 날 때의 특징을 알아보는 실험입니다. ( ) 안에 들어갈 알맞은 말을 쓰시오.

소리가 나는 물체의 특징 알아보기

▲ 소리가 나는 스피커에 손을 대 보기   ▲ 소리가 나는 소리굽쇠를 물에 대 보기

> 물체에서 소리가 날 때는 물체가 ( )은/는 공통점이 있다.

( )

24 소리의 높낮이에 대한 설명으로 옳은 것은 무엇입니까? ( )

소리의 높낮이 알아보기

① 북은 주로 소리의 높낮이를 이용해 연주한다.
② 실로폰 음판은 길이에 따라 소리의 높낮이가 다르다.
③ 수영장의 안전 요원은 호루라기의 낮은 소리를 이용한다.
④ 화재경보기는 낮은 소리로 불이 난 것을 주위에 알린다.
⑤ 모든 악기는 소리의 높낮이만을 이용해 음악을 연주한다.

25 소리가 잘 전달되지 <u>않는</u> 경우는 언제입니까? ( )

소리의 전달 알아보기

① 동굴에서 이야기를 할 때
② 소리가 나는 스피커에 가까이 있을 때
③ 철봉에 귀를 대고 철봉을 나무로 두드릴 때
④ 물속에서 수중 스피커로 음악 소리를 들을 때
⑤ 공기를 뺄 수 있는 통 안에 소리가 나는 스피커를 넣고 공기를 모두 뺐을 때

모의 평가 2회

출제 범위: 3학년 전 범위   문항 수: 25문항

점수

정답과 해설 27쪽

1번부터 21번까지는 듣고 답하는 문제입니다. 녹음 내용을 잘 듣고, 물음에 답하기 바랍니다. 내용은 한 번만 들려줍니다.

첫소리가 같은 낱말 찾기

01 다음을 듣고, 들려주는 낱말과 첫소리가 같은 것을 고르시오. (   )

①   ②   ③

④   ⑤

과일을 나타내는 낱말 이해하기

02 다음을 듣고, 들려주는 낱말과 그림이 일치하는 것을 고르시오. (   )

①    ②    ③

④    ⑤

사물을 나타내는 낱말 이해하기

03 다음을 듣고, 책상 위에 <u>없는</u> 것을 고르시오. (   )

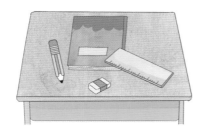

① 🎧   ② 🎧   ③ 🎧   ④ 🎧   ⑤ 🎧

동물을 나타내는 낱말 이해하기

04 다음을 듣고, 그림과 일치하는 낱말을 고르시오. (   )

① 🎧   ② 🎧   ③ 🎧   ④ 🎧   ⑤ 🎧

사물을 나타내는 낱말 이해하기

05 다음을 듣고, 들려주는 말에 알맞은 것을 고르시오. (   )

① ⚽   ② 🎻   ③ 🎒

④ 👒   ⑤ ☕

날씨를 묻고 답하는 표현 이해하기

06 다음을 듣고, 그림의 상황에 알맞은 말을 고르시오. (   )

① 🎧   ② 🎧   ③ 🎧   ④ 🎧   ⑤ 🎧

지시하는 표현 이해하기

07 다음을 듣고, 지시대로 행동한 것을 고르시오. (   )

①   ②   ③

④   ⑤

08 다음을 듣고, 남자아이의 나이로 알맞은 숫자를 고르시오.
나이를 묻고 답하는 표현 이해하기
( )

① 6 ② 7 ③ 8 ④ 9 ⑤ 10

09 그림을 보고, 이어질 대답으로 알맞은 것을 고르시오.
개수를 묻고 답하는 표현 이해하기
( )

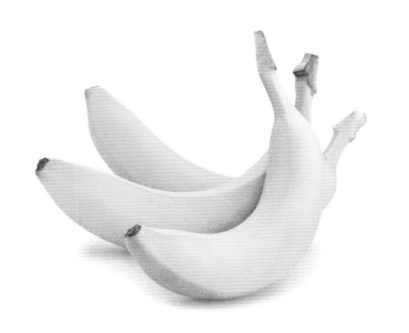

① 🎧 ② 🎧 ③ 🎧 ④ 🎧 ⑤ 🎧

10 대화를 듣고, 두 사람이 말하고 있는 것을 고르시오.
색깔을 묻고 답하는 표현 이해하기
( )

11 대화를 듣고, 지나가 가지고 있는 것을 고르시오. ( )
가지고 있는 것을 묻고 답하는 표현 이해하기

① 책 ② 지우개 ③ 가위
④ 공책 ⑤ 가방

12 다음을 듣고, 이어질 대답으로 알맞은 것을 고르시오.
물건을 주고받는 표현 이해하기
( )

① 🎧 ② 🎧 ③ 🎧 ④ 🎧 ⑤ 🎧

13 대화를 듣고, 미나와 Mark가 할 수 있는 것이 바르게 짝 지어진 것을 고르시오.
할 수 있는 것을 묻고 답하는 표현 이해하기
( )

	미나	Mark
①	수영	스키
②	수영	스케이트
③	스키	스키
④	스키	스케이트
⑤	스케이트	수영

14 대화를 듣고, 두 사람이 말하고 있는 사람을 고르시오.
누구인지 묻고 답하는 표현 이해하기
( )

15 대화를 듣고, 두 사람이 할 일을 고르시오. ( )
제안하고 답하는 표현 이해하기

① 달리기 ② 줄넘기 ③ 춤추기
④ 스키 타기 ⑤ 스케이트 타기

16 다음을 듣고, 그림의 상황에 알맞은 대답을 고르시오.
날씨를 묻고 답하는 표현 이해하기
( )

① 🎧 ② 🎧 ③ 🎧 ④ 🎧 ⑤ 🎧

17 다음을 듣고, 자연스럽지 않은 대화를 고르시오. ( )
인사 표현 이해하기

① 🎧 ② 🎧 ③ 🎧 ④ 🎧 ⑤ 🎧

18 대화를 듣고, Sally가 좋아하는 음식을 고르시오.(   )

좋아하는 것을 묻고 답하는 표현 이해하기

① 피자   ② 닭고기   ③ 햄버거
④ 샐러드   ⑤ 스파게티

동물을 확인하고 답하는 표현 이해하기

19 대화를 듣고, 두 사람이 보고 있는 동물을 고르시오.
(   )

① 개   ② 얼룩말   ③ 코끼리
④ 고양이   ⑤ 원숭이

색깔을 묻고 답하는 표현 이해하기

20 대화를 듣고, 대화의 마지막에 이어질 말로 알맞은 것을 고르시오. (   )

① Yes, it is.   ② It's big.
③ Yes, I do.   ④ It's small.
⑤ It's black.

인사 표현 이해하기

21 대화를 듣고, 두 사람의 관계로 알맞은 것을 고르시오.
(   )

① 아빠와 딸   ② 오빠와 여동생
③ 남동생과 누나   ④ 처음 만난 사이
⑤ 친한 친구 사이

이제 듣기 문제가 모두 끝났습니다. 22번부터는 문제지의 지시에 따라 답하기 바랍니다.

알파벳 대·소문자 식별하기

22 다음 중 대문자와 소문자가 바르게 짝 지어지지 <u>않은</u> 것을 고르시오. (   )

① A – a   ② E – e   ③ I – i
④ P – q   ⑤ Y – y

사물을 나타내는 낱말 읽고 의미 이해하기

23 다음 그림에 알맞은 낱말을 고르시오. (   )

① hat   ② cap
③ bag   ④ ball
⑤ umbrella

동물을 나타내는 낱말 읽고 의미 이해하기

24 다음 낱말을 읽고, 의미로 알맞은 것을 고르시오. (   )

bear

① 개   ② 곰   ③ 새
④ 고양이   ⑤ 원숭이

알파벳 소문자를 대문자로 바꾸어 쓰기

25 다음 낱말을 대문자로 바르게 바꾸어 쓴 것을 고르시오.
(   )

brother

① BPOTHEP   ② BROTNER
③ BROTHER   ④ DPOTNEP
⑤ DROTNER

모의 평가 3회

출제 범위: 3학년 전 범위 문항 수: 25문항

정답과 해설 29쪽

[01~02] 다음 시를 읽고 물음에 답하시오.

○ 이틀째 앓아누워
학교에 못 갔는데, 누가 벌써
학교 갔다 돌아왔는지
ⓒ 골목에서 공 튀는 소리 들린다.

탕탕―
땅바닥을 두들기고
탕탕탕―
담벼락을 두들기고
탕탕탕탕―
꽉 닫힌 창문을 두들기며
ⓒ 골목 가득 울리는
소리

ⓔ 내 방 안까지 들어와
이리 튕기고 저리 튕겨 다닌다.

까무룩 또 잠들려는 나를
뒤흔들어 깨우고는, 내 몸속까지
튀어 들어와 탕탕탕―
ⓜ 내 맥박을 두들긴다.

말하는 이의 마음 파악하기

01 이 시에 나타난 말하는 이의 마음으로 가장 알맞은 것은 무엇입니까? ( )

① 학교에 가고 싶은 마음
② 깊이 잠들고 싶은 마음
③ 공 튀는 소리가 듣기 싫은 마음
④ 빨리 병원에 다녀오고 싶은 마음
⑤ 밖에 나가서 공놀이를 하고 싶은 마음

감각적 표현 찾기

02 ○~ⓜ 중에서 말하는 이의 마음을 감각적으로 표현한 것을 골라 기호를 쓰시오.

( )

알맞은 높임 표현 사용하기

03 높임 표현을 바르게 사용한 것은 무엇입니까? ( )

① "아버지가 뭐래?"
② "선생님이 너 오래."
③ "쟁반이 너무 예쁘세요."
④ "어머니께서 갖다주래요."
⑤ "옆집 어른께서 고맙다고 하셨어요."

[04~05] 다음 글을 읽고 물음에 답하시오.

엄마, 아빠, 할머니께

가슴이 너무 쿵쿵거려서 아래층 손님들한테까지 제 심장 뛰는 소리가 들릴 것만 같아요.

오늘 점심때 짐 외삼촌이 가게 문에 '휴업'이라는 팻말을 걸고는 에드 아저씨와 엠마 아줌마와 저에게 위층으로 올라가서 기다리라고 하셨어요. 외삼촌은 제가 지금까지 한 번도 보지 못한 굉장한 케이크를 들고 나타나셨어요. 꽃으로 뒤덮인 케이크였어요. 저한테는 그 케이크 한 개가 외삼촌이 천 번 웃으신 것만큼이나 의미 있었어요.

그리고…… 그리고 외삼촌이 주머니에서 편지를 꺼내셨어요. 아빠가 취직을 하셨다는 소식이 담긴 편지였어요. 저, 이제 집으로 돌아가요.

1936년 7월 11일
모두에게 사랑을 담아서, 그리고 곧
만날 날을 기다리며 리디아 그레이스

편지의 형식 알기

04 편지의 형식 가운데에서 이 글에 빠져 있는 부분을 쓰시오.

( )

마음이 드러나게 편지 쓰기

05 리디아가 이 편지를 통해 전하려는 마음은 무엇입니까? ( )

① 기쁜 마음
② 불안한 마음
③ 속상한 마음
④ 화나는 마음
⑤ 부끄러운 마음

중요한 내용 간추리기

06 다음 글을 읽고 중요한 내용을 간추려 쓴 것입니다. 빈칸에 들어갈 알맞은 말을 쓰시오.

물에 사는 생물들은 살아가는 모습에 따라서 크게 세 가지로 나뉩니다. 바닥 생활을 하는 생물, 헤엄을 치는 생물, 그리고 떠다니는 생물이 있습니다. 이 가운데 물에 둥둥 떠다니는 생물을 통틀어서 '플랑크톤'이라고 합니다.

↓

물에 둥둥 떠다니는 생물을 '⬜⬜⬜⬜⬜'이라고 함.

07 다음을 읽고 알맞은 것끼리 선으로 이으시오.

원인과 결과 파악하기

(1) 밤에 쓰레기를 버리러 가도 무섭지 않다. •

• ㉮ 원인

(2) 밤에는 쓰레기 정거장에 환하게 불을 밝혀 놓았다. •

• ㉯ 결과

국어사전에서 낱말을 찾는 방법 알기

08 국어사전에서 다음 낱말을 찾으려고 합니다. 찾아야 하는 낱자를 차례대로 늘어놓으시오.

친구

( ), ( ), ( ), ( ), ( )

[09~10] 다음 글을 읽고 물음에 답하시오.

㉮ 우리는 좋은 습관을 길러야 합니다. 작은 습관이 모여 결국은 큰 변화를 만들기 때문입니다. 습관이란 어떤 행동을 오랫동안 되풀이하면서 저절로 몸에 익은 행동을 말합니다. 예를 들어 꾸준히 일기를 쓴다든가 말을 바르고 곱게 하는 것, 몸을 깨끗이 잘 씻는 것 따위는 작지만 좋은 습관입니다. 좋은 습관이 무엇인지를 알아보고, 좋은 습관을 기르려고 노력해 봅시다.

㉯ 첫째, 약속을 잘 지키는 습관을 기릅시다. 약속은 자신이나 다른 사람과 어떤 일을 지키기로 다짐한 것으로 신뢰를 줄 수 있기 때문입니다. 우리는 살면서 약속을 자주 합니다. 약속을 잘 지키면 주변 사람들에게 믿음을 줄 수 있습니다. 그리고 사람들과 사이도 좋아집니다. 약속을 잘 지키는 것은 지켜야 할 기본예절입니다. 그러므로 약속을 잘 지킬 수 있도록 노력해야 합니다.

중심 문장 찾기

09 글 ㉮ 와 ㉯ 의 중심 문장을 찾아 선으로 이으시오.

(1) 글 ㉮ •

• ㉮ 약속을 잘 지키는 습관을 기릅시다.

• ㉯ 우리는 살면서 약속을 자주 합니다.

(2) 글 ㉯ •

• ㉲ 우리는 좋은 습관을 길러야 합니다.

글쓴이의 의견 파악하기

10 이 글에 나타난 글쓴이의 의견으로 가장 알맞은 것은 무엇입니까? ( )

① 약속을 자주 하자.
② 좋은 습관을 기르자.
③ 일기를 꾸준히 쓰자.
④ 몸을 깨끗이 잘 씻자.
⑤ 말을 바르고 곱게 하자.

낱말의 뜻 짐작하기

11 다음 글에서 '미리 준비함.'이라는 뜻을 가진 낱말은 무엇입니까? ( )

지진 발생 시 장소별 행동 요령	
집 안에 있을 경우	집 밖에 있을 경우
탁자 아래로 들어가 몸을 보호합니다. 할 수 있으면 전기와 가스를 차단하고, 문을 열어 출구를 확보한 뒤에 밖으로 나갑니다.	물건이 떨어질 것에 대비해 가방이나 손으로 머리를 보호하며, 건물과 거리를 두고 운동장이나 공원같이 넓은 공간으로 대피합니다.

① 보호   ② 차단   ③ 확보
④ 대비   ⑤ 대피

시에서 재미나 감동을 느낀 부분 찾기

12 다음 시를 읽고 재미나 감동적인 부분을 알맞게 말한 친구에게 ○표 하시오.

그냥 놔두세요.	하루 종일
하루 종일	사과나무에는
말똥구리는	사과 열매가 열리게.
말똥을 굴리게.	달팽이는
하루 종일	느릅나무 잎에서
베짱이는	하루 종일
푸른 나무 그늘에서	꿈을 꾸게.
노래 부르게.	

(1) 민지: 말똥구리가 말똥을 굴리게 그냥 놔두라는 부분이 재미있어. 말똥을 굴리는 일은 말똥구리가 싫어하는 일이기 때문이야. ( )

(2) 건우: 달팽이가 느릅나무 잎에서 하루 종일 꿈을 꾸게 그냥 놔두라는 부분이 감동적이야. 나도 달팽이처럼 마음껏 꿈을 펼치고 싶기 때문이야. ( )

13 다음과 같이 말해야 할 상황으로 알맞은 것은 무엇입니까? ( )

표정, 몸짓, 말투에 주의하며 말하기

> 표정: 활짝 웃는 표정
> 몸짓: 손을 들어 살짝 흔들며
> 말투: 상냥하고 부드러운 말투

① 동생이 내 우유를 엎질렀을 때
② 친구가 복도에서 내 발을 밟았을 때
③ 반 친구가 교실 문을 열어 주었을 때
④ 운동장에서 뛰다가 친구와 부딪쳤을 때
⑤ 내가 친구의 필통을 바닥에 떨어뜨렸을 때

[14~15] 다음 글을 읽고 물음에 답하시오.

> **가** 옛날과 오늘날 사람들의 옷차림에는 차이가 많이 있다. 사람들은 옛날에 우리나라 고유한 옷인 한복을 입었다. 오늘날에는 서양 사람들이 입던 차림의 옷인 양복을 주로 입는다. 그리고 명절이나 결혼식같이 특별한 행사가 있을 때에만 한복을 입는 경우가 ⊙많다. 지금부터 사람들이 입는 옷차림이 옛날과 오늘날에 어떻게 다른지 신분과 성별, 옷감 종류에 따라 나누어 알아보자.
>
> **나** 먼저, 옛날에는 신분에 따라 옷차림이 달랐지만 오늘날에는 직업이나 유행에 따라 다른 경우가 많다. 옛날에는 양반과 평민의 신분에 따라 옷차림이 달랐다. 양반 가운데에서 남자는 소매가 넓은 저고리와 폭이 큰 바지를 입었고, 여자는 폭이 넓고 긴 치마를 입었다.
>
> **다** 다음으로, 옛날에는 사람들이 성별에 따라 다른 옷을 입었지만 오늘날에는 자신이 좋아하는 옷을 입는다. 옛날에 남자는 아래에 바지를 입고 위에는 저고리와 조끼, 마고자를 입었다. 그리고 춥거나 나들이를 갈 때에는 겉에 두루마기를 입었다.

14 이 글의 중심 생각으로 알맞은 것은 무엇입니까? ( )

중심 생각 파악하기

① 옛날 사람들은 한복을 입었다.
② 오늘날에는 성별에 따라 다른 옷을 입는다.
③ 옛날과 오늘날 사람들의 옷차림에는 큰 차이가 없다.
④ 오늘날에는 유행에 따라 옷차림이 다른 경우가 많다.
⑤ 옛날 사람들의 옷차림은 오늘날 사람들의 옷차림과 많이 달랐다.

15 ⊙과 뜻이 비슷한 말을 두 가지 고르시오. (,)

뜻이 비슷한 말 찾기

① 적다
② 길다
③ 무겁다
④ 무진장하다
⑤ 어마어마하다

[16~17] 다음 글을 읽고 물음에 답하시오.

> "누나, 나 아파."
> ⊙주혁이가눈물이 그렁그렁한 얼굴로 말했다.
> "병원 다녀오면 금방 나을 거야."
> 나는 주혁이의 이마에 차가운 물수건을 얹어 주었다.
> ⊙마음이 아팠다.동생이 얼른 나았으면 좋겠다.

16 이 글에 나타난 동생에 대한 '나'의 마음으로 알맞은 것은 무엇입니까? ( )

인물의 마음 파악하기

① 부럽다.
② 귀찮다.
③ 미안하다.
④ 서운하다.
⑤ 걱정스럽다.

17 ⊙과 ⊙에서 띄어 써야 할 부분에 ∨표 하시오.

바르게 띄어쓰기

(1) ⊙ | 주혁이가눈물이 그렁그렁한 얼굴로 말했다.

(2) ⊙ | 마음이 아팠다.동생이 얼른 나았으면 좋겠다.

18 다음 시에 나타난 표현 방법을 잘못 말한 것은 무엇입니까? ( )

시의 표현 방법 파악하기

> 천둥소리
>
> 하늘에 사는 아이들도   우르르 쿵쾅,
> 체육 시간이 있나 보다   운동장으로
>   뛰쳐나가는 소리

① 감각적 표현을 사용했다.
② 소리를 흉내 내는 말을 사용했다.
③ 말하고 싶은 내용을 짧은 글에 담아 전달했다.
④ 인상 깊었던 일을 자세하면서도 길게 설명했다.
⑤ 천둥소리를 하늘 나라 아이들이 운동장으로 뛰쳐나가는 소리처럼 표현했다.

19 다음 전화 대화에서 예절을 지키지 못한 친구는 누구인지 쓰시오.

올바른 전화 예절 알기

( )

마음을 전하는 글에 들어갈 내용 알기

20 다음과 같은 상황에서 주은이가 원호에게 쓸 쪽지에 들어갈 내용으로 알맞지 <u>않은</u> 것은 무엇입니까? (   )

> 주은이는 딱지치기를 하다가 마음대로 되지 않자 원호에게 "다시 해!", "집에 갈 거야!"와 같은 예의 없는 말과 행동을 했다. 주은이가 말로는 사과한다고 했지만, 원호는 주은이의 예의 없는 말과 행동에 화가 많이 나서 주은이의 사과를 받지 않고 가 버렸다.

① 주은이와 원호에게 있었던 일
② 원호가 주은이에게 잘못한 점
③ 주은이가 원호에게 바라는 점
④ 주은이가 원호에게 사과하는 말
⑤ 주은이가 원호에게 드는 솔직한 감정

[21~22] 다음 글을 읽고 물음에 답하시오.

> '앉아서 하는 피구'는 공 하나로 교실에서 쉽게 즐길 수 있는 놀이이다. 먼저 교실에 있는 책상을 모두 뒤로 밀어 가로로 긴 네모 모양으로 피구장을 만든다. 그다음에는 학급 친구 전체를 두 편으로 나누고 두 편 대표가 가위바위보를 해서 먼저 공격할 쪽을 정한다.
> 규칙은 피구와 같지만 앉은 자세로 하는 것이 특징이다. 공을 굴리는 사람이나 피하는 사람 모두 앉은 자세로 해야 한다. 앉은 자세에서 무릎을 한쪽이라도 펴서 일어나는 자세가 되면 누구든 피구장 밖으로 나가야 한다. 상대를 맞힐 때에는 공을 바닥에 굴려서 맞혀야 한다. 공을 튀기거나 던져서 맞히면 맞은 사람은 밖으로 나가지 않는다. 공을 피할 때에는 옆으로 이동해 피하거나, 무릎을 가슴에 붙여 앉은 자세로 뜀을 뛰어 피할 수 있다.

글쓴이가 소개한 내용 파악하기

21 이 글에서 소개하지 <u>않은</u> 내용은 무엇입니까? (   )

① 놀이 이름   ② 놀이 시간   ③ 놀이 장소
④ 놀이 규칙   ⑤ 준비할 내용

소개하는 내용 이해하기

22 이 글에서 소개한 놀이 내용으로 알맞은 것을 골라 기호를 쓰시오.

> ㉮ 공을 피하는 사람만 앉은 자세로 해야 함.
> ㉯ 상대를 맞힐 때에는 공을 바닥에 튀기거나 던져서 맞혀야 함.
> ㉰ 앉은 자세에서 무릎을 한쪽이라도 펴서 일어나는 자세가 되면 누구든 피구장 밖으로 나가야 함.

(   )

[23~24] 다음 글을 읽고 물음에 답하시오.

> 감기약은 끝까지 먹는 게 좋습니다. 감기약을 먹다가 몸이 나았다고 생각해 그만 먹으면 안 됩니다. 중간에 마음대로 감기약을 먹지 않으면 감기가 더 심해지거나 나중에 감기약을 먹어도 낫지 않을 수 있으므로, 의사가 처방한 날짜만큼 먹어야 합니다.
> 감기약을 먹을 때에는 물과 함께 먹어야 합니다. 우유나 녹차, 주스와 같은 다른 음료와 함께 먹어서는 안 됩니다. 또 물 이외에 밥이나 빵을 같이 먹어서도 안 됩니다.
> 감기약을 먹는 시간을 놓쳤다고 다음에 두 배로 먹어서도 안 됩니다. 두 배로 먹는다고 감기약 효과가 두 배가 되는 않습니다. 오히려 몸에 부담만 될 뿐입니다. 감기약은 정해진 양만큼만 먹어야 합니다.

설명하는 대상 파악하기

23 이 글에서 설명하고 있는 내용은 무엇입니까? (   )

① 감기약을 먹는 차례
② 감기를 예방하는 방법
③ 감기약을 먹을 때 주의할 점
④ 감기약을 먹을 때 사용하는 도구
⑤ 감기에 걸렸을 때 나타나는 증세

설명하는 내용 간추리기

24 감기약을 먹는 방법으로 알맞은 것은 무엇입니까?
(   )

① 감기약은 주스와 같이 먹어야 한다.
② 감기약은 끝까지 먹지 않아도 된다.
③ 감기약은 정해진 양만큼만 먹어야 한다.
④ 감기약을 두 배로 먹으면 효과도 두 배가 된다.
⑤ 감기약을 먹다가 몸이 나으면 그만 먹어도 된다.

알맞은 표정, 몸짓, 말투를 생각하며 극본 읽기

25 다음 글에 나오는 호랑이가 뻔뻔한 성격이라면 밑줄 친 부분을 말할 때 어울리는 말투는 무엇입니까? (   )

> 나그네가 문을 열자, 호랑이가 뛰쳐나와서 나그네를 잡아먹으려고 덤빈다.
> 나그네: 이게 무슨 짓이오? 약속을 지키지 않고…….
> 호랑이: <u>하하, 궤짝 속에서 한 약속을 궤짝 밖에 나와서도 지키라는 법이 어디 있어?</u>

① 다급한 말투   ② 억울한 말투
③ 크고 당당한 말투   ④ 부드럽고 상냥한 말투
⑤ 울먹이듯 간절한 말투

모의 평가 3회

출제 범위: 3학년 전 범위 문항 수: 25문항

점수

정답과 해설 30쪽

정사각형 알아보기

01 다음에서 설명하는 도형의 이름으로 알맞은 것은 어느 것입니까? ( )

- 변이 4개, 꼭짓점이 4개이다.
- 네 변의 길이와 네 각의 크기가 각각 같다.

① 직각삼각형　② 직사각형　③ 정사각형
④ 반직선　⑤ 직선

받아내림이 있는 (세 자리 수)−(세 자리 수)

02 두 수의 차는 얼마입니까? ( )

784	392

① 208　② 292　③ 372
④ 388　⑤ 392

가분수를 대분수로 나타내기

03 가분수를 대분수로 바르게 나타낸 것은 어느 것입니까? ( )

$$\frac{19}{6}$$

① $1\frac{1}{6}$　② $2\frac{1}{6}$　③ $3\frac{1}{6}$
④ $4\frac{1}{6}$　⑤ $3\frac{5}{6}$

내림이 있는 (몇십몇)÷(몇)

04 큰 수를 작은 수로 나눈 몫은 어느 것입니까? ( )

5	65

① 2　② 5　③ 10
④ 12　⑤ 13

들이의 단위

05 다음 중 들이를 L 단위로 나타내기에 가장 알맞지 <u>않은</u> 것은 어느 것입니까? ( )

① 욕조　② 주전자　③ 주사기
④ 물병　⑤ 양동이

똑같이 나누기

06 어떤 수를 5로 나누었을 때 나머지가 될 수 있는 것은 어느 것입니까? ( )

① 4　② 5　③ 6
④ 7　⑤ 8

1 m보다 큰 단위

07 □ 안에 알맞은 수는 어느 것입니까? ( )

6 km 200 m

6 km ～ 7 km
□ m

① 6300　② 6400　③ 6500
④ 6600　⑤ 6700

소수 알아보기

08 □ 안에 알맞은 수는 어느 것입니까? ( )

9 mm = □ cm

① 0.9　② 9　③ 90
④ 99　⑤ 900

그림그래프 알아보기

09 식목일에 심은 나무의 수를 조사하여 나타낸 그림그래프입니다. 가장 많은 나무를 심은 마을은 어느 마을입니까? ( )

마을별 심은 나무 수

마을	나무 수
가	🌳🌲🌲🌲🌲🌲🌲
나	🌳🌲🌲
다	🌳🌲🌲🌲🌲🌲🌲
라	🌳🌲🌲🌲🌲🌲🌲🌲

🌳10그루　🌲1그루

① 가 마을　② 나 마을　③ 다 마을
④ 라 마을　⑤ 모두 같다.

10 삼각형 ㄱㄴㄷ의 꼭짓점 ㄱ을 옮겨 직각삼각형을 만들려고 합니다. 꼭짓점 ㄱ을 어느 점으로 옮겨야 합니까?
직각삼각형 알아보기

( )

11 가장 큰 수와 가장 작은 수의 곱은 얼마입니까? ( )
올림이 있는 (몇십몇)×(몇)

5	26	8	7	67

① 208   ② 305   ③ 335
④ 389   ⑤ 469

12 어떤 수를 8로 나누었더니 8과 같습니다. 어떤 수는 얼마입니까?
나눗셈의 몫을 곱셈구구로 구하기

( )

① 40   ② 48   ③ 54
④ 64   ⑤ 72

13 한 변의 길이가 311 cm인 정사각형의 네 변의 길이의 합은 몇 cm입니까?
올림이 있는 (세 자리 수)×(한 자리 수)

( )

① 1223 cm   ② 1244 cm   ③ 1265 cm
④ 1282 cm   ⑤ 1304 cm

14 토마토 한 상자의 무게는 5 kg 100 g이고, 딸기 한 상자의 무게는 2 kg 800 g입니다. 토마토 한 상자의 무게는 딸기 한 상자의 무게보다 몇 kg 몇 g 더 무겁습니까?
무게의 뺄셈

( )

① 2 kg 300 g   ② 3 kg 700 g   ③ 3 kg 900 g
④ 4 kg 300 g   ⑤ 7 kg 900 g

15 몫이 세 자리 수인 것은 어느 것입니까? ( )
내림과 나머지가 있는 (세 자리 수)÷(한 자리 수)

① 749÷8   ② 573÷5   ③ 492÷6
④ 346÷7   ⑤ 562÷9

16 □ 안에 알맞은 것은 어느 것입니까? ( )
분수로 나타내기

$$\boxed{}\text{은/는 } 56\text{의 } \frac{5}{8}\text{이다.}$$

① 20   ② 25   ③ 30
④ 35   ⑤ 40

17 다음 3장의 수 카드를 모두 한 번씩만 사용하여 만들 수 있는 가장 큰 대분수를 가분수로 나타낸 것은 어느 것입니까?
대분수를 가분수로 나타내기

( )

8	2	7

① $\frac{82}{7}$ ② $\frac{72}{7}$ ③ $\frac{65}{7}$
④ $\frac{58}{7}$ ⑤ $\frac{54}{7}$

18 시계가 나타내는 시각에서 1시간 5분 40초 후의 시각은 몇 시 몇 분 몇 초입니까?　　　(　　)

시간의 덧셈

7: 13:56

① 7시 19분 36초　　② 8시 19분 36초
③ 8시 19분 50초　　④ 8시 20분 16초
⑤ 9시 19분 36초

19 승우는 컴퍼스를 6 cm만큼 벌리고, 승혜는 승우의 2배만큼 벌려서 각각 원의 그렸습니다. 승혜가 그린 원의 지름은 몇 cm입니까?　　　(　　)

원의 성질

① 24 cm　　② 15 cm　　③ 12 cm
④ 9 cm　　⑤ 6 cm

20 과일 가게에서 자두를 한 바구니에 7개씩 담았더니 18바구니가 되었고, 복숭아를 한 바구니에 5개씩 담았더니 27바구니가 되었습니다. 어느 과일이 몇 개 더 많습니까?　　　(　　)

올림이 있는 (몇)×(몇십몇)

① 자두, 8개　　② 자두, 11개　　③ 복숭아, 8개
④ 복숭아, 9개　　⑤ 복숭아, 10개

21 □ 안에 들어갈 수 있는 자연수는 모두 몇 개입니까?　　　(　　)

나머지가 없는 (세 자리 수)÷(한 자리 수)

$$310 \div 9 < \boxed{} < 456 \div 12$$

① 5개　　② 4개　　③ 3개
④ 2개　　⑤ 1개

22 점 ㄱ, 점 ㄴ은 각각 원의 중심입니다. 선분 ㄱㄷ은 몇 cm인지 구해 보시오.　　　(　　)

원의 중심, 반지름 , 지름

9 cm　　6 cm

23 세 변의 길이가 다음과 같은 삼각형이 있습니다. 가장 짧은 변은 몇 cm인지 소수로 나타내어 보시오.

소수의 크기 비교

38 mm　　4 cm 1 mm

29 mm

(　　)

24 공원에 있는 두발자전거와 세발자전거의 바퀴 수를 세어 보니 91개였습니다. 세발자전거가 25대라면 두발자전거는 몇 대인지 구해 보시오.

올림이 있는 (몇)×(몇십몇)

(　　)

25 843에 어떤 수를 더해야 할 것을 잘못하여 빼었더니 351이 되었습니다. 바르게 계산하면 얼마인지 구해 보시오.

세 자리 수의 덧셈과 뺄셈의 활용

(　　)

모의 평가 3회

출제 범위: 3학년 전 범위   문항 수: 25문항

점수

정답과 해설 31쪽

장소에서의 경험 떠올리기

01 다음은 서윤이가 쓴 글입니다. 어떤 장소에서 경험한 것을 쓴 것입니까? ( )

> 부모님과 함께 맛있는 음식도 먹고 이것저것 물건도 많이 샀다.

① 공원   ② 시장
③ 학교   ④ 놀이터
⑤ 미용실

고장의 주요 장소를 찾는 기준 알기

02 고장의 주요 장소를 찾을 때의 기준으로 알맞지 **않은** 것은 무엇입니까? ( )

① 자연과 관련이 있는 곳
② 문화유산을 볼 수 있는 곳
③ 사람들이 전혀 이용하지 않는 곳
④ 다른 고장으로 이동을 할 때 이용한 곳
⑤ 편리하고 안전한 생활을 하는 데 도움을 주는 곳

지도에 나타난 고장의 모습 파악하기

03 다음 그림에 대한 설명으로 알맞은 것은 무엇입니까? ( )

▲ 혜지가 그린 고장의 모습

① 자연을 그리지 않았다.
② 큰길을 강조하여 그렸다.
③ 상상 속의 장소를 그렸다.
④ 그림의 가운데에 학교를 그렸다.
⑤ 고장을 흐르는 강을 중심으로 주변 장소를 그렸다.

디지털 영상 지도의 기능 알기

04 빈칸에 들어갈 알맞은 말에 ○표 하시오.

> 디지털 영상 지도에서 더 좁은 곳을 자세히 살펴보려면 ㉠ (+ , −) 단추를 누르고, 더 넓은 곳을 간략하게 살펴보려면 ㉡ (+ , −) 단추를 누른다.

우리 고장의 자랑할 만한 장소 조사 방법 알기

05 우리 고장의 자랑할 만한 장소를 조사하는 방법으로 알맞지 **않은** 것은 무엇입니까? ( )

① 우리 고장의 누리집 찾아보기
② 이웃 고장의 안내도 찾아보기
③ 우리 고장의 안내하는 책에서 찾아보기
④ 우리 고장에 오래 사신 어른께 여쭈어보기
⑤ 우리 고장 관광 누리집에 방문해 찾아보기

옛이야기의 의미 알기

06 옛날에 있었던 일이라고 전해지거나 있었다고 꾸며서 지어 낸 이야기는 무엇입니까? ( )

① 가훈   ② 문화   ③ 속담
④ 지명   ⑤ 옛이야기

옛이야기에 담긴 조상들의 생활 모습 탐색하기

07 다음 옛이야기로 알 수 있는 조상들의 생활 모습을 **잘못** 이야기한 것은 무엇입니까? ( )

> 옛날 백성들은 길에서 말을 탄 양반을 만나면 양반이 지나갈 때까지 엎드려 있어야 했습니다. 사람들은 말을 피해 큰길을 두고 좁은 길로 돌아가기 시작했습니다.

① "신분의 차이가 있었어."
② "양반은 말을 타고 다녔어."
③ "백성들은 큰길로 다닐 수 없었어."
④ "백성들은 양반을 만나는 것을 불편해했어."
⑤ "백성들은 양반이 지나갈 때까지 엎드려 인사를 했어."

문화유산 구분하기

08 다음 그림지도에서 문화유산에 속하는 것을 모두 찾아 ○표 하시오.

문화유산 소개하는 방법 알기

09 문화유산을 소개하는 방법으로 알맞지 <u>않은</u> 것은 무엇입니까? ( )

① 답사하기
② 그림 그리기
③ 모형 만들기
④ 책자 만들기
⑤ 전시회 꾸미기

옛날 교통수단의 좋은 점 알기

10 다음과 같은 옛날 교통수단의 좋은 점으로 알맞은 것은 무엇입니까? ( )

> ・말   ・가마   ・뗏목   ・돛단배

① 환경이 오염되지 않는다.
② 다른 나라로 이동할 수 있다.
③ 주로 기계의 힘으로 움직인다.
④ 이동하는 데 시간이 오래 걸린다.
⑤ 한 번에 많은 사람과 짐을 실어 나른다.

빠른 교통수단 파악하기

11 서울에서 제주도까지 갈 때 가장 빠르게 갈 수 있는 교통수단은 무엇입니까? ( )

① 자전거
② 비행기
③ 고속버스
④ 오토바이
⑤ 고속 열차

옛날 사람들이 통신수단을 이용한 경우 알기

12 빈칸에 들어갈 알맞은 말을 두 가지 고르시오. (,)

> 옛날 사람들은 [ ] 봉수, 신호 연, 북 등을 이용해 소식을 전했다.

① 새해가 밝았을 때
② 적이 쳐들어올 때
③ 미세 먼지가 많을 때
④ 위급한 상황이 생겼을 때
⑤ 늦잠 자는 사람들이 많을 때

오늘날의 통신수단 알기

13 오늘날의 통신수단 중 정보를 보내기도 하고 받을 수도 있는 방법을 한 가지 쓰시오.

( )

자연환경과 인문환경 구분하기

14 다음 중 자연환경이 <u>아닌</u> 것을 두 가지 고르시오. (,)

① ▲ 강
② ▲ 눈
③ ▲ 산
④ ▲ 목장
⑤ ▲ 숙박 시설

바다가 있는 고장 사람들이 하는 일 알기

15 바다가 있는 고장 사람들이 주로 하는 일로 알맞은 것은 무엇입니까? ( )

① 물고기를 잡는 일을 한다.
② 버섯을 재배하는 일을 한다.
③ 스키장을 운영하는 일을 한다.
④ 삼림욕장을 운영하는 일을 한다.
⑤ 농업 기술을 연구하고 알려 주는 일을 한다.

자연환경에 영향을 받는 식생활 모습 파악하기

16 바다로 둘러싸인 고장에 발달한 음식으로 알맞은 것은 무엇입니까? ( )

① 쌀을 이용한 음식
② 감자를 이용한 음식
③ 생선을 이용한 음식
④ 우유를 이용한 음식
⑤ 산나물을 이용한 음식

17 옷차림에 차이가 나는 까닭 파악하기

다음은 같은 계절에 여가 활동을 즐기는 서로 다른 고장 사람들의 모습입니다. 옷차림에서 서로 차이가 나는 까닭은 무엇입니까? ( )

① 서로 키가 다르기 때문에
② 서로 나이가 다르기 때문에
③ 서로 다른 나라에 살고 있기 때문에
④ 고장별로 자연환경이 다르기 때문에
⑤ 고장마다 살고 있는 사람의 수가 다르기 때문에

18 옷 만드는 도구의 발달 과정 알기

오른쪽 그림의 가락바퀴와 관련된 오늘날의 도구는 무엇입니까? ( )

① 믹서
② 재봉틀
③ 콤바인
④ 트랙터
⑤ 전기밥솥

19 사람들이 사는 집 모습의 변화 알기

다음에서 설명하는 집을 무엇이라고 하는지 쓰시오.

농사를 짓기 시작하면서 땅을 파서 기둥을 세우고 그 위에 풀과 짚을 덮어 집을 만들었다.

( )

20 옛날의 세시 풍속 알기

다음은 옛날의 명절날 아침의 모습입니다. 무엇을 하는 모습입니까? ( )

① 성묘하기
② 부럼 깨기
③ 달집태우기
④ 세배 드리기
⑤ 차례 지내기

21 옛날과 오늘날 세시 풍속의 공통점 알기

옛날과 오늘날 세시 풍속의 공통점은 무엇입니까? ( )

① 농사와 관련된 세시 풍속이 많다.
② 농사와 관련된 세시 풍속이 거의 없다.
③ 일정한 날이나 계절과 관계없이 세시 풍속을 즐긴다.
④ 설날, 추석 등 큰 명절과 관련된 세시 풍속만 즐긴다.
⑤ 가족의 건강과 복을 바라는 마음으로 세시 풍속을 즐긴다.

22 옛날에 혼례를 치르던 장소 알기

옛날에 신랑과 신부가 혼례를 치르던 장소는 어디였는지 쓰시오.

( )

23 옛날에 확대 가족이 많았던 까닭 알기

옛날에 확대 가족이 많았던 까닭은 무엇입니까? ( )

① 자녀가 결혼한 후에는 따로 살기 때문
② 농사를 짓는 사람들이 점점 줄어들었기 때문
③ 자녀의 교육을 위해 다른 곳으로 이사를 하기 때문
④ 사람들이 주로 농사를 지어 일손이 많이 필요했기 때문
⑤ 직장을 찾아 다른 도시로 독립하는 자녀들이 늘어났기 때문

24 바람직한 가족 구성원의 역할 알기

가족 구성원으로서 나의 역할로 알맞지 <u>않은</u> 것은 무엇입니까? ( )

① 내 책상을 깨끗하게 정리한다.
② 부모님께 예의 바르게 행동한다.
③ 동생이 내 물건을 쓰면 화를 낸다.
④ 가족에게 힘이 되어 주는 말을 한다.
⑤ 가족과 갈등이 생기면 서로 대화한다.

25 다양한 형태의 가족이 살아가는 모습 알기

다양한 형태의 가족이 살아가는 모습으로 알맞은 것은 무엇입니까? ( )

① 가족의 형태와 생활 모습은 모두 같다.
② 바람직한 가족은 절대 갈등을 겪지 않는다.
③ 가족의 형태는 절대 바뀌지 않고 고정적이다.
④ 공부 때문에 가족끼리 떨어져 사는 가족도 있다.
⑤ 오늘날에는 가족 구성원의 역할이 구분되어 있다.

모의 평가 3회

출제 범위: 3학년 전 범위   문항 수: 25문항

점수

정답과 해설 32쪽

의사소통 방법 알아보기

01 과학적인 의사소통 방법으로 옳지 <u>않은</u> 것을 다음 보기 에서 골라 기호를 쓰시오.

> 보기
> ㉠ 정확한 용어를 사용하여 설명한다.
> ㉡ 몸짓은 사용하지 않고 어려운 말로 설명한다.
> ㉢ 표, 그림, 그래프 등과 같은 다양한 방법을 사용한다.

( )

물체와 물질 알아보기

02 우리 생활에서 자주 사용하는 물체와 그 물체를 이루고 있는 물질을 옳게 짝 지은 것은 무엇입니까? ( )

① 어항 – 금속
② 책상 – 종이
③ 탁구공 – 고무
④ 인형 – 섬유
⑤ 야구 장갑 – 나무

물질의 성질 이용 알아보기

03 다음의 책상과 쓰레받기에 대한 설명으로 옳은 것은 무엇입니까? ( )

▲ 책상   ▲ 쓰레받기

① 책상 몸체는 유리로 되어 있다.
② 쓰레받기 몸체는 고무로 되어 있다.
③ 책상 상판은 가벼우면서도 단단한 물질로 되어 있다.
④ 책상과 쓰레받기는 한 가지 물질로 이루어진 물체이다.
⑤ 책상 받침은 책상을 지탱하기 위해 금속으로 되어 있다.

종류가 같은 물체를 여러 가지 물질로 만드는 까닭 알아보기

04 다음은 여러 가지 물질로 만들어진 장갑에 대한 설명입니다. ( ) 안에 들어갈 알맞은 물질을 순서대로 쓰시오.

> (㉠)(으)로 만든 장갑은 투명하고 얇으며 물이 들어오지 않고, (㉡)(으)로 만든 장갑은 질기고 미끄러지지 않으며, 물이 들어오지 않는다.

㉠: ( )   ㉡: ( )

동물의 암수 알아보기

05 암수의 구별이 쉬운 동물에 대한 설명으로 옳지 <u>않은</u> 것은 무엇입니까? ( )

① 사자의 암컷은 갈기가 없다.
② 꿩의 암컷은 '까투리'라고 한다.
③ 원앙의 암컷은 몸 색깔이 갈색이다.
④ 원앙의 수컷은 몸 색깔이 수수하다.
⑤ 꿩의 수컷은 깃털의 색깔이 선명하다.

배추흰나비 어른벌레의 특징 알아보기

06 배추흰나비 어른벌레에 대한 설명으로 옳지 <u>않은</u> 것은 무엇입니까? ( )

① 날개가 두 쌍 있다.
② 가슴에는 다리가 세 쌍 있다.
③ 머리에는 더듬이와 눈이 한 쌍씩 있다.
④ 몸은 머리, 가슴 두 부분으로 되어 있다.
⑤ 입에 말려서 붙어 있는 관을 쭉 펴서 꿀을 빨아 먹는다.

새끼를 낳는 동물의 특징 알아보기

07 갓 태어난 강아지와 다 자란 개의 공통점으로 옳은 것을 두 가지 고르시오. (,)

① 꼬리가 있다.
② 걷거나 달릴 수 있다.
③ 날카로운 이빨이 있다.
④ 고기를 뜯거나 사료를 씹어 먹는다.
⑤ 주둥이가 길쭉하게 튀어나온 모양이다.

자석에 붙는 물체 알아보기

08 자석에 붙는 물체에 대한 설명으로 옳은 것은 무엇입니까? ( )

① 가벼운 물체이다.
② 철로 만들어져 있다.
③ 유리로 만들어져 있다.
④ 못핀은 자석에 붙지 않는다.
⑤ 플라스틱으로 만들어져 있다.

자석과 자석 사이에 작용하는 힘 알아보기

09 오른쪽과 같이 막대자석 두 개를 마주 보게 나란히 놓고 밀었습니다. ( ) 안에 들어갈 알맞은 말을 쓰시오.

> 자석 두 개를 같은 극끼리 마주 보게 나란히 놓고 한 자석을 다른 자석 쪽으로 밀면 자석이 서로 ( ).

( )

자석의 이용 알아보기

10 자석을 이용해 만든 생활용품의 편리한 점으로 옳지 <u>않은</u> 것은 무엇입니까? ( )

① 자석 필통: 필통의 뚜껑을 나만 열 수 있다.
② 자석 다트: 다트를 과녁에 안전하게 붙일 수 있다.
③ 자석 병따개: 냉장고에 병따개를 붙여 놓을 수 있다.
④ 자석 클립 통: 클립 통이 뒤집어져도 클립이 잘 흩어지지 않는다.
⑤ 자석을 이용한 스마트폰 거치대: 스마트폰을 살짝 대기만 해도 쉽게 고정할 수 있다.

지구 표면의 모습 알아보기

11 우리나라에서 볼 수 <u>없는</u> 지구 표면의 모습은 무엇입니까?
( )

① 높은 산
② 파도 치는 바다
③ 곡식이 자라는 들
④ 구불구불하게 흐르는 강
⑤ 얼음으로 되어 있는 빙하

지구에 있는 공기의 역할 알아보기

12 공기에 대한 설명으로 옳은 것은 무엇입니까? ( )

① 공기는 눈에 보인다.
② 공기는 산과 바다에만 있다.
③ 공기가 없으면 사람이 숨을 쉴 수 없다.
④ 공기는 동식물에게 영향을 주지 않는다.
⑤ 비행기가 날 수 있는 것은 공기와 관련이 없다.

지구와 달의 공통점과 차이점 알아보기

13 지구와 달을 비교한 내용으로 옳지 <u>않은</u> 것은 무엇입니까?
( )

① 지구와 달은 모두 둥근 공 모양이다.
② 지구에는 공기가 있지만, 달에는 공기가 없다.
③ 지구에서는 돌을 볼 수 있지만, 달에서는 돌을 볼 수 없다.
④ 지구에는 다양한 생물이 살지만, 달에는 생물이 살지 않는다.
⑤ 지구에는 물로 가득 찬 바다가 있지만, 달의 바다에는 물이 없다.

주변에서 사는 동물 관찰하기

14 다음과 같은 특징을 가진 동물은 무엇입니까? ( )

• 몸이 여러 개의 마디로 되어 있다.
• 건드리면 몸을 공처럼 둥글게 만든다.

① ▲ 금붕어   ② ▲ 뱀   ③ ▲ 땅강아지

④ ▲ 공벌레   ⑤ ▲ 개구리

사막에서 사는 동물의 특징 알아보기

15 낙타가 사막에서 잘 살 수 있는 특징이 <u>아닌</u> 것은 무엇입니까? ( )

① 발바닥이 넓다.
② 혹에 지방이 있다.
③ 땀을 잘 흘리지 않는다.
④ 콧구멍을 여닫을 수 있다.
⑤ 앞다리로 땅을 잘 팔 수 있다.

날아다니는 동물의 특징 알아보기

16 다음은 날아다니는 동물에 대한 설명입니다. ( ) 안에 들어갈 알맞은 말을 순서대로 쓰시오.

까치, 참새, 직박구리와 같은 ( )과/와 나비, 매미, 잠자리와 같은 ( )은/는 날개가 있어 날아다닐 수 있다.

(,)

흙이 만들어지는 과정 알아보기

17 얼음 설탕을 넣은 플라스틱 통을 흔든 뒤의 변화로 옳은 것을 다음 보기 에서 골라 기호를 쓰시오.

보기
㉠ 아무런 변화가 없다.
㉡ 얼음 설탕이 녹아 액체가 된다.
㉢ 얼음 설탕이 더 큰 덩어리가 된다.
㉣ 얼음 설탕이 부서져 작은 알갱이가 된다.

( )

강 주변의 모습 알아보기

18 강 주변의 모습에서 ㉠ 지역에 대한 설명으로 옳은 것은 무엇입니까?
( )

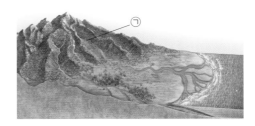

① 퇴적 작용이 활발하다.
② 침식 작용이 활발하다.
③ 모래나 흙을 많이 볼 수 있다.
④ 강폭이 넓고, 강의 경사가 완만하다.
⑤ 넓게 펼쳐진 지형을 많이 볼 수 있다.

흙이 소중한 까닭 알아보기

19 흙이 소중한 까닭으로 옳지 <u>않은</u> 것은 무엇입니까?
( )

① 흙 속에는 많은 생물이 살고 있기 때문이다.
② 식물은 흙에서 양분을 얻어 살아가기 때문이다.
③ 흙이 사라지면 동식물이 살아가기 힘들기 때문이다.
④ 흐르는 물은 흙을 침식하지 않고 퇴적만 하기 때문이다.
⑤ 흙이 다시 만들어지는 데에는 오랜 시간이 걸리기 때문이다.

나무 막대, 물, 공기 관찰하기

20 ㉠~㉢ 중 다음과 같은 성질을 가진 물질의 기호를 쓰시오.

• 흔들면 출렁거린다.
• 눈에 보이지만 흘러서 손으로 잡을 수 없다.

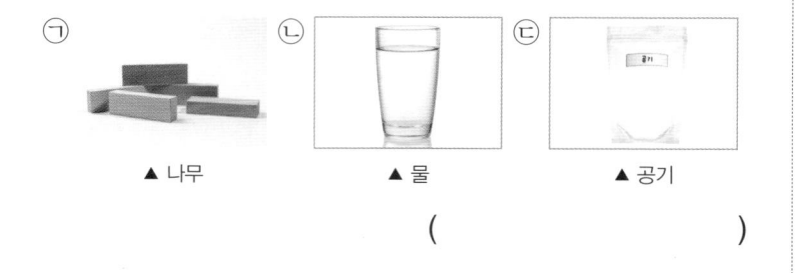

㉠ ▲ 나무   ㉡ ▲ 물   ㉢ ▲ 공기

( )

고체의 성질 알아보기

21 고체에 대한 설명으로 옳은 것은 무엇입니까? ( )

① 모양과 부피가 일정한 물질의 상태이다.
② 흔들면 출렁거리고, 흘러내리는 물질의 상태이다.
③ 모양이 다른 그릇에 담을 수 없는 물질의 상태이다.
④ 눈에 보이지 않고, 냄새가 나지 않는 물질의 상태이다.
⑤ 손으로 잡을 수 없고, 전달할 수 없는 물질의 상태이다.

기체의 성질 알아보기

22 다음과 같이 바닥에 구멍이 뚫린 플라스틱 컵으로 물 위에 띄운 페트병 뚜껑을 덮어 수조 바닥까지 밀어 넣을 때의 결과로 옳은 것을 두 가지 고르시오. (,)

① 페트병 뚜껑이 내려간다.
② 페트병 뚜껑이 그대로 있다.
③ 수조 안 물의 높이는 높아진다.
④ 수조 안 물의 높이는 낮아진다.
⑤ 수조 안 물의 높이는 변화가 없다.

소리가 나는 물체의 특징 알아보기

23 다음은 소리굽쇠를 물에 대 보았을 때의 결과입니다. 이에 대한 설명으로 옳은 것은 무엇입니까? ( )

① ㉠ 소리굽쇠는 크게 떨린다.
② ㉠ 소리굽쇠는 소리가 난다.
③ ㉡ 소리굽쇠는 소리가 나지 않는다.
④ ㉡ 소리굽쇠는 고무망치로 친 것이다.
⑤ ㉠ 소리굽쇠를 물속에 깊이 넣으면 물이 튀어 오른다.

소리의 전달 알아보기

24 다음은 파란색 식용 색소를 섞은 물속에 소리가 나는 스피커를 넣은 뒤 플라스틱 관을 이용해 스피커를 찾아 보는 실험입니다. 이 실험에서 스피커의 소리를 전달하는 물질의 상태로 옳은 것을 다음 보기 에서 모두 고른 것은 무엇입니까?
( )

스피커

보기
㉠ 고체   ㉡ 액체   ㉢ 기체

① ㉠   ② ㉡
③ ㉠, ㉡   ④ ㉡, ㉢
⑤ ㉠, ㉡, ㉢

소리의 반사 알아보기

25 다음은 소리가 나는 스피커를 플라스틱 통 속에 넣고 나무판과 스타이로폼판을 비스듬히 들고 스피커에서 나오는 소리를 들어 보는 모습입니다. 소리가 더 크게 들리는 것의 기호를 쓰시오.

㉠ 나무판   ㉡ 스타이로폼판

스피커

( )

모의 평가 3회

출제 범위: 3학년 전 범위 문항 수: 25문항

점수

정답과 해설 33쪽

1번부터 21번까지는 듣고 답하는 문제입니다. 녹음 내용을 잘 듣고, 물음에 답하기 바랍니다. 내용은 한 번만 들려줍니다.

첫소리가 같은 낱말 찾기

01 다음을 듣고, 그림의 낱말과 첫소리가 같은 것을 고르시오. (   )

① 🎧   ② 🎧   ③ 🎧   ④ 🎧   ⑤ 🎧

사물을 나타내는 낱말 이해하기

02 다음을 듣고, 그림과 일치하는 낱말을 고르시오. (   )

① 🎧   ② 🎧   ③ 🎧   ④ 🎧   ⑤ 🎧

수를 나타내는 낱말 이해하기

03 다음을 듣고, 들려주는 수에 알맞은 숫자를 고르시오.
(   )

① 2   ② 4   ③ 6   ④ 8   ⑤ 10

색깔을 나타내는 낱말 이해하기

04 다음을 듣고, 들려주는 낱말과 그림이 일치하지 않는 것을 고르시오. (   )

①   ②   ③
④   ⑤

지시하는 표현 이해하기

05 다음을 듣고, 지시대로 행동한 것을 고르시오. (   )

①    ②   ③
④   ⑤

물건을 주고받는 표현 이해하기

06 그림을 보고, 남자아이가 할 말을 고르시오. (   )

① 🎧   ② 🎧   ③ 🎧   ④ 🎧   ⑤ 🎧

좋아하는 것을 묻고 답하는 표현 이해하기

07 다음을 듣고, 남자아이가 좋아하는 음식과 좋아하지 않는 음식이 바르게 짝 지어진 것을 고르시오. (   )

	좋아하는 음식	좋아하지 않는 음식
①	닭고기	샐러드
②	닭고기	샌드위치
③	샐러드	닭고기
④	샐러드	샌드위치
⑤	샌드위치	닭고기

무엇인지 묻고 답하는 표현 이해하기

08 대화를 듣고, 두 사람이 말하고 있는 것을 고르시오.
(   )

① 곰   ② 돼지   ③ 고양이
④ 호랑이   ⑤ 코끼리

09 다음을 듣고, 이어질 대답으로 알맞은 것을 고르시오.
자기소개 표현 이해하기

(   )

① 🎧   ② 🎧   ③ 🎧   ④ 🎧   ⑤ 🎧

10 대화를 듣고, 여자아이의 나이로 알맞은 숫자를 고르시오.
나이를 묻고 답하는 표현 이해하기

(   )

① 5   ② 6   ③ 7   ④ 9   ⑤ 10

11 다음을 듣고, 그림의 상황에 알맞은 대답을 고르시오.
날씨를 묻고 답하는 표현 이해하기

(   )

① 🎧   ② 🎧   ③ 🎧   ④ 🎧   ⑤ 🎧

12 다음을 듣고, 그림의 상황에 가장 어울리는 대화를 고르시오.
사과하고 답하는 표현 이해하기

(   )

① 🎧   ② 🎧   ③ 🎧   ④ 🎧   ⑤ 🎧

13 대화를 듣고, 진희와 James가 가지고 있는 것이 바르게 짝 지어진 것을 고르시오.
가지고 있는 것 묻고 답하는 표현 이해하기

(   )

	진희	James
①	지우개	펜
②	지우개	연필
③	공책	연필
④	공책	펜
⑤	연필	펜

14 대화를 듣고, 대화의 내용에 알맞은 그림을 고르시오.
개수를 묻고 답하는 표현 이해하기

(   )

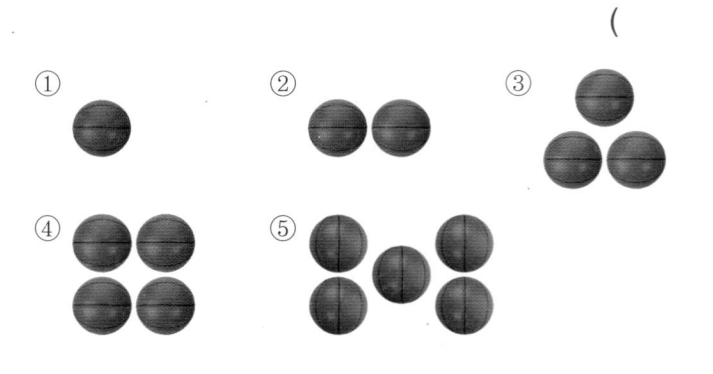

15 대화를 듣고, 남자아이가 할 수 있는 것을 고르시오.
할 수 있는 것을 묻고 답하는 표현 이해하기

(   )

① 수영   ② 줄넘기
③ 달리기   ④ 춤추기
⑤ 스케이트

16 대화를 듣고, 두 사람이 할 일을 고르시오.
제안하고 답하는 표현 이해하기

(   )

17 다음을 듣고, 자연스럽지 <u>않은</u> 대화를 고르시오.
무엇인지 묻고 답하는 표현 이해하기

(   )

① 🎧   ② 🎧   ③ 🎧   ④ 🎧   ⑤ 🎧

크기를 나타내는 표현 이해하기

18 대화를 듣고, 대화의 마지막에 이어질 말로 알맞은 것을 고르시오. (　　　)

① 🎧　　② 🎧　　③ 🎧　　④ 🎧　　⑤ 🎧

누구인지 묻고 답하는 표현 이해하기

19 그림을 보고, 이어질 대답으로 알맞은 것을 고르시오. (　　　)

① 🎧　　② 🎧　　③ 🎧　　④ 🎧　　⑤ 🎧

생일을 축하하는 표현 이해하기

20 대화를 듣고, 오늘이 무슨 날인지 고르시오. (　　　)

① 소풍날　　　　　② 민수의 생일
③ 민수가 상 받은 날　　④ Jenny의 생일
⑤ Jenny가 상 받은 날

크기를 나타내는 표현 이해하기

21 대화를 듣고, 대화의 내용과 일치하는 것을 고르시오. (　　　)

① 두 사람은 고양이를 보고 있다.
② 두 사람은 고양이에 대해 이야기하고 있다.
③ 고양이는 작다.
④ 개는 작다.
⑤ 고양이와 개가 둘 다 크다.

> 이제 듣기 문제가 모두 끝났습니다. 22번부터는 문제지의 지시에 따라 답하기 바랍니다.

첫소리 글자 넣어 낱말 완성하기

22 그림을 보고, 빈칸에 알맞은 알파벳을 고르시오. (　　　)

__ump

① d　　② g　　③ j　　④ p　　⑤ t

날씨를 묻고 답하는 낱말 읽고 의미 이해하기

23 다음 그림에 알맞은 낱말을 고르시오. (　　　)

① sunny　　② windy　　③ cloudy
④ raining　　⑤ snowing

관계를 나타내는 낱말 읽고 의미 이해하기

24 다음 낱말을 읽고, 의미로 알맞은 것을 고르시오. (　　　)

sister

① 아빠　　② 엄마　　③ 여자형제
④ 남자형제　　⑤ 선생님

알파벳 대문자를 소문자로 바꾸어 쓰기

25 다음 낱말을 소문자로 바르게 바꾸어 쓴 것을 고르시오. (　　　)

WHITE

① whitf　　　　② wnitf
③ wnite　　　　④ whife
⑤ white

실전 문제

적중률 높은 문제들만 가려 뽑아
실제 시험을 치르듯이 OMR 답안지를
사용할 수 있게 하였습니다.

실전 문제

출제 범위: 3학년 전 범위   문항 수: 25문항

점수

- 문제지의 문항 수(25문항)와 면수(4면)를 확인하시오.
- OMR 답안지에 학교, 반, 이름을 정확히 쓰시오.

01 다음 그림에 어울리는 감각적 표현은 무엇입니까? (   )

① 총총 내리는 봄비
② 새싹의 초록빛 발차기
③ 쉬이익쉬이익 파도의 숨소리
④ 복슬복슬한 꼬리를 살랑살랑
⑤ 봄이 오는 소리는 폭! 폭! 폭!

02 다음 글에서 중심 문장을 찾아 기호를 쓰시오.

> ㉠로봇은 여러 가지 일을 합니다. ㉡감시용 로봇은 도둑이 집에 들어오는지 살피는 일을 합니다. ㉢해양 탐사 로봇은 바다 깊은 곳에 가서 그곳 상태를 조사합니다. ㉣정확하게 수술할 수 있도록 도와주는 의료용 로봇도 있습니다.

(   )

03 다음 대화에서 밑줄 친 부분을 높임 표현에 알맞게 고친 것은 무엇입니까?   (   )

> 엄마: 정음아, 할머니 들어오셨니?
> 정음: <u>어, 거실에 있어요.</u>

① 응, 거실에 있어요.   ② 응, 거실에 계세요.
③ 네, 거실에 있어요.   ④ 네, 거실에 계세요.
⑤ 어, 거실에 계세요.

[04~05] 다음 글을 읽고 물음에 답하시오.

> 호준이에게
> 호준아, 나 민재 형이야.
> 한 달 동안이나 저녁마다 줄넘기 연습을 열심히 하는 너를 보면서 네가 ㉠기특하고 대단하다고 생각했어. 그런데 어제 있었던 줄넘기 대회에서 ㉡상을 받지 못했다는 소식을 들었어. ㉢많이 속상했지? 그래도 포기하지 않고 꾸준히 연습하면 다음에는 ㉣더 좋은 결과가 있을 거야.
> 형은 언제나 너를 ㉤응원하고 있어. 그럼 안녕.
> 　　　　　　　　　　　　20○○년 4월 15일
> 　　　　　　　　　　　　　　　　민재 형이

04 ㉠~㉤ 중에서 마음을 나타내는 말로 알맞지 <u>않은</u> 것은 무엇입니까?   (   )

① ㉠   ② ㉡   ③ ㉢
④ ㉣   ⑤ ㉤

05 이 편지를 통해 민재 형이 호준이에게 전하려는 마음으로 알맞은 것은 무엇입니까?   (   )

① 미안한 마음   ② 고마운 마음
③ 부러운 마음   ④ 부끄러운 마음
⑤ 위로하는 마음

[06~07] 다음 글을 읽고 물음에 답하시오.

> (가) 우리 조상은 제비를 복과 재물을 가져다주는 좋은 새라고 여겼습니다. 제비는 주로 음력 9월 9일 즈음 강남에 갔다가 3월 3일 즈음에 돌아오는데, 우리 조상은 이처럼 홀수가 겹치는 날을 운이 좋은 날이라 하여 길일이라고 불렀습니다. 따라서 좋은 날에 떠나 좋은 날에 돌아오는 제비는 그만큼 영리하고 행운을 가져다주는 동물일 것이라고 생각했던 것입니다. 그래서 집에 제비가 들어와 둥지를 틀면 좋은 일이 생길 것이라고 믿고 반겼습니다.
>
> (나) 복을 물어다 주는 제비
> • 제비는 복과 재물을 가져다주는 새
> • 좋은 날(홀수가 겹치는 날)에 떠나 좋은 날에 돌아옴. 그만큼 영리하고 ┌─㉠─┐을/를 가져다줄 것이라고 생각함.

06 (나)는 글 (가)의 내용을 메모한 것입니다. ㉠에 들어갈 알맞은 낱말을 글 (가)에서 찾아 두 글자로 쓰시오.

(   )

07 (나)의 특징으로 알맞은 것은 무엇입니까?   (   )

① 똑같은 내용을 반복해서 썼다.
② 글의 내용을 모두 쓰려고 했다.
③ 생각그물의 형태로 정리해서 썼다.
④ 중요한 낱말을 중심으로 짧게 썼다.
⑤ 전달하고 싶은 내용을 자세히 썼다.

08 다음에 제시된 원인에 따른 결과로 알맞은 것은 무엇입니까? ( )

> 이를 잘 닦지 않아 충치가 생겼다.

① 감기약을 먹었다.
② 음료수를 잔뜩 마셨다.
③ 치과에 가서 치료를 받았다.
④ 밥을 먹고 나서 이를 닦지 않았다.
⑤ 학교 앞 가게에서 사탕을 사 먹었다.

[09~10] 다음 글을 읽고 물음에 답하시오.

> 우리 조상은 꽃을 눈으로도 즐기고 입으로도 즐겼습니다. 삼짇날이 되면 진달래 ㉠꽃잎을 넣고 찹쌀가루를 둥글납작하게 부쳐서 만든 진달래화전을 먹었습니다. 오늘날의 프라이팬이라고도 할 수 있는 ㉡번철을 돌 위에 올리고 그 아래에 불을 피워 화전을 ㉢부쳤습니다. 번철 대신 솥뚜껑을 쓰기도 했습니다.
> ㉣삼짇날에는 진달래화채도 만들어 먹었습니다. 진달래 꽃잎을 녹말가루에 묻혀 살짝 튀긴 뒤, 설탕이나 꿀을 넣어 달게 담근 오미자즙에 띄워 먹었습니다.
> 진달래와 비슷한 철쭉꽃은 먹을 수 없는 꽃이라서 '개꽃'이라고 했지만, 진달래는 먹을 수 있는 꽃이라서 '참꽃'이라고 했습니다. 진달래뿐만 아니라 벚꽃, 배꽃, 매화로도 화전을 만들어 먹었습니다.
> 꽃으로 만든 음식은 보는 것만으로도 기분이 좋습니다. 그뿐만 아니라 꽃잎에 ㉤묻어 있는 꽃가루에는 여러 가지 몸에 좋은 물질이 들어 있습니다.

09 화전으로 만들어 먹을 수 없는 꽃은 무엇입니까? ( )

① 벚꽃   ② 배꽃   ③ 매화
④ 철쭉꽃   ⑤ 진달래

10 ㉠~㉤을 국어사전에 싣는 차례대로 늘어놓은 것은 무엇입니까? ( )

① ㉠ → ㉡ → ㉢ → ㉣ → ㉤
② ㉠ → ㉡ → ㉤ → ㉢ → ㉣
③ ㉠ → ㉡ → ㉤ → ㉣ → ㉢
④ ㉠ → ㉤ → ㉢ → ㉡ → ㉣
⑤ ㉤ → ㉡ → ㉢ → ㉣ → ㉠

11 다음 글에서 옆집 하인과 오성의 의견으로 알맞은 것은 무엇입니까? ( )

> "도련님 댁 감이라고요? 그건 우리 감이에요. 보시다시피 우리 집으로 가지가 넘어왔잖아요."
> 옆집 하인이 그쪽으로 넘어간 감나무 가지를 자기네 것이라고 우기며 감을 따지 못하게 했습니다.
> "그런 경우가 어디 있나? 그 감은 우리 것이네. 아무리 담 너머로 가지가 넘어갔어도 감나무는 우리 집에서 심고 가꾸었기 때문이야."
> 오성은 어이없다는 듯이 옆집 하인에게 말했습니다.

① 감을 따지 말아야 한다.
② 감나무를 심고 가꾸어야 한다.
③ 감나무에 달린 감은 우리 것이다.
④ 감나무 가지가 담 너머로 넘어가면 안 된다.
⑤ 담 너머로 넘어간 감나무 가지를 잘라야 한다.

12 다음 글에서 밑줄 친 '프린들'은 무엇이겠습니까? ( )

> 재닛은 닉의 부탁을 받고 프린들을 사러 온 다섯 번째 아이였다.
> 재닛이 프린들을 달라고 하자, 아주머니는 볼펜 쪽으로 손을 뻗으며 물었다.
> "파란색, 까만색?"
> 닉은 옆에 있는 사탕 진열대 앞에 서 있다가 씨익 웃었다.

① 사탕   ② 볼펜   ③ 진열대
④ 파란색   ⑤ 까만색

13 다음 글에 나오는 장군이와 비슷한 경험을 떠올린 것은 무엇입니까? ( )

> 만복이는 너무 화가 나서 주먹을 꼬옥 쥐었어. 그런데 장군이의 생각이 다시 들려오지 뭐야.
> '아이, 때리려고 그런 게 아닌데……. 만복이가 또 코피 나잖아. 정말 아프겠다. 난 왜 이렇게 만날 사고만 치지? 난 정말 나쁜 애야.'
> 만복이는 쥐고 있던 주먹을 풀었어. 장군이의 마음을 알자 미운 마음이 눈 녹듯 사라져 버렸거든.

① 친구를 도와주고 기분이 좋았던 일
② 친구에게 새로 산 장난감을 자랑했던 일
③ 반 친구들과 운동장에서 축구 시합을 한 일
④ 비 오는 날, 친구와 우산을 함께 쓰고 온 일
⑤ 친구에게 상처를 주는 말을 한 뒤에 후회했던 일

14 다음 상황에서 미안한 마음을 전하는 표정, 몸짓, 말투로 어울리지 <u>않는</u> 것은 무엇입니까? ( )

> 실수로 친구의 필통을 떨어뜨린 상황

① 몸을 움츠리며
② 머리를 긁적이며
③ 낮고 작은 목소리로
④ 풀이 죽은 표정으로
⑤ 두 주먹을 불끈 쥐며

[15~16] 다음 글을 읽고 물음에 답하시오.

> 닭싸움 놀이는 한쪽 다리를 들어 올려 두 손으로 잡고, 다른 다리로 균형을 잡아 깨금발로 뛰면서 상대를 밀어 넘어뜨리는 놀이입니다. 준비물이 필요하지 않고 놀이 방법이 간단해 요즘도 어린이는 물론 청소년과 어른도 즐기는 놀이입니다.
> '닭싸움'은 두 사람이 겨루는 모습이 닭이 싸우는 것과 비슷하다고 해서 지어진 이름입니다. 닭싸움 놀이는 한 발로 서서 하므로 '외발 싸움', '깨금발 싸움'이라고도 부르고, 무릎을 부딪쳐 싸운다고 해서 '무릎 싸움'이라고도 부릅니다. 닭싸움 놀이는 두 명이 할 수도 있고 여러 명이 할 수도 있습니다.

15 이 글의 내용으로 볼 때 '닭싸움'이라는 이름이 지어진 까닭으로 알맞은 것은 무엇입니까? ( )

① 놀이에 닭이 꼭 필요해서
② 닭과 닭이 싸우는 놀이라서
③ 닭과 사람이 싸우는 놀이라서
④ 닭의 울음소리를 흉내 내며 하는 놀이라서
⑤ 두 사람이 겨루는 모습이 닭이 싸우는 것과 비슷해서

16 이 글을 아는 내용이나 겪은 일과 관련지어 알맞게 읽지 <u>못</u>한 친구는 누구인지 쓰시오.

> 현서: 책에서 닭싸움 놀이에 관한 내용을 읽은 적이 있어서 닭싸움 놀이를 부르는 다양한 이름들을 기억하기 쉬웠어.
> 주나: 친구들과 운동장에서 닭싸움 놀이를 한 경험을 떠올리며 읽었더니 닭싸움 놀이를 하는 방법이 더 잘 이해되었어.
> 보미: 시골에서 키우는 닭을 본 경험을 떠올렸더니 닭싸움 놀이를 잘하는 방법을 알게 되었어.

( )

17 자신이 쓴 글을 읽고 고쳐 쓰면 좋은 점으로 알맞지 <u>않은</u> 것을 두 가지 고르시오. (,)

① 글을 길게 늘여 쓸 수 있다.
② 잘못된 표현을 고칠 수 있다.
③ 잘못된 띄어쓰기를 고칠 수 있다.
④ 꾸며 주는 말을 더 많이 사용할 수 있다.
⑤ 자신이 전하고자 한 내용을 효과적으로 표현했는지 확인할 수 있다.

18 다음 대상에 어울리는 표현이 <u>아닌</u> 것은 무엇입니까? ( )

① 뻥
② 데굴데굴
③ 왁자지껄
④ 아삭아삭
⑤ 요리조리

19 다음 전화 대화에서 밑줄 친 부분을 예절에 맞게 바르게 고친 것은 무엇입니까? ( )

> 유진: 여보세요?
> 할머니: 유진이냐? 할머니다.
> 유진: 네, 할머니! 안녕하세요?
> 할머니: 그래. 여기는 괜찮은데, 요즘 한국은 많이 덥지?
> 유진: 네, 많이 더워요.
> 할머니: 네 엄마는?
> 유진: 시장에 장 보러 가셨어요.
> 할머니: 엄마 오시면 할머니가 이번 토요일에 한국에 간다고 전해 다오.
> 유진: <u>네. (전화를 끊는다.)</u>
> 할머니: 세 시까지 공항에 데리러 오라고 말해야 하는데……

① 할머니, 이만 끊을게요.
② 할머니, 저는 유진이에요.
③ 응. 알았어. 엄마한테 말할게.
④ 엄마한테 말할게요. 빨리 전화 끊으세요.
⑤ 네, 전해 드릴게요. 할머니, 더 하실 말씀 있으세요?

실전 문제

[20~21] 다음 글을 읽고 물음에 답하시오.

1교시는 사회 시간이었다. 우리 지역의 자랑거리를 조사해서 발표하는 시간이었다.

우리 모둠 발표자는 나였다. 앞 모둠 발표가 거의 끝나 가자 나는 가슴이 콩닥콩닥 뛰기 시작했다.

'어쩌지? 실수하면 안 되는데……'

발표 내용이 갑자기 뒤죽박죽되는 느낌이었다.

우리 모둠 차례가 되었고 겨우겨우 발표를 끝내고 자리로 돌아왔다. 얼른 이 시간이 지나가면 좋겠다고 생각했다.

20 '나'의 가슴이 콩닥콩닥 뛴 까닭은 무엇입니까? (　　　)

① 앞 모둠 발표가 지루해서
② 발표 내용을 준비하지 못해서
③ 앞 모둠 발표자가 실수를 해서
④ 우리 모둠 발표자가 갑자기 바뀌어서
⑤ 발표하다가 실수할까 봐 걱정이 되어서

21 이 글에 나타난 '나'의 마음으로 알맞은 것은 무엇입니까?
(　　　)

① 화나는 마음　　　　② 설레는 마음
③ 흐뭇한 마음　　　　④ 걱정하는 마음
⑤ 자랑스러운 마음

22 다음 글에 나타난 독서 감상문의 특징이 <u>아닌</u> 것은 무엇입니까?　(　　　)

(가) 오늘은 학교에서 『바위나리와 아기별』이라는 책을 읽었다. 앞표지에 있는 바위나리와 아기별 그림이 무척 예뻐서 내용이 궁금했기 때문이다. 이 책은 바위나리와 아기별의 우정 이야기이다.

바위나리는 바닷가에 핀 아름다운 꽃이었다. 하지만 친구가 없어 늘 외로웠다. 어느 날 밤, 아기별이 하늘에서 내려와 둘은 친구가 되었고, 바위나리와 아기별은 밤마다 만나 즐겁게 놀았다.

(나) 이 책을 읽고 주위에 바위나리처럼 외로운 친구가 있는지 생각해 보았다. 그리고 그 친구에게 아기별과 같은 친구가 되어야겠다는 생각이 들었다.

① 책 제목
② 책 내용
③ 인상 깊은 부분
④ 책을 읽게 된 까닭
⑤ 책을 읽은 뒤에 든 생각이나 느낌

[23~24] 다음 글을 읽고 물음에 답하시오.

제빵사 체험을 마치고 나오니 거의 ㉠열두 시가 되었다. 우리 모둠은 ㉡중앙 광장에서 아까 만든 크림빵과 각자 싸 온 점심을 먹으며 다른 모둠 친구들과 체험활동 이야기를 나누었다. 효지는 공항에서 한 비행기 조종사 체험이 가장 재미있었다고 했고, 준우는 문화재 발굴 현장에서 문화재를 찾는 체험이 가장 재미있었다고 했다.

점심시간이 끝난 ㉢오후 한 시, ㉣소방서에서 병주가 가장 기대하던 소방관 체험으로 활동을 시작했다. 소방관 복장을 하고, 소방차를 타고 출동하고, 불이 난 곳에 물도 뿌렸다. 원래 ㉤소방관에는 관심이 없었는데, 체험해 보니 내 적성에도 잘 맞고 보람도 있어서 미래에 소방관이 되어도 좋겠다고 생각했다.

23 이 글에서 친구들이 체험한 활동이 <u>아닌</u> 것은 무엇입니까?
(　　　)

① 제빵사 체험　　　　② 소방관 체험
③ 디자이너 체험　　　④ 비행기 조종사 체험
⑤ 문화재를 찾는 체험

24 ㉠~㉤ 중에서 시간의 흐름과 장소의 변화를 알 수 있는 부분이 <u>아닌</u> 것의 기호를 쓰시오.

(　　　　　　)

25 다음 글에서 밑줄 친 부분에 어울리는 말투는 무엇입니까?
(　　　)

호랑이: (반가운 목소리로) 나그네님!
나그네: 누가 나를 부르나? (사방을 둘러본다.)
호랑이: 나그네님, 저를 좀 구해 주십시오.
나그네: (궤짝을 들여다보고) 이크, 호랑이구려! 무슨 일이오?
호랑이: 나그네님, 제발 문고리를 따고 문짝을 좀 열어 주십시오.
나그네: 뭐요? 문을 열어 달라고? 열어 주면 뛰쳐나와서 나를 잡아먹을 것이 아니오?
호랑이: 아닙니다. 제가 은혜를 모르고 그런 짓을 할 리가 있겠습니까? (앞발을 비비며 자꾸 절을 한다.)

① 당당한 말투　　　　② 간절한 말투
③ 뻔뻔한 말투　　　　④ 부끄러운 말투
⑤ 불만스러운 말투

♣ 수고하셨습니다. ♣
답안지에 답을 정확히 표기하였는지 확인하시오.

실전 문제

출제 범위: 3학년 전 범위 문항 수: 25문항

점수

01 두 수의 합은 얼마입니까?   (   )

365	258

① 513   ② 523   ③ 613
④ 623   ⑤ 713

02 그림을 보고 바르게 읽은 것을 두 가지 고르시오.
                                          (,   )

① 선분 ㄱㄴ   ② 선분 ㄴㄱ   ③ 반직선 ㄱㄴ
④ 반직선 ㄴㄱ   ⑤ 직선 ㄱㄴ

03 학교에서 수영장까지의 거리는 몇 m입니까? (   )

2 km 400 m
학교   수영장

① 24 m   ② 204 m   ③ 240 m
④ 2040 m   ⑤ 2400 m

04 3단 곱셈구구를 이용하여 몫을 구할 수 있는 것은 어느 것입니까?   (   )

① 15÷3   ② 24÷4   ③ 35÷5
④ 30÷6   ⑤ 49÷7

05 빈칸에 알맞은 수는 어느 것입니까?   (   )

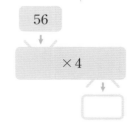

56
×4

① 214   ② 224   ③ 228
④ 236   ⑤ 244

06 그림을 보고 20의 $\frac{3}{5}$을 구하면 얼마입니까? (   )

① 4   ② 8   ③ 12
④ 16   ⑤ 20

07 수 모형을 보고 123×2를 구하면 얼마입니까? (   )

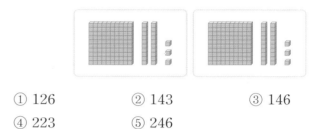

① 126   ② 143   ③ 146
④ 223   ⑤ 246

08 □ 안에 들어갈 단위로 알맞은 것은 어느 것입니까?
                                          (   )

트럭의 무게는 약 10 □ 이다.

① mL   ② L   ③ g
④ kg   ⑤ t

09 컴퍼스를 이용하여 반지름이 7 cm인 원을 그리는 순서로 알맞은 것은 어느 것입니까?   (   )

> ㉠ 원의 중심이 되는 점 ㅇ을 정한다.
> ㉡ 컴퍼스의 침을 점 ㅇ에 꽂고 원을 그린다.
> ㉢ 컴퍼스를 7 cm가 되도록 벌린다.

① ㉠, ㉡, ㉢   ② ㉠, ㉢, ㉡   ③ ㉡, ㉠, ㉢
④ ㉡, ㉢, ㉠   ⑤ ㉢, ㉡, ㉠

10 □ 안에 들어갈 수의 식으로 알맞은 것은 어느 것입니까? ( )

① 4×23 　　② 4×20

③ 4×3 　　④ 3×5

⑤ 2×3

```
      2 3
  4 ) 9 5
      8
      1 5
      □
      3
```

11 길이를 잘못 나타낸 것은 어느 것입니까? ( )

① 6 mm＝0.6 cm

② 17 mm＝1.7 cm

③ 5.8 cm＝58 mm

④ 2 cm 4 mm＝24 cm

⑤ 7.6 cm＝7 cm 6 mm

12 직사각형의 네 변의 길이의 합이 26 cm일 때, □ 안에 알맞은 수는 어느 것입니까? ( )

4 cm

□cm

① 9 　　② 8 　　③ 7

④ 6 　　⑤ 5

13 두 나눗셈의 몫이 같을 때, □ 안에 알맞은 수는 어느 것입니까? ( )

40÷5	72÷□

① 9 　　② 8 　　③ 5

④ 3 　　⑤ 2

14 진서는 줄넘기를 245회 하였고, 나은이는 진서보다 117회 더 적게 하였습니다. 나은이는 줄넘기를 몇 회 하였습니까? ( )

① 126회 　　② 128회 　　③ 138회

④ 228회 　　⑤ 238회

15 점 ㄷ, 점 ㄹ은 각각 원의 중심입니다. 선분 ㄱㄴ은 몇 cm 입니까? ( )

10 cm

7 cm

ㄱ　ㄷ　ㄹ　ㄴ

① 17 cm 　　② 24 cm 　　③ 27 cm

④ 34 cm 　　⑤ 43 cm

16 운동장에 남학생 42명과 여학생 38명이 있습니다. 학생들이 한 줄에 8명씩 서면 모두 몇 줄이 됩니까? ( )

① 7줄 　　② 8줄 　　③ 9줄

④ 10줄 　　⑤ 11줄

17 경은이네 학교 도서실에 있는 종류별 책의 수를 조사하여 나타낸 그림그래프입니다. 위인전은 과학책보다 몇 권 더 많습니까? ( )

종류별 책의 수

종류	책의 수
만화책	
위인전	
과학책	
동화책	

📖 100권
📖 10권

① 50권 　　② 60권 　　③ 70권

④ 80권 　　⑤ 90권

18 정석이가 오늘 오전에 마신 물의 양은 1 L 300 mL입니다. 정석이가 하루에 2 L의 물을 마시려면 오늘 오후에는 몇 mL의 물을 더 마셔야 합니까?　　(　　　　)

① 30 mL　　② 60 mL　　③ 70 mL

④ 300 mL　　⑤ 700 mL

19 수업 준비물로 색종이를 한 명에게 36장씩 나누어 주려고 합니다. 색종이는 모두 몇 장 필요합니까?　(　　　　)

모둠	가	나	다	라
학생 수(명)	6	7	5	6

① 864장　　② 792장　　③ 784장

④ 665장　　⑤ 546장

20 □ 안에 들어갈 수 있는 자연수는 모두 몇 개입니까?
　　(　　　　)

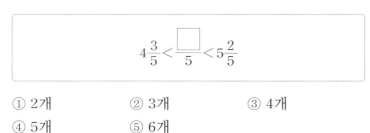

$$4\frac{3}{5} < \frac{\square}{5} < 5\frac{2}{5}$$

① 2개　　② 3개　　③ 4개

④ 5개　　⑤ 6개

21 미나네 반 학생들이 소풍을 갔습니다. 학생들은 한 모둠에 12명씩 4모둠이 있고, 학생들에게 나누어 줄 음료수는 10병씩 5상자가 있습니다. 학생 한 명에게 음료수를 1병씩 나누어 주면 남는 음료수는 몇 병입니까?　(　　　　)

① 1병　　② 2병　　③ 3병

④ 4병　　⑤ 5병

22 □ 안에 알맞은 수는 어느 것입니까?　　(　　　　)

① 1　　② 2　　③ 3

④ 4　　⑤ 5

23 시계가 나타내는 시각에서 2시간 14분 16초 후의 시각은 몇 시 몇 분 몇 초인지 구해 보시오.

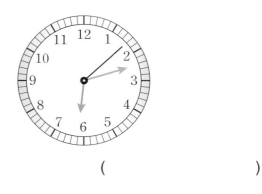

(　　　　　　　)

24 조건 을 모두 만족하는 분수 중에서 가장 작은 분수를 구해 보시오.

> **조건**
> • 분모가 한 자리 수입니다.
> • 단위분수입니다.

(　　　　　　　)

25 생선 가게에 있는 종류별 생선의 수를 조사하여 나타낸 표입니다. 생선의 수가 가장 많은 것은 어느 것입니까?
　　(　　　　)

종류별 생선의 수

종류	갈치	고등어	가자미	꽁치	삼치	합계
생선 수(마리)	18	24	12		21	100

① 갈치　　② 고등어　　③ 가자미

④ 꽁치　　⑤ 삼치

> ♣ 수고하셨습니다.♣
> 답안지에 답을 정확히 표기하였는지 확인하시오.

실전 문제

출제 범위: 3학년 전 범위   문항 수: 25문항

- 문제지의 문항 수(25문항)와 면수(3면)를 확인하시오.
- OMR 답안지에 학교, 반, 이름을 정확히 쓰시오.

[01~02] 다음 지도를 보고 물음에 답하시오.

▲ 혜지가 그린 고장의 모습

▲ 상우가 그린 고장의 모습

01 혜지가 그린 그림 가운데에 있는 장소는 어디인지 쓰시오.

( )

02 혜지와 상우가 그린 고장의 모습을 잘못 비교한 것은 무엇입니까? ( )

① 상우는 산과 하천을 그렸다.
② 혜지는 길을 그리지 않았다.
③ 상우는 상우네 집을 중심으로 주변의 장소를 그렸다.
④ 상우와 혜지가 그린 장소 중 겹치는 곳이 한 곳도 없다.
⑤ 혜지는 좋아하는 장소를 그리고 기쁜 얼굴 모양도 그려 넣었다.

03 우리 고장의 모습을 그린 그림들을 비교할 때 서로 다른 점이 나타나는 까닭은 무엇입니까? ( )

① 나이가 다르기 때문에
② 다른 고장에 살고 있기 때문에
③ 다른 집에서 살고 있기 때문에
④ 태어난 곳이 서로 다르기 때문에
⑤ 고장에 대한 경험은 사람마다 다르기 때문에

04 디지털 영상 지도가 종이 지도와 다른 점으로 알맞은 것은 무엇입니까? ( )

① 고장의 주요 장소가 크게 보인다.
② 고장의 모습을 생생하게 볼 수 있다.
③ 고장을 흐르는 강을 살펴볼 수 있다.
④ 큰길, 산, 강 등의 밑그림만 그려져 있다.
⑤ 낮은 곳에서 내려다본 땅의 모습을 나타낸 것이다.

05 디지털 영상 지도를 활용하는 목적으로 알맞은 것을 모두 고르시오. (, ,)

① 현재 시각을 알아볼 때
② 장소의 위치를 찾을 때
③ 목적지까지 가는 길을 찾을 때
④ 장소의 실제 모습을 살펴볼 때
⑤ 건물의 내부 모습을 살펴볼 때

06 고장의 옛이야기에 대한 특징으로 알맞은 것은 무엇입니까? ( )

① 고장의 유래를 알 수 있다.
② 모든 고장의 옛이야기는 똑같다.
③ 속담과 관련하여 전해 내려오는 것만을 말한다.
④ 위인과 관련하여 전해 내려오는 것만을 말한다.
⑤ 오늘날 고장의 발전을 위해 새롭게 만들어 낸 것을 말한다.

07 다음 중 얼음과 관련된 지명은 무엇입니까? ( )

① 종로   ② 빙고리
③ 피맛골   ④ 두물머리
⑤ 말죽거리

08 다음 문화유산 중 종류가 나머지 넷과 다른 하나는 무엇입니까? ( )

① 석가탑   ② 첨성대
③ 성덕 대왕 신종   ④ 경주 동궁과 월지
⑤ 하회 별신굿 탈놀이

09 문화유산 답사를 할 때 가장 먼저 해야 할 일은 무엇입니까? ( )

① 답사의 목적을 정한다.
② 답사 방법과 준비물을 정한다.
③ 답사할 장소와 날짜를 정한다.
④ 답사 장소에서 조사할 내용을 정한다.
⑤ 답사 결과를 정리해 발표 자료를 만든다.

[10~11] 다음 교통수단을 보고, 물음에 답하시오.

㉮ 말	㉯ 가마
㉰ 비행기	㉱ 고속 열차

10 위 교통수단을 다음 기준에 따라 구분하여 기호를 쓰시오.

(1) 옛날의 교통수단	
(2) 오늘날의 교통수단	

11 위 교통수단 중 ㉯에 대한 설명으로 알맞은 것은 무엇입니까? ( )

① 기계의 힘을 이용해 움직였다.
② 동물의 힘을 이용해 움직였다.
③ 사람의 힘을 이용해 움직였다.
④ 한 번에 많은 물건과 사람을 실어 날랐다.
⑤ 오늘날 사람들이 자주 이용하는 교통수단이다.

12 다음은 옛날의 통신수단 중 하나인 봉수입니다. 이 같은 통신수단을 사용한 까닭은 무엇입니까? ( )

① 날짜를 알려 주기 위해
② 시간을 알려 주기 위해
③ 한 해의 시작을 알리기 위해
④ 소리로 긴급한 상황을 알리기 위해
⑤ 빠른 시간 안에 많은 사람에게 소식을 알리기 위해

13 할인 매장 직원이 다음과 같은 내용을 알리는 데 알맞은 통신수단은 무엇입니까? ( )

> 고객님께 알려 드립니다. 지금부터 5분 동안만 샤인 머스캣을 20% 할인해서 판매합니다.

① 라디오　　　　　② 무전기
③ 텔레비전　　　　④ 휴대 전화
⑤ 무선 마이크

14 빈칸 ㉠, ㉡에 들어갈 알맞은 말을 쓰시오.

> 우리가 살아가는 고장은 다양한 환경으로 이루어져 있다. 산과 들, 강, 바다, 계절과 날씨 등 자연 그대로의 것들을 　㉠　(이)라고 한다. 그리고 도로, 건물, 논밭과 공장, 마을과 도시 등 사람의 힘으로 만든 것들을 　㉡　(이)라고 한다.

㉠: (　　　　　　　), ㉡: (　　　　　　　)

15 겨울에 다음과 같은 생활 모습을 볼 수 있는 고장은 어디입니까? ( )

① 산이 많은 고장
② 바다가 있는 고장
③ 도시가 발달한 고장
④ 논과 밭이 있는 고장
⑤ 섬으로 이루어진 고장

16 다음은 너와집입니다. 너와집이 발달한 고장의 특징은 무엇입니까? ( )

① 고장에 바다가 있다.
② 고장에 사람이 많다.
③ 고장에 바람이 많이 분다.
④ 고장에서 돌을 많이 볼 수 있다.
⑤ 고장에 산이 많아 나무를 쉽게 구할 수 있다.

17 다음은 러시아의 이즈바입니다. 지붕을 가파르게 만든 까닭과 관련된 환경은 무엇입니까? ( )

① 눈
② 비
③ 사막
④ 하천
⑤ 화산

18 다음 도구는 옛날 사람들이 무엇을 할 때 사용한 도구입니까? ( )

• 돌괭이	• 철로 만든 괭이

① 땅을 갈 때
② 옷을 꿰맬 때
③ 음식을 먹을 때
④ 곡식을 수확할 때
⑤ 멧돼지를 잡을 때

19 집의 모습이 변화하면서 사람들의 생활 모습이 달라졌지만 변하지 않은 공통점이 있습니다. 공통점으로 알맞은 것은 무엇입니까? ( )

① 집에서 편안하게 휴식을 취한다.
② 좁은 땅에 많은 사람이 함께 살 수 있다.
③ 나이나 성별에 따라 생활 공간이 다르다.
④ 신분이 높은 사람만 집 안에서 생활한다.
⑤ 집을 만드는 데 필요한 재료는 자연에서 얻는다.

20 다음은 추석에 먹는 음식입니다. 무엇인지 쓰시오.

( )

21 옛날과 오늘날의 설날에 행해지는 공통적인 세시 풍속을 두 가지 고르시오. (,)

① 차례를 지낸다.
② 부채를 주고받는다.
③ 어른께 세배를 드린다.
④ 창포물에 머리를 감는다.
⑤ 야광귀에게 빼앗기지 않도록 신발을 방안에 둔다.

22 다음에서 설명하는 것은 무엇인지 쓰시오.

옛날에 결혼식을 마치고 신랑과 신부가 신랑의 집으로 가 신랑의 집안 어른들께 첫인사를 올리는 것을 말한다.

( )

23 오늘날 가족 구성원의 역할로 알맞지 <u>않은</u> 것은 무엇입니까? ( )

① 부모가 함께 자녀를 돌본다.
② 집안일은 무조건 어머니가 한다.
③ 부모가 모두 직장에 다니는 경우가 많아졌다.
④ 가족 구성원이 모두 함께 집안일을 나누어 한다.
⑤ 집안의 중요한 일은 가족 구성원 모두가 함께 결정한다.

24 오늘날 다양한 가족의 모습에 대한 설명으로 알맞지 <u>않은</u> 것은 무엇입니까? ( )

① 모든 가족은 소중하다.
② 오늘날 가족의 형태는 매우 다양하다.
③ 다양한 가족들의 생활 모습은 모두 똑같다.
④ 우리는 서로 다른 가족들의 생활 모습을 존중해야 한다.
⑤ 모든 가족은 형태는 달라도 서로를 아끼고 사랑하며 지낸다.

25 바람직한 가족 구성원의 모습을 엿볼 수 있는 말로 적합한 것을 두 가지 고르시오. (,)

① "나는 네가 못할 줄 알았다."
② "너는 어쩌면 잘하는 게 하나도 없니?"
③ "네가 잘못했어. 같이 쓰기로 했잖아. 흥!"
④ "엄마, 다시 회사에 출근하시게 된 것 축하드려요."
⑤ "네가 포기하지 않고 끝까지 해낸 것이 자랑스러워."

♣ 수고하셨습니다.♣
답안지에 답을 정확히 표기하였는지 확인하시오.

실전 문제

출제 범위: 3학년 전 범위   문항 수: 25문항

- 문제지의 문항 수(25문항)와 면수(3면)를 확인하시오.
- OMR 답안지에 학교, 반, 이름을 정확히 쓰시오.

01 다음은 공룡 발자국을 보고 추리한 것입니다. ㉠~㉢ 중 어느 부분에 대해 추리한 것인지 쓰시오.

> 큰 발자국과 작은 발자국이 뒤섞여 복잡하게 찍혀 있는 것으로 보아 발이 큰 공룡과 발이 작은 공룡이 몸싸움을 벌였을 것이다.

(   )

02 다음 설명에 해당하는 막대는 무엇입니까? (   )

> - 물에 가라앉으며, 단단해서 잘 휘어지지 않는다.
> - 플라스틱 막대로 긁어도 잘 긁히지 않는다.

① 금속 막대   ② 고무 막대   ③ 나무 막대
④ 종이 막대   ⑤ 플라스틱 막대

03 부드럽고 미끄러지지 않는 자전거의 손잡이를 만드는 데 사용되는 물질을 두 가지 고르시오. (,   )

① 금속   ② 고무   ③ 나무
④ 종이   ⑤ 플라스틱

04 다음과 같이 물, 붕사, 폴리비닐 알코올을 섞어 탱탱볼을 만들 때에 대한 설명으로 옳지 않은 것은 무엇입니까? (   )

▲ 따뜻한 물   ▲ 붕사   ▲ 폴리비닐 알코올

① 붕사와 폴리비닐 알코올은 성질이 다르다.
② 물에 붕사를 섞으면 물이 뿌옇게 흐려진다.
③ 붕사가 섞여 있는 물에 폴리비닐 알코올을 넣으면 엉긴 물질이 만들어진다.
④ 만들어진 탱탱볼은 광택이 있지만 바닥에 떨어뜨리면 가루처럼 흩어진다.
⑤ 각 물질을 섞어 탱탱볼을 만들면 섞이기 전 각 물질이 가지고 있던 성질이 변한다.

05 배추흰나비알에 대한 설명으로 옳은 것은 무엇입니까? (   )

① 동전처럼 동그랗게 생겼다.
② 배추밭, 무밭에서 볼 수 있다.
③ 표면에 고리 모양의 마디가 있다.
④ 맨눈으로 쉽게 관찰할 수 있는 크기이다.
⑤ 시간이 지나면 색깔이 초록색으로 변하고 그 속에서 애벌레의 움직임이 보인다.

06 사슴벌레와 잠자리의 한살이에 대한 설명으로 옳지 않은 것은 무엇입니까? (   )

① 사슴벌레는 나무에 알을 낳는다.
② 잠자리는 허물을 벗으며 자란다.
③ 잠자리의 애벌레는 물속에서 자란다.
④ 사슴벌레의 어른벌레는 물속에서 생활한다.
⑤ 잠자리는 한살이 과정에서 번데기 단계가 없다.

07 다음과 같은 특징이 있는 동물이 아닌 것은 무엇입니까? (   )

> - 새끼는 어미와 모습이 비슷하다.
> - 어미젖을 먹고 자라다가 점차 다른 먹이를 먹는다.
> - 다 자라면 암수가 짝짓기를 하여 암컷이 새끼를 낳는다.

① 소   ② 뱀   ③ 염소
④ 고양이   ⑤ 햄스터

08 막대자석을 클립이 든 종이 상자에 넣었다가 천천히 들어 올렸을 때 클립이 많이 붙는 부분을 두 군데 골라 기호를 쓰시오.

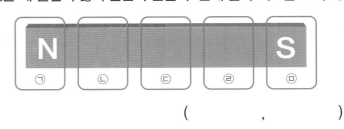

(,   )

09 자석에 붙여 놓았던 머리핀에 수수깡을 끼워 물에 띄우면 어떻게 됩니까? (   )

① 머리핀이 위아래로 출렁거린다.
② 머리핀이 물 아래로 가라앉는다.
③ 머리핀이 북쪽과 남쪽을 가리킨다.
④ 머리핀이 동쪽과 서쪽을 가리킨다.
⑤ 머리핀이 제자리에서 빙글빙글 돈다.

10 다음과 같은 자석 낚시에 이용된 자석의 성질은 무엇입니까? ( )

① 같은 극끼리 밀어 내는 성질
② 다른 극끼리 끌어당기는 성질
③ 일정한 방향을 가리키는 성질
④ 철로 된 물체를 끌어당기는 성질
⑤ 물에 띄우면 북쪽과 남쪽을 가리키는 성질

11 육지와 바다에 대한 설명으로 옳지 <u>않은</u> 것은 무엇입니까? ( )

① 바다가 육지보다 더 넓다.
② 육지의 물은 바닷물보다 짜다.
③ 바닷물은 사람이 마실 수 없다.
④ 바닷물이 육지의 물보다 더 많다.
⑤ 육지와 바다에 사는 생물이 다르다.

12 지구가 우리에게 편평하게 보이는 까닭으로 옳은 것을 다음 보기 에서 골라 기호를 쓰시오.

> **보기**
> ㉠ 지구의 바다가 넓기 때문이다.
> ㉡ 지구에 생물이 많이 살기 때문이다.
> ㉢ 지구가 아래쪽만 편평하기 때문이다.
> ㉣ 사람의 크기에 비해 지구가 매우 크기 때문이다.

( )

13 달 표면의 어두운 부분에 대한 설명으로 옳은 것은 무엇입니까? ( )

① 달의 바다라고 한다.
② 햇빛이 가려지는 곳이다.
③ 검게 보이는 달의 하늘이다.
④ 옛날에 물이 많이 고여 있었던 곳이다.
⑤ 비와 바람으로 땅이 움푹 파인 곳이다.

14 땅에서 사는 동물의 특징으로 옳지 <u>않은</u> 것은 무엇입니까? ( )

① 소: 걸어 다니고, 머리에 뿔이 있다.
② 땅강아지: 걸어 다니며 날기도 한다.
③ 뱀: 코로 냄새를 맡아 먹이를 찾아낸다.
④ 다람쥐: 다리가 두 쌍 있고, 나무를 잘 탄다.
⑤ 너구리: 몸이 털로 덮여 있고, 걷거나 뛰어다닌다.

15 다음은 붕어가 물속에서 생활하기에 알맞은 점에 대한 설명입니다. ( ) 안에 들어갈 알맞은 말을 쓰시오.

> 붕어는 ( )(으)로 숨을 쉬고, 지느러미로 물속에서 헤엄을 잘 친다.

( )

16 날아다니는 동물의 특징으로 옳은 것은 무엇입니까? ( )

① 땅을 잘 팔 수 있다.
② 몸이 비교적 가볍다.
③ 몸이 털로 덮여 있다.
④ 아가미와 지느러미가 있다.
⑤ 작은 소리도 잘 들을 수 있다.

17 얼음이나 식물의 뿌리에 의해 나타난 다음 두 모습에서 공통된 현상은 무엇입니까? ( )

① 바위가 부서진다.
② 바위가 만들어진다.
③ 흙과 부식물이 섞인다.
④ 흙이 더 작게 부서진다.
⑤ 바위가 점점 단단해진다.

실전 문제

18 다음은 운동장 흙과 화단 흙이 든 비커에 물을 붓고 유리 막대로 저은 뒤 그대로 놓아둔 모습입니다. 이 실험을 통해 알 수 있는 내용으로 옳은 것은 무엇입니까? (　　　)

▲ 운동장 흙　　　　▲ 화단 흙

① 운동장 흙은 물에 잘 뜬다.
② 운동장 흙은 어두운색이다.
③ 화단 흙은 알갱이의 크기가 크다.
④ 운동장 흙에서는 식물이 잘 자란다.
⑤ 화단 흙에는 부식물이 많이 섞여 있다.

19 침식 작용이 활발한 곳을 두 가지 고르시오. (　,　)

① 강 상류
② 강 하류
③ 경사가 완만한 곳
④ 비가 내린 뒤 산의 낮은 곳
⑤ 바닷가에서 바다 쪽으로 튀어 나온 부분

20 다음 물체의 상태에 대한 설명으로 옳은 것은 무엇입니까? (　　　)

| 구슬 | 연필 | 가방 |

① 눈으로 볼 수 없다.
② 손으로 잡을 수 없다.
③ 담는 그릇이 바뀌면 부피가 변한다.
④ 담는 그릇이 바뀌면 모양이 변한다.
⑤ 담는 그릇이 바뀌어도 부피가 변하지 않는다.

21 물을 다른 모양의 그릇에 차례대로 옮겨 담은 뒤 처음에 사용한 그릇에 다시 옮겨 담았습니다. 이 실험으로 알 수 있는 다음 설명에서 (　　) 안에 들어갈 알맞은 말을 쓰시오.

물과 같은 액체는 담는 그릇에 따라 모양은 변하지만 (　　　)은/는 변하지 않는다.

(　　　)

22 공기가 이동하는 성질을 이용한 예로 옳지 <u>않은</u> 것은 무엇입니까? (　　　)

① 빨대로 음료수를 마신다.
② 선풍기로 바람을 일으킨다.
③ 광고 풍선에 공기를 주입한다.
④ 펌프를 시용하여 자전거 타이어에 공기를 주입한다.
⑤ 공기 공급 장치를 사용하여 수족관에 공기를 주입한다.

23 작은북을 쳐서 큰 소리를 낼 수 있는 방법으로 옳은 것은 무엇입니까? (　　　)

① 북채로 작은북을 세게 친다.
② 북채로 작은북을 약하게 친다.
③ 북채로 작은북을 한 번만 친다.
④ 작은북 위에 수건을 덮고 북채로 친다.
⑤ 작은북 위에 좁쌀을 올려놓고 북채로 친다.

24 다음은 소리가 나는 스피커를 플라스틱 통 속에 넣고 여러 가지 물체를 이용해 스피커에서 나오는 소리를 들어 보는 모습입니다. 소리가 크게 들리는 것부터 순서대로 기호를 쓰시오.

▲ 아무것도 들지 않고 소리 듣기　▲ 나무판을 들고 소리 듣기　▲ 스타이로폼판을 들고 소리 듣기

(　,　,　)

25 소음의 종류와 그 소음을 줄일 수 있는 방법을 옳게 짝 지은 것은 무엇입니까? (　　　)

① 확성기 소리 – 확성기의 음량을 늘린다.
② 자동차가 달리는 소리 – 도로에 방음벽을 설치한다.
③ 비행기 소리 – 도시에서 가까운 장소에 공항을 짓는다.
④ 피아노 소리 – 벽에 소리가 잘 전달되는 물질을 붙인다.
⑤ 음악 소리 – 음악을 들을 때 스피커의 소리를 크게 한다.

♣ 수고하셨습니다. ♣
답안지에 답을 정확히 표기하였는지 확인하시오.

실전 문제

출제 범위: 3학년 전 범위   문항 수: 25문항

점수

• 문제지의 문항 수(25문항)와 면수(3면)를 확인하시오.

• OMR 답안지에 학교, 반, 이름을 정확히 쓰시오.

1번부터 21번까지는 듣고 답하는 문제입니다. 녹음 내용을 잘 듣고, 물음에 답하기 바랍니다. 내용은 한 번만 들려줍니다.

01 다음을 듣고, 들려주는 낱말과 첫소리가 같은 것을 고르시오.   (   )

① ② ③ ④ ⑤

02 다음을 듣고, 들려주는 낱말과 그림이 일치하지 <u>않는</u> 것을 고르시오.   (   )

① ② ③ ④ ⑤

03 다음을 듣고, 들려주는 낱말에 알맞은 동물을 고르시오.   (   )

① ② ③ ④ ⑤

04 다음을 듣고, 들려주는 낱말과 색깔이 일치하는 것을 고르시오.   (   )

① ② ③ ④ ⑤

05 다음을 듣고, 그림에 알맞은 낱말을 고르시오.   (   )

① ② ③ ④ ⑤

06 다음을 듣고, 들려주는 숫자끼리 짝 지어진 것을 고르시오.   (   )

① 5, 7   ② 2, 3   ③ 6, 8
④ 9, 10   ⑤ 8, 4

07 다음을 듣고, 그림의 사람들이 하는 행동이 <u>아닌</u> 것을 고르시오.   (   )

① ② ③ ④ ⑤

08 그림을 보고, 여자아이가 할 말로 알맞은 것을 고르시오.
( )

Thank you.

① 🎧 ② 🎧 ③ 🎧 ④ 🎧 ⑤ 🎧

09 다음을 듣고, 그림에 알맞은 대답을 고르시오. ( )

① 🎧 ② 🎧 ③ 🎧 ④ 🎧 ⑤ 🎧

10 대화를 듣고, 두 사람이 할 일을 고르시오. ( )
① 춤추기 ② 노래하기 ③ 수영하기
④ 스키 타기 ⑤ 밖으로 나가기

11 다음을 듣고, 그림에 알맞은 대화를 고르시오. ( )

① 🎧 ② 🎧 ③ 🎧 ④ 🎧 ⑤ 🎧

12 다음을 듣고, 이어질 대답으로 알맞은 것을 고르시오.
( )
① It's okay. ② It's a cat.
③ It's small. ④ It's windy.
⑤ It's a cup.

13 대화를 듣고, 대화의 내용에 알맞은 것을 고르시오.
( )

① ② ③
④ ⑤

14 대화를 듣고, 보미가 좋아하는 것을 고르시오. ( )
① 멜론 ② 사과 ③ 키위
④ 파인애플 ⑤ 오렌지

15 대화를 듣고, Ben이 가지고 있는 것을 고르시오. ( )
① ② ③
④ ⑤

16 대화를 듣고, 두 사람이 보고 있는 동물을 고르시오.
( )
① 새 ② 기린 ③ 코끼리
④ 원숭이 ⑤ 고양이

17 다음을 듣고, 자연스럽지 않은 대화를 고르시오. ( )
① 🎧 ② 🎧 ③ 🎧 ④ 🎧 ⑤ 🎧

18 대화를 듣고, 남자아이의 이름과 나이가 바르게 짝 지어진 것을 고르시오. ( )

① 지민 – 7세 ② 지민 – 9세
③ 준호 – 6세 ④ 준호 – 7세
⑤ 준호 – 9세

19 대화를 듣고, 대화의 내용에 알맞은 날씨를 고르시오. ( )

① ② ③

④ ⑤

20 대화를 듣고, 두 사람이 만들 것을 고르시오. ( )

① 로봇 ② 인형 ③ 얼음
④ 눈사람 ⑤ 아이스크림

21 대화를 듣고, 대화의 마지막에 이어질 말로 알맞은 것을 고르시오. ( )

① I'm sorry.
② That's okay.
③ It's a pencil.
④ You're welcome.
⑤ I have a pencil, too.

이제 듣기 문제가 모두 끝났습니다. 22번부터는 문제지의 지시에 따라 답하기 바랍니다.

22 다음 중 대문자와 소문자가 바르게 짝 지어진 것을 고르시오. ( )

① B – d ② J – g ③ N – u
④ H – h ⑤ Q – p

23 다음 그림에 알맞은 낱말을 고르시오. ( )

① walk ② run ③ sit
④ come ⑤ swim

24 다음 낱말을 읽고, 의미로 알맞은 것을 고르시오. ( )

pencil

① 펜 ② 자 ③ 연필
④ 공책 ⑤ 지우개

25 다음 낱말을 대문자로 바르게 바꾸어 쓴 것을 고르시오. ( )

cloudy

① CLOUBY ② CIOUDY
③ CLOUDY ④ CLONDY
⑤ CLPUDY

♣ 수고하셨습니다. ♣
답안지에 답을 정확히 표기하였는지 확인하시오.

실전 문제 OMR 답안지

✂ 잘라서 사용하세요.

학교	
반	
이름	
확인	

보기와 같이 객관식의 경우 해당 번호에 표기하고 주관식의 경우 해당 답란에 답을 써야 합니다.

보기	번호	답란				
	1	①	②	⬤	④	⑤
	2	①	②	③	④	⬤
	3	주관식 답을 씁니다.				
	4	⬤	②	③	④	⑤
	5	주관식 답을 씁니다.				

국어 점수:

1	① ② ③ ④ ⑤	10	① ② ③ ④ ⑤	19	① ② ③ ④ ⑤
2		11	① ② ③ ④ ⑤	20	① ② ③ ④ ⑤
3	① ② ③ ④ ⑤	12	① ② ③ ④ ⑤	21	① ② ③ ④ ⑤
4	① ② ③ ④ ⑤	13	① ② ③ ④ ⑤	22	① ② ③ ④ ⑤
5	① ② ③ ④ ⑤	14	① ② ③ ④ ⑤	23	① ② ③ ④ ⑤
6		15	① ② ③ ④ ⑤	24	
7	① ② ③ ④ ⑤	16		25	① ② ③ ④ ⑤
8	① ② ③ ④ ⑤	17	① ② ③ ④ ⑤		
9	① ② ③ ④ ⑤	18	① ② ③ ④ ⑤		

✂

학교	
반	
이름	
확인	

보기와 같이 객관식의 경우 해당 번호에 표기하고 주관식의 경우 해당 답란에 답을 써야 합니다.

보기	번호	답란				
	1	①	②	⬤	④	⑤
	2	①	②	③	④	⬤
	3	주관식 답을 씁니다.				
	4	⬤	②	③	④	⑤
	5	주관식 답을 씁니다.				

수학 점수:

1	① ② ③ ④ ⑤	10	① ② ③ ④ ⑤	19	① ② ③ ④ ⑤
2	① ② ③ ④ ⑤	11	① ② ③ ④ ⑤	20	① ② ③ ④ ⑤
3	① ② ③ ④ ⑤	12	① ② ③ ④ ⑤	21	① ② ③ ④ ⑤
4	① ② ③ ④ ⑤	13	① ② ③ ④ ⑤	22	① ② ③ ④ ⑤
5	① ② ③ ④ ⑤	14	① ② ③ ④ ⑤	23	
6	① ② ③ ④ ⑤	15	① ② ③ ④ ⑤	24	
7	① ② ③ ④ ⑤	16	① ② ③ ④ ⑤	25	① ② ③ ④ ⑤
8	① ② ③ ④ ⑤	17	① ② ③ ④ ⑤		
9	① ② ③ ④ ⑤	18	① ② ③ ④ ⑤		

✂

실전 문제 OMR 답안지

사회

학교	
반	
이름	
확인	

점수:

보기와 같이 객관식의 경우 해당 번호에 표기하고 주관식의 경우 해당 답란에 답을 써야 합니다.

	번호	답란				
보기	1	①	②	●	④	⑤
	2	①	②	③	④	●
	3	주관식 답을 씁니다.				
	4	●	②	③	④	⑤
	5	주관식 답을 씁니다.				

번호	답란	번호	답란	번호	답란
1		10		19	① ② ③ ④ ⑤
2	① ② ③ ④ ⑤	11	① ② ③ ④ ⑤	20	
3	① ② ③ ④ ⑤	12	① ② ③ ④ ⑤	21	① ② ③ ④ ⑤
4	① ② ③ ④ ⑤	13	① ② ③ ④ ⑤	22	
5	① ② ③ ④ ⑤	14		23	① ② ③ ④ ⑤
6	① ② ③ ④ ⑤	15	① ② ③ ④ ⑤	24	① ② ③ ④ ⑤
7	① ② ③ ④ ⑤	16	① ② ③ ④ ⑤	25	① ② ③ ④ ⑤
8	① ② ③ ④ ⑤	17	① ② ③ ④ ⑤		
9	① ② ③ ④ ⑤	18	① ② ③ ④ ⑤		

과학

학교	
반	
이름	
확인	

점수:

보기와 같이 객관식의 경우 해당 번호에 표기하고 주관식의 경우 해당 답란에 답을 써야 합니다.

	번호	답란				
보기	1	①	②	●	④	⑤
	2	①	②	③	④	●
	3	주관식 답을 씁니다.				
	4	●	②	③	④	⑤
	5	주관식 답을 씁니다.				

번호	답란	번호	답란	번호	답란
1		10	① ② ③ ④ ⑤	19	① ② ③ ④ ⑤
2	① ② ③ ④ ⑤	11	① ② ③ ④ ⑤	20	① ② ③ ④ ⑤
3	① ② ③ ④ ⑤	12		21	
4	① ② ③ ④ ⑤	13	① ② ③ ④ ⑤	22	① ② ③ ④ ⑤
5	① ② ③ ④ ⑤	14	① ② ③ ④ ⑤	23	① ② ③ ④ ⑤
6	① ② ③ ④ ⑤	15		24	
7	① ② ③ ④ ⑤	16	① ② ③ ④ ⑤	25	① ② ③ ④ ⑤
8		17	① ② ③ ④ ⑤		
9	① ② ③ ④ ⑤	18	① ② ③ ④ ⑤		

영어

학교	
반	
이름	
확인	

점수:

보기와 같이 객관식의 경우 해당 번호에 표기하고 주관식의 경우 해당 답란에 답을 써야 합니다.

	번호	답란				
보기	1	①	②	●	④	⑤
	2	①	②	③	④	●
	3	주관식 답을 씁니다.				
	4	●	②	③	④	⑤
	5	주관식 답을 씁니다.				

번호	답란	번호	답란	번호	답란
1	① ② ③ ④ ⑤	10	① ② ③ ④ ⑤	19	① ② ③ ④ ⑤
2	① ② ③ ④ ⑤	11	① ② ③ ④ ⑤	20	① ② ③ ④ ⑤
3	① ② ③ ④ ⑤	12	① ② ③ ④ ⑤	21	① ② ③ ④ ⑤
4	① ② ③ ④ ⑤	13	① ② ③ ④ ⑤	22	① ② ③ ④ ⑤
5	① ② ③ ④ ⑤	14	① ② ③ ④ ⑤	23	① ② ③ ④ ⑤
6	① ② ③ ④ ⑤	15	① ② ③ ④ ⑤	24	① ② ③ ④ ⑤
7	① ② ③ ④ ⑤	16	① ② ③ ④ ⑤	25	① ② ③ ④ ⑤
8	① ② ③ ④ ⑤	17	① ② ③ ④ ⑤		
9	① ② ③ ④ ⑤	18	① ② ③ ④ ⑤		